M000278394

Primera edición: 1996.
Primera reimpresión: 1996.
Segunda edición (nueva edición aumentada): 1997.
Primera reimpresión (de la 2ª edición): 1997.
Segunda reimpresión: 1998.
Tercera reimpresión: 1999.

Dirección y coordinación editorial: Pilar Jiménez Gazapo.
Adjunta a dirección/coordinación editorial: Ana Calle Fernández.

Definiciones de verbos hispanoamericanos: Diccionario de la Lengua Española de la R.A.E. (Real Academia de la Lengua Española).

Revisiones de verbos hispanoamericanos: Víctor Barrionuevo (Argentina), María Teresa Rivera (Embajada de Bolivia), Antonio Vergara (Chile), Elizabeth Weber (Embajada de Colombia), Felipe Lázaro (Cuba), María Amor López (Embajada de Ecuador), Rafael Hernández (Embajada de El Salvador), Karla Acuña (Embajada de Guatemala), Iris Ponce (Embajada de Honduras), Leonora Moreleón y Natalia Moreleón (México), Donald Castillo (Embajada de Nicaragua), Flor María Arauz (Embajada de Panamá), Alcibiades González Delvalle (Embajada de Paraguay), Patricia Jahncke (Perú), Daniel Duarte (Embajada de la República Dominicana), Sara Tcharkhetian (Río de la Plata), Thomas Rübens (Uruguay), Tomás Onaindía (Venezuela).

Diseño de cubierta y maquetación: Departamento de Imagen Edelsa.
Fotocomposición y Fotomecánica: Crisol, S. L.
Ilustraciones: Ángeles San José.
Imprenta: Pimakius.
Encuadernación: Larmor, S. A.

I.S.B.N.: 84.7711-177-4
Depósito legal: M-6358-1999
Impreso en España.

ÍNDICE

PRESENTACIÓN

Conjugar es fácil (en español de España y de América) permite el manejo correcto y rápido de los verbos más utilizados de la lengua española actual. Tiene dos partes: la primera con un carácter más general, y la segunda referida exclusivamente al español de América.

• **La primera parte** se divide en cinco secciones:

1. Marcada con **g** (de *gramática*). La gramática del verbo en español: Resumen práctico.

   A. González Hermoso, basándose en su larga experiencia como autor y profesor, ha elegido puntos fundamentales para el reconocimiento y la formación de los diferentes tiempos verbales.

   Asimismo, se han organizado las irregularidades y las modificaciones ortográficas y de alteración del acento según los criterios más habituales de las autoridades competentes, combinados con la práctica que el aula aconseja.

   Los usuarios del **Curso Práctico** -también de Editorial Edelsa- encontrarán muchas semejanzas en esta parte 1 de **Conjugar es fácil (en español de España y de América)**.

2. Marcada con **t** (de *tablas*). Se ofrecen 82 tablas completas como modelos.

   Del 1-4, los característicos verbos auxiliares (*haber, tener, ser, estar*). La 81 es un modelo de verbo conjugado en voz pasiva, y la 82, de verbo conjugado en forma pronominal.

   La ordenación de los verbos se ha hecho agrupándolos por conjugaciones. Así, del 5-23 son modelos de verbos en **-ar**; del 24-50 son modelos de verbos en **-er** y del 51-80 son modelos de verbos en **-ir**.

   Dentro de cada grupo se comienza por un modelo totalmente regular: 5, *cantar;* 24, *beber;* 51, *vivir.* A continuación, modelos de verbos que sufren modificaciones ortográficas y alteración del acento. En tercer lugar, modelos de verbos con irregularidades vocálicas y consonánticas, y algunos verbos defectivos.

   Aunque algunos verbos, además de ser irregulares, tienen otro tipo de modificaciones, en la cabecera se han clasificado sólo como irregulares.

   En las tablas se han marcado con negrita las raíces o las partes de las formas que no sufren alteración; se han marcado en rojo las irregularidades, y se han dejado en letra fina las terminaciones y los tiempos compuestos, ya que son invariables en todos los modelos.

3. Marcada con **v** (de *lista de verbos*). Una amplia selección alfabetizada de verbos usuales en la lengua española de hoy en día.

No se han incluido aquellos verbos cuyo uso se limita al participio. Un gran número de verbos en español puede funcionar como no pronominales y como pronominales, si bien no se ha indicado en cada verbo esa doble posibilidad, y se han marcado en cambio como pronominales aquellos que sólo se conjugan así. Para solucionar cualquier problema de conjugación en cualquier verbo que se use de modo pronominal, véase la tabla 82, pág. 108.

Los verbos irregulares están precedidos de un asterisco (*).

Junto al verbo se indica el nombre y número de la tabla modelo que le corresponde.

A la derecha del número puede haber un número de nota junto a aquellos verbos que requieren un comentario específico.

4. Marcada con **p** (de *régimen preposicional*). Se presentan alfabetizadamente verbos muy utilizados actualmente, con las preposiciones y locuciones de más uso y relación semántica con el verbo.

Se ha hecho una selección muy rigurosa, eliminando preposiciones que el verbo *no necesita* y eligiéndose aquellas preposiciones y locuciones preposicionales que un hablante nativo, en uso espontáneo de la lengua, no duda en atribuir a un determinado verbo.

En cada entrada, las preposiciones y locuciones prepositivas se presentan en los ejemplos alfabetizadamente. Se agrupan en un mismo ejemplo las que pueden utilizarse indistintamente. Los ejemplos son sencillos y, cuando es posible o necesario, se acercan a la semántica o al uso del verbo. Por ello, abundan regímenes que son realmente frases hechas.

5. Marcada con **f/e** (*frases hechas y expresiones figuradas*). Una muestra de 94 verbos de los que se han seleccionado hasta 300 frases hechas y expresiones figuradas.

Es parte del registro de lengua que podemos escuchar *Andando por la calle...* y, en consecuencia, toda la muestra podemos decir que es informal. Ahora bien, ha parecido conveniente marcar con F (= *expresión muy familiar)* aquellas frases y expresiones que sólo es aconsejable emplear en contextos muy coloquiales.

5

Se ponen en paralelo expresiones análogas, así como se da una explicación de lo que significa realmente la frase hecha o expresión figurada, y se dan indicaciones sobre ciertos matices, como p. ej.: vulgaridad, machismo o racismo.

Las frases aparecen atribuidas al género masculino, aunque, salvo indicación expresa, también puedan referirse al femenino. Se ha evitado la marca constante o/a, que podría resultar fatigosa, y se ha elegido la opción habitual de la lengua española de neutralizar en el masculino a los dos géneros.

Por último, se ilustran humorísticamente algunas expresiones para poner de relieve cuál es el punto de partida, a veces disparatado, de su significado.

- **La segunda parte** tiene tres secciones *(gramática, lista de verbos y frases hechas y expresiones figuradas)*, que llevan al margen la inicial correspondiente:

1. Breve resumen gramatical de las peculiaridades del verbo en el español de América. El aspecto principal aquí resaltado es el del *voseo*, fenómeno específico del español de América que llamará necesariamente la atención de los estudiantes no familiarizados con las diversas variantes del español, cada vez más tomadas en cuenta en su aprendizaje.

2. Un listado de verbos hispanoamericanos ordenados alfabéticamente y con la explicación de su significado según la definición de la Real Academia de la Lengua Española, a la que en algunos casos se ha añadido, entre paréntesis, una breve aclaración de la editorial. Junto a la explicación, se da el modelo de conjugación, el número de tabla correspondiente y la referencia a nota si el verbo la necesita.

3. Una pequeña selección de frases hechas y expresiones figuradas de uso en Hispanoamérica. Se acompaña también de ilustraciones humorísticas que pretenden resaltar el carácter lúdico del aprendizaje.

Esperamos que esta nueva edición suscite un vivo interés por la lengua y la cultura hispanoamericanas, sin las cuales es claro que no puede seguir abordándose la enseñanza del español. Por otra parte, queremos hacer énfasis en que, para nosotros, la diferencia, lejos de incitar a la separación, entraña fundamentalmente riqueza y diversidad, siempre dentro de un contexto de reconocimiento y de respeto.

LA EDITORIAL

Nota del autor: Se agradecerá que dirijan cualquier comentario o sugerencia a la siguiente dirección electrónica: Gonzalez.hermoso@wanadoo.fr

PRIMERA PARTE

Conjugar
es
fácil

en español

la gramática del
verbo en español:
resumen práctico

1   La conjugación española: clasificación de los verbos

Se clasifican en tres grupos, según la terminación de los infinitivos:

> **Primera conjugación:** Infinitivo terminado en -**AR**: *Cant ar*.
>
> **Segunda conjugación:** Infinitivo terminado en -**ER**: *Beb er*.
>
> **Tercera conjugación:** Infinitivo terminado en -**IR**: *Viv ir*.

2   Datos básicos sobre los verbos en español

A. FORMA VERBAL

● En ella se puede distinguir: la **raíz** o **radical**; a veces, características que marcan el tiempo y el modo; cuando se trata de una forma personal, la **terminación** o **desinencia**.

Ejemplo:

amá - ba - mos

raíz   característica   desinencia de
de imperf. de ind.   1.ª pers. pl.

● Las formas verbales pueden ser **personales** —si indican la persona— y **no personales** —si no la indican.

• Las personas del verbo son seis. **Tres personas** en el **singular** y **tres personas** en el **plural**.

SINGULAR   **1ª** (yo)   **PLURAL**   **1ª** (nosotros)
             2ª (tú)   **2ª** (vosotros)
             3ª (él / ella / ud.)   **3ª** (ellos / ellas / uds.)

• En español no es necesario, como en otras lenguas, decir (ni escribir) el pronombre personal delante de la forma verbal. Por eso en esta obra no se indican, salvo detrás de las formas verbales del imperativo, tiempo en el que tradicionalmente sí se expresan los pronombres.

gramática del verbo

● Las **formas no personales** —que no indican persona— son tres: **infinitivo**, **gerundio** y **participio**.

● Las formas verbales se clasifican en **simples** y **compuestas**. Las formas compuestas se forman con el verbo auxiliar **HABER** (*Tabla 1*, pág. 24).

B. MODOS

● Actualmente se consideran tres: 1. **Indicativo**. 2. **Subjuntivo**. 3. **Imperativo**.

● El condicional (simple y compuesto), que se clasificaba antes como modo, ahora se incluye como tiempo en el modo indicativo.

● Dentro de cada modo hay **tiempos**.

C. TIEMPOS

● Los tiempos son, esencialmente, **presente, pasado** y **futuro**, pero, por ejemplo, para referirnos al pasado tenemos varios tiempos con nombres diferentes.

• Los tiempos pueden ser formas verbales **simples** o **compuestas** —si se forman con el verbo auxiliar **HABER**.

• Considerando a los tiempos —con formas personales— en cada uno de los modos tenemos:

MODO INDICATIVO

Tiempos simples	**PRESENTE**	**PRETÉRITO IMPERFECTO**	**PRETÉRITO INDEFINIDO (1)**	**FUTURO IMPERFECTO (2)**
	CONDICIONAL SIMPLE			

Tiempos compuestos	**PRETÉRITO PERFECTO (3)**	**PRETÉRITO PLUSCUAMPERFECTO**	**PRETÉRITO ANTERIOR**	**FUTURO PERFECTO (4)**
	CONDICIONAL COMPUESTO			

MODO SUBJUNTIVO

Tiempos simples	**PRESENTE**	**PRETÉRITO IMPERFECTO**	**FUTURO IMPERFECTO (5)**

Tiempos compuestos	PRETÉRITO PERFECTO	PRETÉRITO PLUSCUAMPERFECTO	FUTURO PERFECTO (6)
Tiempos simples	PRESENTE	MODO IMPERATIVO	

– Notas:

(1) El **pretérito indefinido** se llama también **perfecto simple**.
(2), (5) El **futuro imperfecto** se llama también **futuro (simple)**.
(3) El **pretérito perfecto** se llama también **perfecto compuesto**.
(4), (6) El **futuro perfecto** se llama también **futuro compuesto**.
(5), (6) Los dos futuros del modo subjuntivo son muy poco usados. Son propios de un lenguaje culto, técnico y arcaizante.

– Se ha extendido mucho el nombre de **perfecto simple** para el **indefinido** y el de **perfecto compuesto** para el **pretérito perfecto**. Nosotros hemos preferido dejar los nombres tradicionales para diferenciarlos más.

● Las **formas no personales** también pueden ser **simples** y **compuestas**.

FORMAS NO PERSONALES

Formas simples:	INFINITIVO	GERUNDIO	PARTICIPIO
Formas compuestas:	INFINITIVO	GERUNDIO	

D. VOZ

● En español hablamos de **voz activa** y **voz pasiva**.

• La voz pasiva se forma en todos sus tiempos con el auxiliar **SER** (*Tabla 3*, pág. 26).

3 La conjugación regular

INTRODUCCIÓN

En la sección *Tablas* se ofrecen tres modelos de verbos regulares:

-**ar**	:	**5**	*cantar*	(pág. 29)
-**er**	:	**24**	*beber*	(pág. 49)
-**ir**	:	**51**	*vivir*	(pág. 77)

Conjugar es fácil

gramática del verbo

Cada uno de ellos abre el apartado donde se encuentran los restantes modelos —con modificaciones ortográficas, alteraciones del acento o con irregularidades vocálicas y consonánticas— de la misma terminación.

Nota: El gran número de verbos españoles que acaba en **-ear** es totalmente regular y se conjuga como *cantar* (*Tabla 5*, pág. 29). Simplemente no hay que olvidar que la **e** final del radical no se pierde en ningún tiempo ni persona.

Ejemplo: *Telefonear*   – 1ª pers. sing. pres. ind.: *telefoneo.*
                              – 3ª pers. p. pres. subj.: *telefoneen.*
                              – 1ª pers. sing. pret. indefinido: *telefoneé.*

FORMACIÓN DE LOS TIEMPOS SIMPLES

- con el radical del verbo:	presentes (indicativo, subjuntivo, imperativo), imperfecto de indicativo, pretérito indefinido o perfecto simple, gerundio y participio.
- con el infinitivo:	futuro de indicativo, condicional.
- con la 3ª pers. pl. pret. indef. (quitando la terminación **-ron**):	imperfecto y futuro de subjuntivo.

Observaciones

● El modo imperativo no tiene más que dos formas propias:

• La 2ª persona del singular, que corresponde (excepto en ciertos verbos irregulares) a la 2ª persona del presente de indicativo, quitando la **-s** de la terminación:

                 (tú) cantas ——▶ ***canta tú***.

• La 2ª persona del plural, que se forma cambiando la **-r** final del infinitivo por **-d**:

                 cantar ——▶ ***cantad vosotros/as***.

● Las demás formas usadas para el imperativo pertenecen al presente de subjuntivo:

Pres. de subjuntivo		**Imperativo**	
(él / ella / usted)	cante	***cante***	***él / ella / usted***
(nosotros/as)	cantemos	***cantemos***	***nosotros/as***
(ellos / ellas / uds.)	canten	***canten***	***ellos / ellas / ustedes***

CUADRO GENERAL DE LA FORMACIÓN DE LOS TIEMPOS SIMPLES

-ar

Pres. de indicativo	Imperativo	Pres. de subjuntivo	Imperf. de indicativo	Pretérito indefinido	Imperfecto de subjuntivo	Futuro de subjuntivo	Futuro de indicativo	Condicional	Gerundio	Participio
radical +	radical +	radical +	radical +	radical +			infinitivo +	infinitivo +	radical +	radical +
- o		- e	- aba	- é			- é	- ía	- ando	- ado
- as	- a	- es	- abas	- aste			- ás	- ías		
- a	- e	- e	- aba	- ó			- á	- ía		
- amos	- emos	- emos	- ábamos	- amos			- emos	- íamos		
- áis	- ad	- éis	- abais	- asteis			- éis	- íais		
- an	- en	- en	- aban	- [a] ron			- án	- ían		

-er

Pres. de indicativo	Imperativo	Pres. de subjuntivo	Imperf. de indicativo	Pretérito indefinido	Imperfecto de subjuntivo	Futuro de subjuntivo	Futuro de indicativo	Condicional	Gerundio	Participio
- o		- a	- ía		- ra o - se	- re				
- es	- e	- as	- ías	- í	- ras o - ses	- res				
- e	- a	- a	- ía	- iste	- ra o - se	- re			- iendo	- ido
- emos	- amos	- amos	- íamos	- ió	- ramos o - semos	- remos				
- éis	- ed	- áis	- íais	- imos	- rais o - seis	- reis				
- en	- an	- an	- ían	- isteis	- ran o - sen	- ren				
				- [ie] ron						

-ir

Pres. de indicativo	Imperativo	Pres. de subjuntivo
- o		- a
- es	- e	- as
- e	- a	- a
- imos	- amos	- amos
- ís	- id	- áis
- en	- an	- an

gramática del verbo

FORMACIÓN DE LOS TIEMPOS COMPUESTOS

Todos los tiempos compuestos se forman con los tiempos simples del auxiliar **HABER** (*Tabla 1*, pág. 24) y el participio del verbo que se conjuga. Así:

Pret. perfecto de indicativo, verbo **escribir**: *Yo he escrito, tú has escrito, etc.*

Pret. perfecto de subjuntivo, verbo **escribir**: *Yo haya escrito, etc.*

4 La conjugación irregular

Las irregularidades de la conjugación española afectan a la raíz de los verbos y son **vocálicas** o **consonánticas**. No se consideran aquí irregulares los verbos que, para mantener el sonido, cambian alguna consonante ante la vocal **-e** o la vocal **-o** de la terminación. Son modificaciones ortográficas que se estudian en el apartado 6.

Hay verbos que son irregulares y que además tienen modificación ortográfica, pero en la cabecera de las tablas se les llama solamente *irregulares* para simplificar.

IRREGULARIDADES VOCÁLICAS

Verbos con la diptongación E -> IE

-ar: **Pensar**, *Tabla 13*, pág. 37.

Siguen esta irregularidad: *acertar, apretar, arrendar, atravesar, calentar, cegar, cerrar, comenzar, concertar, confesar, desconcertar, despertar, desterrar,* **empezar** (*Tabla 15*, pág. 39), *encerrar, encomendar, enmendar, enterrar, fregar, gobernar, helar, manifestar, merendar,* **negar** (*Tabla 14*, pág. 38), *nevar, pensar, plegar, quebrar, recalentar, recomendar, recomenzar, regar, renegar, reventar, segar, sembrar, sentar, sosegar, temblar, tentar, tropezar, etc.*

-er: **Perder**, *Tabla 29*, pág. 54.

Siguen esta irregularidad: *ascender, atender, condescender, defender, desatender, desentenderse, encender, entender, extender,* **querer** (*Tabla 42*, pág. 67), *sobre(e)ntender, tender, tra(n)scender, etc.*

-**ir**: **Discernir**, *Tabla 66*, pág. 92.

Siguen esta irregularidad: *concernir, cernir,* etc.

Verbos con la diptongación O -> UE

-**ar**: **Contar**, *Tabla 16*, pág. 40.

Siguen esta irregularidad: *acordar, acostar, almorzar, apostar, aprobar,* **avergonzar** (*Tabla 20*, pág. 44), *colar, colgar, comprobar, concordar, consolar, costar, degollar, demostrar, desacordar, desaprobar, descolgar, descontar, despoblar, encontrar, esforzarse,* **forzar** (*Tabla 19*, pág. 43), *mostrar, poblar, probar, recontar, recordar, reforzar, renovar, repoblar, reprobar, resonar, revolcar, rodar,* **rogar** (*Tabla 18*, pág. 42), *sobrevolar, soldar, soltar, sonar, soñar, tostar, volar, volcar,* etc.

-**er**: **Mover**, *Tabla 30*, pág. 55.

Siguen esta irregularidad: *absolver, cocer, conmover, desenvolver, devolver, disolver, doler, escocer, llover, moler, morder, oler*,* **poder** (*Tabla 40*, pág. 65), *promover, recocer, remorder, remover, resolver, retorcer, soler, torcer, volver,* etc.

* El verbo **oler** tiene una conjugación particular: *huelo, hueles, huele, olemos, oléis, huelen.*

Verbos con la diptongación E -> IE y la transformación E -> I

-**ir**: **Sentir**, *Tabla 65*, pág. 91.

Siguen esta irregularidad: *adherir, advertir, arrepentirse, conferir, consentir, convertir, deferir, desmentir, diferir, digerir, disentir, divertir, herir, hervir, inferir, ingerir, injerir, invertir, malherir, mentir, pervertir, preferir, proferir, referir, resentir, sugerir, tra(n)sferir,* etc.

Verbos con la diptongación O -> UE y la transformación O -> U

-**ir**: **Dormir**, *Tabla 68*, pág. 94.

También sigue esta irregularidad *morir* (y su participio, irregular, es *m ue rto*).

Verbos que transforman E -> I

-**ir**: **Pedir**, *Tabla 60*, pág. 86.

gramática del verbo

Siguen esta irregularidad: *competir, concebir, conseguir,* **corregir** (*Tabla 61*, pág. 87), *derretir, despedir, desteñir, desvestir, elegir, embestir, expedir, freír, gemir, impedir, investir, medir, perseguir, proseguir, reelegir, regir,* **reír** (*Tabla 63*, pág. 89), *rendir, reñir, repetir, revestir,* **seguir** (*Tabla 62*, pág. 88), *servir, sonreír, travestir, vestir,* etc.

Verbos que transforman I -> IE

-ir: **Adquirir**, *Tabla 67*, pág. 93.

Sigue esta irregularidad: *inquirir.*

Verbo que transforma U -> UE

-ar: **Jugar**, *Tabla 21*, pág. 45.

IRREGULARIDADES CONSONÁNTICAS

Verbos terminados en -ACER, -ECER, -OCER, -UCIR que transforman C -> ZC delante de O y A

Siguen esta irregularidad numerosos verbos: *abastecer, aborrecer, agradecer, aparecer, apetecer, carecer, compadecer, complacer,* **conocer** (*Tabla 32*, pág. 57), *convalecer, crecer, desagradecer, desaparecer, desconocer, desfavorecer, deslucir, desmerecer, desobedecer, embellecer, empobrecer, enriquecer, enrojecer, enternecer, entristecer, envejecer, establecer, estremecer, favorecer, florecer, fortalecer,* **lucir** (*Tabla 70*, pág. 96), *merecer,* **nacer** (*Tabla 31*, pág. 56),* **obedecer** (*Tabla 33*, pág. 58), *ofrecer, padecer, parecer, permanecer, pertenecer, reaparecer, rejuvenecer, relucir, renacer, restablecer,* etc.

Excepciones: **hacer** (*Tabla 37*, pág. 62) y derivados de *hacer,* **cocer** *(cuezo, Tabla 34*, pág. 59), escocerse (me escuezo), recocer (recuezo), mecer (mezo).*

Verbos terminados en -DUCIR que transforman C -> ZC delante de O y A. Pretérito Indefinido en -DUJE

-ir: **Traducir**, *Tabla 69*, pág. 95.

Siguen esta irregularidad: *conducir, deducir, inducir, introducir, producir, reconducir, reducir, reproducir, seducir,* etc.

Conjugar es fácil

gramática del verbo

Verbos terminados en -UIR que cambian I -> Y delante de A, E, O

-ir: Concluir, *Tabla 59,* pág. 85.

Siguen esta irregularidad: *afluir, atribuir, autodestruir, concluir, confluir, constituir, construir, contribuir, destituir, destruir, diluir, disminuir, distribuir, excluir, huir, incluir, influir, instituir, instruir, obstruir, prostituir, reconstituir, reconstruir, restituir, retribuir, su(b)stituir,* etc.

5 Verbos defectivos

● Se llama así a todos los verbos que no tienen todas sus formas, sean tiempos o personas concretas. Se trata, por tanto, de verbos incompletos.

Ejemplos de defectivos: *soler, Tabla 46,* pág. 71.
                                 abolir, Tabla 71, pág. 97.

● Hay defectivos que sólo se conjugan en las terceras personas (menos en imperativo) y en el infinitivo (simple y compuesto). A veces se les llama **terciopersonales**.

Ejemplos de defectivos terciopersonales: *acaecer, acontecer, atañer, concernir, incumbir.*

En ciertos sentidos, verbos como *placer, yacer* y *gustar* (en la construcción «me gusta») también se consideran terciopersonales.

● Hay defectivos que, en su sentido primario, no figurado, sólo se conjugan en 3ª persona del singular (menos en imperativo) y en el infinitivo (simple y compuesto). A veces se les llama **unipersonales.** El grupo más numeroso es el que se relaciona con el tiempo y los fenómenos atmosféricos.

Ejemplos de unipersonales atmosféricos: *amanecer, anochecer, atardecer, chispear, clarear, diluviar, granizar, helar, llover, lloviznar, nevar, oscurecer, relampaguear, tronar, ventar.*

● Pueden ser unipersonales también, según contextos, algunos otros verbos entre los que destacan los que expresan sucesos.

Ejemplos: *bastar, caber, constar, convenir, faltar, holgar, ocurrir, parecer, sobrar, suceder, urgir.*

Conjugar es fácil

gramática del verbo

6 Modificaciones ortográficas y alteraciones del acento

Algunos verbos —regulares o irregulares—, para mantener la pronunciación de sonido de la consonante final de la raíz, sufren modificaciones ortográficas. Otros verbos alteran la situación del acento.

MODIFICACIONES CONSONÁNTICAS

Verbos terminados en	cambian	delante de
-car	c en qu	e

-ar: **Atacar**, *Tabla 7*, pág. 31.

Siguen esta modificación: *abarcar, acercar, aparcar, arrancar, atrancar, desatascar, roncar,* etc.

Verbos terminados en	cambian	delante de
-cer	c en z	a, o
-cir		

-er: **Vencer**, *Tabla 26*, pág. 51.
-ir: **Esparcir**, *Tabla 54*, pág. 80.

Siguen esta modificación verbos como *convencer, ejercer, torcer,* **cocer** (*Tabla 34*, pág. 59), *escocer, mecer, recocer, resarcir, uncir,* y *zurcir.*

Verbos terminados en	cambian	delante de
-gar	g en gu	e

-ar: **Pagar**, *Tabla 6*, pág. 30.

Siguen esta modificación: *ahogar, colgar, pegar, regar,* etc.

Verbos terminados en	cambian	delante de
-ger y -gir	g en j	a, o

-er: **Coger**, *Tabla 25*, pág. 50.
-ir: **Corregir**, *Tabla 61*, pág. 87.

Siguen esta modificación: *acoger, emerger, encoger, escoger, proteger, recoger,* así como *afligir, elegir, exigir, fingir, preelegir, reelegir, regir, restringir, surgir,* etc.

Verbos terminados en	cambian	delante de
-zar	z en c	e

-ar: **Cruzar**, *Tabla 8*, pág. 32.

Siguen esta modificación: *abrazar, almorzar, empezar, rebozar, rezar,* etc.

MODIFICACIONES VOCÁLICAS

Se refieren a: **cambios de i > y**, a **pérdidas de i y de u**.

Verbos terminados en	cambian	delante de
-eer	i > y	terceras personas del indefinido, tiempos derivados y gerundio

-er: **Leer**, *Tabla 28*, pág. 53. (Se clasifica tradicionalmente como irregular).

Siguen esta modificación: *creer, poseer, proveer, releer,* etc.

Verbos terminados en	pierden la	delante de
-guir	u	a, o

-ir: **Seguir**, *Tabla 62*, pág. 88.

Siguen esta modificación: *conseguir, extinguir, perseguir, proseguir,* etc.

Verbos terminados en	pierden la	en
-eír, -ñer, -ñir, -ullir	i de la terminación	terceras personas del indefinido, tiempos derivados y gerundio

Siguen esta modificación: *freír,* **reír** (*Tabla 63*, pág. 89), *sonreír,* etc.; *atañer,* **tañer** (*Tabla 27*, pág. 52), etc.; *desteñir, estreñir,* **bruñir** (*Tabla 58*, pág. 84), *reñir,* etc.; *bullir, escabullirse,* **mullir** (*Tabla 57*, pág. 83), *zambullir,* etc.

ALTERACIONES DEL ACENTO

Entre las alteraciones del acento que sufren muchos verbos en español, señalamos las de dos grupos numerosos.

Conjugar es fácil

gramática del verbo

Verbos terminados en -iar

Existen dos clases de verbos terminados en **iar**.

Unos que no acentúan la **i** del diptongo **io** y que, por consiguiente, no llevan acento escrito.

• Ejemplo: **Cambiar**

Siguen esta modificación: *abreviar, acariciar, copiar, estudiar, rumiar,* etc.

Otros que acentúan la **i** del diptongo **io**, formando dos sílabas y que por consiguiente llevan acento escrito:

-**ar**: **Desviar**, *Tabla 9,* pág. 33.

Siguen esta modificación: *averiar, confiar, guiar, variar,* etc.

Verbos terminados en -uar

Acentúan la **u** del diptongo **uo**, formando dos sílabas.

-**ar**: **Actuar**, *Tabla 10,* pág. 34.

Siguen esta modificación: *acentuar, adecuar,* etc.

Nota: Para completar las modificaciones ortográficas, añadimos los verbos terminados en -**guar.** Estos verbos incorporan a la **u** la diéresis (**ü**) delante de una **e**.

-**ar**: **Averiguar**, *Tabla 11,* pág. 35.

Siguen esta modificación: *aguar, amortiguar, apaciguar, atestiguar, menguar, santiguarse,* etc.

7   Verbos auxiliares

En español son muy utilizados y se consideran **auxiliares** cuatro verbos: **HABER, TENER, SER** y **ESTAR**.

● Frente a otras lenguas que tienen un solo verbo para expresar la posesión y formar los tiempos compuestos, el español tiene dos:

HABER (*Tabla 1,* pág. 24).

Conjugar es fácil

gramática del verbo

- Ya se ha indicado que forma los tiempos compuestos de todos los verbos.

- El participio conjugado con **HABER** es invariable.

- Ej.: *Las chicas se han **ido** de paseo.*

- El participio de los tiempos compuestos no puede ir separado del auxiliar (**HABER**) por ninguna palabra.

Ej.: ***He comido** bien* y no ***He** bien **comido**.*

- Es también un verbo impersonal, que tiene el sentido de *existir*, y se emplea en presente, pasado y futuro de indicativo, siempre en 3ª persona del singular.

Ejs.: ***Hay** gente; **hay** problemas; **ha habido** problemas.*

TENER (*Tabla 2*, pág. 25).

- Es el auténtico verbo para indicar la posesión en español y es, por tanto, muy usado.

- Frente a otras lenguas que tienen un solo verbo para la voz pasiva y los tiempos llamados continuos, el español tiene dos:

SER (*Tabla 3*, pág. 26).

- Ya se ha indicado que forma todos los tiempos de la llamada conjugación en voz pasiva.

- Se ofrece un verbo conjugado en voz pasiva (*Tabla 81*, pág. 107), como modelo para todos los verbos transitivos, que son los que admiten conjugación en voz pasiva.

ESTAR (*Tabla 4*, pág. 27).

- Es el verbo que forma los tiempos llamados *continuos*, formados por la perífrasis del verbo **ESTAR** + **gerundio**, con un sentido de acción en curso y que son muy usados en español.

Ejs.: *Esta niña **está creciendo** mucho.*
    *A estas horas ya **estará viniendo**.*

Nota: Concordancia del participio conjugado con **SER** y **ESTAR**. El participio conjugado con **SER** y **ESTAR** concuerda siempre con el sujeto.

*Los bosques **fueron devastados** por los incendios.*
*Los bancos **estaban abiertos** a esas horas.*
*La niña **estaba asustada** y **fue sacada** de allí.*

gramática del verbo

8 Verbos pronominales

La conjugación llamada pronominal se forma con el **pronombre reflexivo + verbo conjugado en voz activa**, según el modelo de la *Tabla 82*, pág. 108.

Hay que recordar que en español una gran parte de los verbos pueden funcionar como pronominales y no pronominales: se trata de una cuestión de significado y no de forma. Por eso no hemos indicado en la lista de verbos la referencia de pronominal cuando el verbo admite las dos construcciones.

Sin embargo se han marcado con *se* enclítico los verbos que sólo admiten la construcción pronominal o que se presentan así en la práctica totalidad de su uso.

tablas de verbos

modelos diferentes

tablas de verbos

1. HABER VERBO AUXILIAR

MODO INDICATIVO

PRESENTE	PRETÉRITO IMPERFECTO	PRETÉRITO INDEFINIDO (1)	FUTURO IMPERFECTO
he	**hab** ía	hube	habré
has	**hab** ías	hubiste	habrás
ha	**hab** ía	hubo	habrá
hemos	**hab** íamos	hubimos	habremos
hab éis	**hab** íais	hubisteis	habréis
han	**hab** ían	hubieron	habrán

PRETÉRITO PERFECTO		PRETÉRITO PLUSCUAMPERFECTO		PRETÉRITO ANTERIOR		FUTURO PERFECTO	
he	habido	había	habido	hube	habido	habré	habido
has	habido	habías	habido	hubiste	habido	habrás	habido
ha	habido	había	habido	hubo	habido	habrá	habido
hemos	habido	habíamos	habido	hubimos	habido	habremos	habido
habéis	habido	habíais	habido	hubisteis	habido	habréis	habido
han	habido	habían	habido	hubieron	habido	habrán	habido

CONDICIONAL SIMPLE	CONDICIONAL COMPUESTO	
habría	habría	habido
habrías	habrías	habido
habría	habría	habido
habríamos	habríamos	habido
habríais	habríais	habido
habrían	habrían	habido

MODO SUBJUNTIVO

PRESENTE	PRETÉRITO IMPERFECTO		FUTURO IMPERFECTO (2)
haya	hubiera	o hubiese	hubiere
hayas	hubieras	o hubieses	hubieres
haya	hubiera	o hubiese	hubiere
hayamos	hubiéramos	o hubiésemos	hubiéremos
hayáis	hubierais	o hubieseis	hubiereis
hayan	hubieran	o hubiesen	hubieren

PRETÉRITO PERFECTO		PRETÉRITO PLUSCUAMPERFECTO			FUTURO PERFECTO (3)	
haya	habido	hubiera	o hubiese	habido	hubiere	habido
hayas	habido	hubieras	o hubieses	habido	hubieres	habido
haya	habido	hubiera	o hubiese	habido	hubiere	habido
hayamos	habido	hubiéramos	o hubiésemos	habido	hubiéremos	habido
hayáis	habido	hubierais	o hubieseis	habido	hubiereis	habido
hayan	habido	hubieran	o hubiesen	habido	hubieren	habido

MODO IMPERATIVO

PRESENTE

he	tú
haya	él/ella/usted
hayamos	nosotros/as
hab ed	vosotros/as
hayan	ellos/ellas/ustedes

FORMAS NO PERSONALES

FORMAS SIMPLES

INFINITIVO	GERUNDIO	PARTICIPIO
haber	**hab** iendo	**hab** ido

FORMAS COMPUESTAS

INFINITIVO	GERUNDIO
haber habido	habiendo habido

(1) o Perfecto simple. (2), (3) muy poco usados.

2. TENER VERBO AUXILIAR

MODO INDICATIVO

PRESENTE	PRETÉRITO IMPERFECTO	PRETÉRITO INDEFINIDO (1)	FUTURO IMPERFECTO
tengo	ten ía	tuve	tendré
tienes	ten ías	tuviste	tendrás
tiene	ten ía	tuvo	tendrá
ten emos	ten íamos	tuvimos	tendremos
ten éis	ten íais	tuvisteis	tendréis
tienen	ten ían	tuvieron	tendrán

PRETÉRITO PERFECTO		PRETÉRITO PLUSCUAMPERFECTO		PRETÉRITO ANTERIOR		FUTURO PERFECTO	
he	tenido	había	tenido	hube	tenido	habré	tenido
has	tenido	habías	tenido	hubiste	tenido	habrás	tenido
ha	tenido	había	tenido	hubo	tenido	habrá	tenido
hemos	tenido	habíamos	tenido	hubimos	tenido	habremos	tenido
habéis	tenido	habíais	tenido	hubisteis	tenido	habréis	tenido
han	tenido	habían	tenido	hubieron	tenido	habrán	tenido

CONDICIONAL SIMPLE	CONDICIONAL COMPUESTO	
tendría	habría	tenido
tendrías	habrías	tenido
tendría	habría	tenido
tendríamos	habríamos	tenido
tendríais	habríais	tenido
tendrían	habrían	tenido

MODO SUBJUNTIVO

PRESENTE	PRETÉRITO IMPERFECTO			FUTURO IMPERFECTO (2)
tenga	tuviera	o	tuviese	tuviere
tengas	tuvieras	o	tuvieses	tuvieres
tenga	tuviera	o	tuviese	tuviere
tengamos	tuviéramos	o	tuviésemos	tuviéremos
tengáis	tuvierais	o	tuvieseis	tuviereis
tengan	tuvieran	o	tuviesen	tuvieren

PRETÉRITO PERFECTO		PRETÉRITO PLUSCUAMPERFECTO				FUTURO PERFECTO (3)	
haya	tenido	hubiera	o	hubiese	tenido	hubiere	tenido
hayas	tenido	hubieras	o	hubieses	tenido	hubieres	tenido
haya	tenido	hubiera	o	hubiese	tenido	hubiere	tenido
hayamos	tenido	hubiéramos	o	hubiésemos	tenido	hubiéremos	tenido
hayáis	tenido	hubierais	o	hubieseis	tenido	hubiereis	tenido
hayan	tenido	hubieran	o	hubiesen	tenido	hubieren	tenido

MODO IMPERATIVO

FORMAS NO PERSONALES

PRESENTE

ten	tú
tenga	él/ella/usted
tengamos	nosotros/as
ten ed	vosotros/as
tengan	ellos/ellas/ustedes

FORMAS SIMPLES

INFINITIVO	GERUNDIO	PARTICIPIO
tener	ten iendo	ten ido

FORMAS COMPUESTAS

INFINITIVO	GERUNDIO
haber tenido	habiendo tenido

(1) o Perfecto simple. (2), (3) muy poco usados.

tablas de verbos

3. SER VERBO AUXILIAR

MODO INDICATIVO

PRESENTE	PRETÉRITO IMPERFECTO	PRETÉRITO INDEFINIDO (1)	FUTURO IMPERFECTO
soy	era	fui	**ser** é
eres	eras	fuiste	**ser** ás
es	era	fue	**ser** á
somos	éramos	fuimos	**ser** emos
sois	erais	fuisteis	**ser** éis
son	eran	fueron	**ser** án

PRETÉRITO PERFECTO	PRETÉRITO PLUSCUAMPERFECTO	PRETÉRITO ANTERIOR	FUTURO PERFECTO
he sido	había sido	hube sido	habré sido
has sido	habías sido	hubiste sido	habrás sido
ha sido	había sido	hubo sido	habrá sido
hemos sido	habíamos sido	hubimos sido	habremos sido
habéis sido	habíais sido	hubisteis sido	habréis sido
han sido	habían sido	hubieron sido	habrán sido

CONDICIONAL SIMPLE	CONDICIONAL COMPUESTO
ser ía	habría sido
ser ías	habrías sido
ser ía	habría sido
ser íamos	habríamos sido
ser íais	habríais sido
ser ían	habrían sido

MODO SUBJUNTIVO

PRESENTE	PRETÉRITO IMPERFECTO		FUTURO IMPERFECTO (2)
sea	fuera	o fuese	fuere
seas	fueras	o fueses	fueres
sea	fuera	o fuese	fuere
seamos	fuéramos	o fuésemos	fuéremos
seáis	fuerais	o fueseis	fuereis
sean	fueran	o fuesen	fueren

PRETÉRITO PERFECTO	PRETÉRITO PLUSCUAMPERFECTO		FUTURO PERFECTO (3)
haya sido	hubiera	o hubiese sido	hubiere sido
hayas sido	hubieras	o hubieses sido	hubieres sido
haya sido	hubiera	o hubiese sido	hubiere sido
hayamos sido	hubiéramos	o hubiésemos sido	hubiéremos sido
hayáis sido	hubierais	o hubieseis sido	hubiereis sido
hayan sido	hubieran	o hubiesen sido	hubieren sido

MODO IMPERATIVO

PRESENTE	
sé	tú
sea	él/ella/usted
seamos	nosotros/as
s ed	vosotros/as
sean	ellos/ellas/ustedes

FORMAS NO PERSONALES

FORMAS SIMPLES

INFINITIVO	GERUNDIO	PARTICIPIO
ser	siendo	sido

FORMAS COMPUESTAS

INFINITIVO	GERUNDIO
haber sido	habiendo sido

(1) o Perfecto simple. (2), (3) muy poco usados.

Conjugar es fácil

tablas de verbos

4. ESTAR VERBO AUXILIAR

MODO INDICATIVO

PRESENTE	PRETÉRITO IMPERFECTO	PRETÉRITO INDEFINIDO (1)	FUTURO IMPERFECTO
estoy	est aba	estuve	estar é
est ás	est abas	estuviste	estar ás
est á	est aba	estuvo	estar á
est amos	est ábamos	estuvimos	estar emos
est áis	est abais	estuvisteis	estar éis
est án	est aban	estuvieron	estar án

PRETÉRITO PERFECTO		PRETÉRITO PLUSCUAMPERFECTO		PRETÉRITO ANTERIOR		FUTURO PERFECTO	
he	estado	había	estado	hube	estado	habré	estado
has	estado	habías	estado	hubiste	estado	habrás	estado
ha	estado	había	estado	hubo	estado	habrá	estado
hemos	estado	habíamos	estado	hubimos	estado	habremos	estado
habéis	estado	habíais	estado	hubisteis	estado	habréis	estado
han	estado	habían	estado	hubieron	estado	habrán	estado

CONDICIONAL SIMPLE	CONDICIONAL COMPUESTO	
estar ía	habría	estado
estar ías	habrías	estado
estar ía	habría	estado
estar íamos	habríamos	estado
estar íais	habríais	estado
estar ían	habrían	estado

MODO SUBJUNTIVO

PRESENTE	PRETÉRITO IMPERFECTO			FUTURO IMPERFECTO (2)
est é	estuviera	o	estuviese	estuviere
est és	estuvieras	o	estuvieses	estuvieres
est é	estuviera	o	estuviese	estuviere
est emos	estuviéramos	o	estuviésemos	estuviéremos
est éis	estuvierais	o	estuvieseis	estuviereis
est én	estuvieran	o	estuviesen	estuvieren

PRETÉRITO PERFECTO		PRETÉRITO PLUSCUAMPERFECTO				FUTURO PERFECTO (3)	
haya	estado	hubiera	o	hubiese	estado	hubiere	estado
hayas	estado	hubieras	o	hubieses	estado	hubieres	estado
haya	estado	hubiera	o	hubiese	estado	hubiere	estado
hayamos	estado	hubiéramos	o	hubiésemos	estado	hubiéremos	estado
hayáis	estado	hubierais	o	hubieseis	estado	hubiereis	estado
hayan	estado	hubieran	o	hubiesen	estado	hubieren	estado

MODO IMPERATIVO / FORMAS NO PERSONALES

PRESENTE

est á	tú
est é	él/ella/usted
est emos	nosotros/as
est ad	vosotros/as
est én	ellos/ellas/ustedes

FORMAS SIMPLES

INFINITIVO	GERUNDIO	PARTICIPIO
estar	est ando	est ado

FORMAS COMPUESTAS

INFINITIVO	GERUNDIO
haber estado	habiendo estado

(1) o Perfecto simple. (2), (3) muy poco usados.

Conjugar es fácil

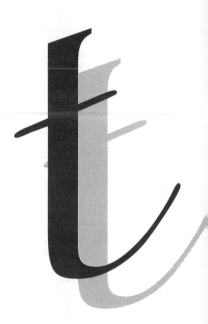

= -ar

5. CANTAR VERBO REGULAR

MODO INDICATIVO

PRESENTE	PRETÉRITO IMPERFECTO	PRETÉRITO INDEFINIDO (1)	FUTURO IMPERFECTO
cant o	cant aba	cant é	cantar é
cant as	cant abas	cant aste	cantar ás
cant a	cant aba	cant ó	cantar á
cant amos	cant ábamos	cant amos	cantar emos
cant áis	cant abais	cant asteis	cantar éis
cant an	cant aban	cant aron	cantar án

PRETÉRITO PERFECTO		PRETÉRITO PLUSCUAMPERFECTO		PRETÉRITO ANTERIOR		FUTURO PERFECTO	
he	cantado	había	cantado	hube	cantado	habré	cantado
has	cantado	habías	cantado	hubiste	cantado	habrás	cantado
ha	cantado	había	cantado	hubo	cantado	habrá	cantado
hemos	cantado	habíamos	cantado	hubimos	cantado	habremos	cantado
habéis	cantado	habíais	cantado	hubisteis	cantado	habréis	cantado
han	cantado	habían	cantado	hubieron	cantado	habrán	cantado

CONDICIONAL SIMPLE	CONDICIONAL COMPUESTO	
cantar ía	habría	cantado
cantar ías	habrías	cantado
cantar ía	habría	cantado
cantar íamos	habríamos	cantado
cantar íais	habríais	cantado
cantar ían	habrían	cantado

MODO SUBJUNTIVO

PRESENTE	PRETÉRITO IMPERFECTO			FUTURO IMPERFECTO (2)
cant e	cant ara	o	cant ase	cant are
cant es	cant aras	o	cant ases	cant ares
cant e	cant ara	o	cant ase	cant are
cant emos	cant áramos	o	cant ásemos	cant áremos
cant éis	cant arais	o	cant aseis	cant areis
cant en	cant aran	o	cant asen	cant aren

PRETÉRITO PERFECTO		PRETÉRITO PLUSCUAMPERFECTO				FUTURO PERFECTO (3)	
haya	cantado	hubiera	o	hubiese	cantado	hubiere	cantado
hayas	cantado	hubieras	o	hubieses	cantado	hubieres	cantado
haya	cantado	hubiera	o	hubiese	cantado	hubiere	cantado
hayamos	cantado	hubiéramos	o	hubiésemos	cantado	hubiéremos	cantado
hayáis	cantado	hubierais	o	hubieseis	cantado	hubiereis	cantado
hayan	cantado	hubieran	o	hubiesen	cantado	hubieren	cantado

MODO IMPERATIVO

PRESENTE

cant a	tú
cant e	él/ella/usted
cant emos	nosotros/as
cant ad	vosotros/as
cant en	ellos/ellas/ustedes

FORMAS NO PERSONALES

FORMAS SIMPLES

INFINITIVO	GERUNDIO	PARTICIPIO
cantar	cant ando	cant ado

FORMAS COMPUESTAS

INFINITIVO	GERUNDIO
haber cantado	habiendo cantado

(1) o Perfecto simple. (2), (3) muy poco usados.

tablas de verbos

6. PAGAR VERBO CON MODIFICACIÓN ORTOGRÁFICA

MODO INDICATIVO

PRESENTE	PRETÉRITO IMPERFECTO	PRETÉRITO INDEFINIDO (1)	FUTURO IMPERFECTO
pag o	pag aba	pagué	pagar é
pag as	pag abas	pag aste	pagar ás
pag a	pag aba	pag ó	pagar á
pag amos	pag ábamos	pag amos	pagar emos
pag áis	pag abais	pag asteis	pagar éis
pag an	pag aban	pag aron	pagar án

PRETÉRITO PERFECTO		PRETÉRITO PLUSCUAMPERFECTO		PRETÉRITO ANTERIOR		FUTURO PERFECTO	
he	pagado	había	pagado	hube	pagado	habré	pagado
has	pagado	habías	pagado	hubiste	pagado	habrás	pagado
ha	pagado	había	pagado	hubo	pagado	habrá	pagado
hemos	pagado	habíamos	pagado	hubimos	pagado	habremos	pagado
habéis	pagado	habíais	pagado	hubisteis	pagado	habréis	pagado
han	pagado	habían	pagado	hubieron	pagado	habrán	pagado

CONDICIONAL SIMPLE	CONDICIONAL COMPUESTO	
pagar ía	habría	pagado
pagar ías	habrías	pagado
pagar ía	habría	pagado
pagar íamos	habríamos	pagado
pagar íais	habríais	pagado
pagar ían	habrían	pagado

MODO SUBJUNTIVO

PRESENTE	PRETÉRITO IMPERFECTO			FUTURO IMPERFECTO (2)
pague	pag ara	o	pag ase	pag are
pagues	pag aras	o	pag ases	pag ares
pague	pag ara	o	pag ase	pag are
paguemos	pag áramos	o	pag ásemos	pag áremos
paguéis	pag arais	o	pag aseis	pag areis
paguen	pag aran	o	pag asen	pag aren

PRETÉRITO PERFECTO		PRETÉRITO PLUSCUAMPERFECTO				FUTURO PERFECTO (3)	
haya	pagado	hubiera	o	hubiese	pagado	hubiere	pagado
hayas	pagado	hubieras	o	hubieses	pagado	hubieres	pagado
haya	pagado	hubiera	o	hubiese	pagado	hubiere	pagado
hayamos	pagado	hubiéramos	o	hubiésemos	pagado	hubiéremos	pagado
hayáis	pagado	hubierais	o	hubieseis	pagado	hubiereis	pagado
hayan	pagado	hubieran	o	hubiesen	pagado	hubieren	pagado

MODO IMPERATIVO

PRESENTE

pag a	tú
pague	él/ella/usted
paguemos	nosotros/as
pag ad	vosotros/as
paguen	ellos/ellas/ustedes

FORMAS NO PERSONALES

FORMAS SIMPLES

INFINITIVO	GERUNDIO	PARTICIPIO
pagar	pag ando	pag ado

FORMAS COMPUESTAS

INFINITIVO	GERUNDIO
haber pagado	habiendo pagado

(1) o Perfecto simple. (2), (3) muy poco usados.

Conjugar es fácil

tablas de verbos

7. ATACAR VERBO CON MODIFICACIÓN ORTOGRÁFICA

MODO INDICATIVO

PRESENTE	PRETÉRITO IMPERFECTO	PRETÉRITO INDEFINIDO (1)	FUTURO IMPERFECTO
atac o	atac aba	ataqué	atacar é
atac as	atac abas	atac aste	atacar ás
atac a	atac aba	atac ó	atacar á
atac amos	atac ábamos	atac amos	atacar emos
atac áis	atac abais	atac asteis	atacar éis
atac an	atac aban	atac aron	atacar án

PRETÉRITO PERFECTO	PRETÉRITO PLUSCUAMPERFECTO	PRETÉRITO ANTERIOR	FUTURO PERFECTO
he atacado	había atacado	hube atacado	habré atacado
has atacado	habías atacado	hubiste atacado	habrás atacado
ha atacado	había atacado	hubo atacado	habrá atacado
hemos atacado	habíamos atacado	hubimos atacado	habremos atacado
habéis atacado	habíais atacado	hubisteis atacado	habréis atacado
han atacado	habían atacado	hubieron atacado	habrán atacado

CONDICIONAL SIMPLE	CONDICIONAL COMPUESTO
atacar ía	habría atacado
atacar ías	habrías atacado
atacar ía	habría atacado
atacar íamos	habríamos atacado
atacar íais	habríais atacado
atacar ían	habrían atacado

MODO SUBJUNTIVO

PRESENTE	PRETÉRITO IMPERFECTO	FUTURO IMPERFECTO (2)
ataque	atac ara o atac ase	atac are
ataques	atac aras o atac ases	atac ares
ataque	atac ara o atac ase	atac are
ataquemos	atac áramos o atac ásemos	atac áremos
ataquéis	atac arais o atac aseis	atac areis
ataquen	atac aran o atac asen	atac aren

PRETÉRITO PERFECTO	PRETÉRITO PLUSCUAMPERFECTO	FUTURO PERFECTO (3)
haya atacado	hubiera o hubiese atacado	hubiere atacado
hayas atacado	hubieras o hubieses atacado	hubieres atacado
haya atacado	hubiera o hubiese atacado	hubiere atacado
hayamos atacado	hubiéramos o hubiésemos atacado	hubiéremos atacado
hayáis atacado	hubierais o hubieseis atacado	hubiereis atacado
hayan atacado	hubieran o hubiesen atacado	hubieren atacado

MODO IMPERATIVO | FORMAS NO PERSONALES

PRESENTE

ataca	tú
ataque	él/ella/usted
ataquemos	nosotros/as
atacad	vosotros/as
ataquen	ellos/ellas/ustedes

FORMAS SIMPLES

INFINITIVO	GERUNDIO	PARTICIPIO
atacar	atac ando	atac ado

FORMAS COMPUESTAS

INFINITIVO	GERUNDIO
haber atacado	habiendo atacado

(1) o Perfecto simple. (2), (3) muy poco usados.

Conjugar es fácil

tablas de verbos

8. CRUZAR VERBO CON MODIFICACIÓN ORTOGRÁFICA

MODO INDICATIVO

PRESENTE	PRETÉRITO IMPERFECTO	PRETÉRITO INDEFINIDO (1)	FUTURO IMPERFECTO
cruz o	**cruz** aba	crucé	**cruzar** é
cruz as	**cruz** abas	**cruz** aste	**cruzar** ás
cruz a	**cruz** aba	**cruz** ó	**cruzar** á
cruz amos	**cruz** ábamos	**cruz** amos	**cruzar** emos
cruz áis	**cruz** abais	**cruz** asteis	**cruzar** éis
cruz an	**cruz** aban	**cruz** aron	**cruzar** án

PRETÉRITO PERFECTO	PRETÉRITO PLUSCUAMPERFECTO	PRETÉRITO ANTERIOR	FUTURO PERFECTO
he cruzado	había cruzado	hube cruzado	habré cruzado
has cruzado	habías cruzado	hubiste cruzado	habrás cruzado
ha cruzado	había cruzado	hubo cruzado	habrá cruzado
hemos cruzado	habíamos cruzado	hubimos cruzado	habremos cruzado
habéis cruzado	habíais cruzado	hubisteis cruzado	habréis cruzado
han cruzado	habían cruzado	hubieron cruzado	habrán cruzado

CONDICIONAL SIMPLE	CONDICIONAL COMPUESTO
cruzar ía	habría cruzado
cruzar ías	habrías cruzado
cruzar ía	habría cruzado
cruzar íamos	habríamos cruzado
cruzar íais	habríais cruzado
cruzar ían	habrían cruzado

MODO SUBJUNTIVO

PRESENTE	PRETÉRITO IMPERFECTO		FUTURO IMPERFECTO (2)
cruce	**cruz** ara	o **cruz** ase	**cruz** are
cruces	**cruz** aras	o **cruz** ases	**cruz** ares
cruce	**cruz** ara	o **cruz** ase	**cruz** are
crucemos	**cruz** áramos	o **cruz** ásemos	**cruz** áremos
crucéis	**cruz** arais	o **cruz** aseis	**cruz** areis
crucen	**cruz** aran	o **cruz** asen	**cruz** aren

PRETÉRITO PERFECTO	PRETÉRITO PLUSCUAMPERFECTO		FUTURO PERFECTO (3)
haya cruzado	hubiera	o hubiese cruzado	hubiere cruzado
hayas cruzado	hubieras	o hubieses cruzado	hubieres cruzado
haya cruzado	hubiera	o hubiese cruzado	hubiere cruzado
hayamos cruzado	hubiéramos	o hubiésemos cruzado	hubiéremos cruzado
hayáis cruzado	hubierais	o hubieseis cruzado	hubiereis cruzado
hayan cruzado	hubieran	o hubiesen cruzado	hubieren cruzado

MODO IMPERATIVO

PRESENTE

cruz a	tú
cruce	él/ella/usted
crucemos	nosotros/as
cruz ad	vosotros/as
crucen	ellos/ellas/ustedes

FORMAS NO PERSONALES

FORMAS SIMPLES

INFINITIVO	GERUNDIO	PARTICIPIO
cruzar	**cruz** ando	**cruz** ado

FORMAS COMPUESTAS

INFINITIVO	GERUNDIO
haber cruzado	habiendo cruzado

(1) o Perfecto simple. (2), (3) muy poco usados.

tablas de verbos

9. DESVIAR VERBO CON ALTERACIÓN DEL ACENTO

MODO INDICATIVO

PRESENTE	PRETÉRITO IMPERFECTO	PRETÉRITO INDEFINIDO (1)	FUTURO IMPERFECTO
desvío	desvi aba	desvi é	desviar é
desvías	desvi abas	desvi aste	desviar ás
desvía	desvi aba	desvi ó	desviar á
desvi amos	desvi ábamos	desvi amos	desviar emos
desvi áis	desvi abais	desvi asteis	desviar éis
desvían	desvi aban	desvi aron	desviar án

PRETÉRITO PERFECTO		PRETÉRITO PLUSCUAMPERFECTO		PRETÉRITO ANTERIOR		FUTURO PERFECTO	
he	desviado	había	desviado	hube	desviado	habré	desviado
has	desviado	habías	desviado	hubiste	desviado	habrás	desviado
ha	desviado	había	desviado	hubo	desviado	habrá	desviado
hemos	desviado	habíamos	desviado	hubimos	desviado	habremos	desviado
habéis	desviado	habíais	desviado	hubisteis	desviado	habréis	desviado
han	desviado	habían	desviado	hubieron	desviado	habrán	desviado

CONDICIONAL SIMPLE	CONDICIONAL COMPUESTO	
desviar ía	habría	desviado
desviar ías	habrías	desviado
desviar ía	habría	desviado
desviar íamos	habríamos	desviado
desviar íais	habríais	desviado
desviar ían	habrían	desviado

MODO SUBJUNTIVO

PRESENTE	PRETÉRITO IMPERFECTO		FUTURO IMPERFECTO (2)
desvíe	desvi ara	o desvi ase	desvi are
desvíes	desvi aras	o desvi ases	desvi ares
desvíe	desvi ara	o desvi ase	desvi are
desvi emos	desvi áramos	o desvi ásemos	desvi áremos
desvi éis	desvi arais	o desvi aseis	desvi areis
desvíen	desvi aran	o desvi asen	desvi aren

PRETÉRITO PERFECTO		PRETÉRITO PLUSCUAMPERFECTO			FUTURO PERFECTO (3)	
haya	desviado	hubiera	o hubiese	desviado	hubiere	desviado
hayas	desviado	hubieras	o hubieses	desviado	hubieres	desviado
haya	desviado	hubiera	o hubiese	desviado	hubiere	desviado
hayamos	desviado	hubiéramos	o hubiésemos	desviado	hubiéremos	desviado
hayáis	desviado	hubierais	o hubieseis	desviado	hubiereis	desviado
hayan	desviado	hubieran	o hubiesen	desviado	hubieren	desviado

MODO IMPERATIVO

PRESENTE

desvía	tú
desvíe	él/ella/usted
desvi emos	nosotros/as
desvi ad	vosotros/as
desvíen	ellos/ellas/ustedes

FORMAS NO PERSONALES

FORMAS SIMPLES

INFINITIVO	GERUNDIO	PARTICIPIO
desviar	desvi ando	desvi ado

FORMAS COMPUESTAS

INFINITIVO	GERUNDIO
haber desviado	habiendo desviado

(1) o Perfecto simple. (2), (3) muy poco usados.

Conjugar es fácil

tablas de verbos

10. ACTUAR VERBO CON ALTERACIÓN DEL ACENTO

MODO INDICATIVO			

PRESENTE	PRETÉRITO IMPERFECTO	PRETÉRITO INDEFINIDO (1)	FUTURO IMPERFECTO
actúo	actu aba	actu é	actuar é
actúas	actu abas	actu aste	actuar ás
actúa	actu aba	actu ó	actuar á
actu amos	actu ábamos	actu amos	actuar emos
actu áis	actu abais	actu asteis	actuar éis
actúan	actu aban	actu aron	actuar án

PRETÉRITO PERFECTO	PRETÉRITO PLUSCUAMPERFECTO	PRETÉRITO ANTERIOR	FUTURO PERFECTO
he actuado	había actuado	hube actuado	habré actuado
has actuado	habías actuado	hubiste actuado	habrás actuado
ha actuado	había actuado	hubo actuado	habrá actuado
hemos actuado	habíamos actuado	hubimos actuado	habremos actuado
habéis actuado	habíais actuado	hubisteis actuado	habréis actuado
han actuado	habían actuado	hubieron actuado	habrán actuado

CONDICIONAL SIMPLE	CONDICIONAL COMPUESTO
actuar ía	habría actuado
actuar ías	habrías actuado
actuar ía	habría actuado
actuar íamos	habríamos actuado
actuar íais	habríais actuado
actuar ían	habrían actuado

MODO SUBJUNTIVO		

PRESENTE	PRETÉRITO IMPERFECTO	FUTURO IMPERFECTO (2)
actúe	actu ara o actu ase	actu are
actúes	actu aras o actu ases	actu ares
actúe	actu ara o actu ase	actu are
actu emos	actu áramos o actu ásemos	actu áremos
actu éis	actu arais o actu aseis	actu areis
actúen	actu aran o actu asen	actu aren

PRETÉRITO PERFECTO	PRETÉRITO PLUSCUAMPERFECTO	FUTURO PERFECTO (3)
haya actuado	hubiera o hubiese actuado	hubiere actuado
hayas actuado	hubieras o hubieses actuado	hubieres actuado
haya actuado	hubiera o hubiese actuado	hubiere actuado
hayamos actuado	hubiéramos o hubiésemos actuado	hubiéremos actuado
hayáis actuado	hubierais o hubieseis actuado	hubiereis actuado
hayan actuado	hubieran o hubiesen actuado	hubieren actuado

MODO IMPERATIVO	FORMAS NO PERSONALES

PRESENTE

actúa	tú
actúe	él/ella/usted
actu emos	nosotros/as
actu ad	vosotros/as
actúen	ellos/ellas/ustedes

FORMAS SIMPLES

INFINITIVO	GERUNDIO	PARTICIPIO
actuar	actu ando	actu ado

FORMAS COMPUESTAS

INFINITIVO	GERUNDIO
haber actuado	habiendo actuado

(1) o Perfecto simple. (2), (3) muy poco usados.

Conjugar es fácil

tablas de verbos

11. AVERIGUAR VERBO CON MODIFICACIÓN ORTOGRÁFICA

MODO INDICATIVO

PRESENTE	PRETÉRITO IMPERFECTO	PRETÉRITO INDEFINIDO (1)	FUTURO IMPERFECTO
averigu o	averigu aba	averigüé	averiguar é
averigu as	averigu abas	averigu aste	averiguar ás
averigu a	averigu aba	averigu ó	averiguar á
averigu amos	averigu ábamos	averigu amos	averiguar emos
averigu áis	averigu abais	averigu asteis	averiguar éis
averigu an	averigu aban	averigu aron	averiguar án

PRETÉRITO PERFECTO		PRETÉRITO PLUSCUAMPERFECTO		PRETÉRITO ANTERIOR		FUTURO PERFECTO	
he	averiguado	había	averiguado	hube	averiguado	habré	averiguado
has	averiguado	habías	averiguado	hubiste	averiguado	habrás	averiguado
ha	averiguado	había	averiguado	hubo	averiguado	habrá	averiguado
hemos	averiguado	habíamos	averiguado	hubimos	averiguado	habremos	averiguado
habéis	averiguado	habíais	averiguado	hubisteis	averiguado	habréis	averiguado
han	averiguado	habían	averiguado	hubieron	averiguado	habrán	averiguado

CONDICIONAL SIMPLE

averiguar ía	
averiguar ías	
averiguar ía	
averiguar íamos	
averiguar íais	
averiguar ían	

CONDICIONAL COMPUESTO

habría	averiguado
habrías	averiguado
habría	averiguado
habríamos	averiguado
habríais	averiguado
habrían	averiguado

MODO SUBJUNTIVO

PRESENTE	PRETÉRITO IMPERFECTO		FUTURO IMPERFECTO (2)
averigüe	averigu ara	o averigu ase	averigu are
averigües	averigu aras	o averigu ases	averigu ares
averigüe	averigu ara	o averigu ase	averigu are
averigüemos	averigu áramos	o averigu ásemos	averigu áremos
averigüéis	averigu arais	o averigu aseis	averigu areis
averigüen	averigu aran	o averigu asen	averigu aren

PRETÉRITO PERFECTO		PRETÉRITO PLUSCUAMPERFECTO			FUTURO PERFECTO (3)	
haya	averiguado	hubiera	o hubiese	averiguado	hubiere	averiguado
hayas	averiguado	hubieras	o hubieses	averiguado	hubieres	averiguado
haya	averiguado	hubiera	o hubiese	averiguado	hubiere	averiguado
hayamos	averiguado	hubiéramos	o hubiésemos	averiguado	hubiéremos	averiguado
hayáis	averiguado	hubierais	o hubieseis	averiguado	hubiereis	averiguado
hayan	averiguado	hubieran	o hubiesen	averiguado	hubieren	averiguado

MODO IMPERATIVO

PRESENTE

averigua	tú
averigüe	él/ella/usted
averigüemos	nosotros/as
averigu ad	vosotros/as
averigüen	ellos/ellas/ustedes

FORMAS NO PERSONALES

FORMAS SIMPLES

INFINITIVO	GERUNDIO	PARTICIPIO
averiguar	averigu ando	averigu ado

FORMAS COMPUESTAS

INFINITIVO	GERUNDIO
haber averiguado	habiendo averiguado

(1) o Perfecto simple. (2), (3) muy poco usados.

Conjugar es fácil

tablas de verbos

12. MAULLAR VERBO CON ALTERACIÓN DEL ACENTO

MODO INDICATIVO

PRESENTE	PRETÉRITO IMPERFECTO	PRETÉRITO INDEFINIDO (1)	FUTURO IMPERFECTO
maúllo	maull aba	maull é	maullar é
maúllas	maull abas	maull aste	maullar ás
maúlla	maull aba	maull ó	maullar á
maull amos	maull ábamos	maull amos	maullar emos
maull áis	maull abais	maull asteis	maullar éis
maúllan	maull aban	maull aron	maullar án

PRETÉRITO PERFECTO	PRETÉRITO PLUSCUAMPERFECTO	PRETÉRITO ANTERIOR	FUTURO PERFECTO
he maullado	había maullado	hube maullado	habré maullado
has maullado	habías maullado	hubiste maullado	habrás maullado
ha maullado	había maullado	hubo maullado	habrá maullado
hemos maullado	habíamos maullado	hubimos maullado	habremos maullado
habéis maullado	habíais maullado	hubisteis maullado	habréis maullado
han maullado	habían maullado	hubieron maullado	habrán maullado

CONDICIONAL SIMPLE

maullar ía
maullar ías
maullar ía
maullar íamos
maullar íais
maullar ían

CONDICIONAL COMPUESTO

habría	maullado
habrías	maullado
habría	maullado
habríamos	maullado
habríais	maullado
habrían	maullado

MODO SUBJUNTIVO

PRESENTE	PRETÉRITO IMPERFECTO		FUTURO IMPERFECTO (2)
maúlle	maull ara	o maull ase	maull are
maúlles	maull aras	o maull ases	maull ares
maúlle	maull ara	o maull ase	maull are
maull emos	maull áramos	o maull ásemos	maull áremos
maull éis	maull arais	o maull aseis	maull areis
maúllen	maull aran	o maull asen	maull aren

PRETÉRITO PERFECTO	PRETÉRITO PLUSCUAMPERFECTO		FUTURO PERFECTO (3)
haya maullado	hubiera o hubiese	maullado	hubiere maullado
hayas maullado	hubieras o hubieses	maullado	hubieres maullado
haya maullado	hubiera o hubiese	maullado	hubiere maullado
hayamos maullado	hubiéramos o hubiésemos	maullado	hubiéremos maullado
hayáis maullado	hubierais o hubieseis	maullado	hubiereis maullado
hayan maullado	hubieran o hubiesen	maullado	hubieren maullado

MODO IMPERATIVO

PRESENTE

maúlla	tú
maúlle	él/ella/usted
maull emos	nosotros/as
maull ad	vosotros/as
maúllen	ellos/ellas/ustedes

FORMAS NO PERSONALES

FORMAS SIMPLES

INFINITIVO	GERUNDIO	PARTICIPIO
maullar	maull ando	maull ado

FORMAS COMPUESTAS

INFINITIVO	GERUNDIO
haber maullado	habiendo maullado

(1) o Perfecto simple. (2), (3) muy poco usados.

Conjugar es fácil

13. PENSAR VERBO IRREGULAR

MODO INDICATIVO

PRESENTE	PRETÉRITO IMPERFECTO	PRETÉRITO INDEFINIDO (1)	FUTURO IMPERFECTO
pienso	pens aba	pens é	pensar é
piensas	pens abas	pens aste	pensar ás
piensa	pens aba	pens ó	pensar á
pens amos	pens ábamos	pens amos	pensar emos
pens áis	pens abais	pens asteis	pensar éis
piensan	pens aban	pens aron	pensar án

PRETÉRITO PERFECTO		PRETÉRITO PLUSCUAMPERFECTO		PRETÉRITO ANTERIOR		FUTURO PERFECTO	
he	pensado	había	pensado	hube	pensado	habré	pensado
has	pensado	habías	pensado	hubiste	pensado	habrás	pensado
ha	pensado	había	pensado	hubo	pensado	habrá	pensado
hemos	pensado	habíamos	pensado	hubimos	pensado	habremos	pensado
habéis	pensado	habíais	pensado	hubisteis	pensado	habréis	pensado
han	pensado	habían	pensado	hubieron	pensado	habrán	pensado

CONDICIONAL SIMPLE	CONDICIONAL COMPUESTO	
pensar ía	habría	pensado
pensar ías	habrías	pensado
pensar ía	habría	pensado
pensar íamos	habríamos	pensado
pensar íais	habríais	pensado
pensar ían	habrían	pensado

MODO SUBJUNTIVO

PRESENTE	PRETÉRITO IMPERFECTO		FUTURO IMPERFECTO (2)
piense	pens ara	o pens ase	pens are
pienses	pens aras	o pens ases	pens ares
piense	pens ara	o pens ase	pens are
pens emos	pens áramos	o pens ásemos	pens áremos
pens éis	pens arais	o pens aseis	pens areis
piensen	pens aran	o pens asen	pens aren

PRETÉRITO PERFECTO		PRETÉRITO PLUSCUAMPERFECTO			FUTURO PERFECTO (3)	
haya	pensado	hubiera	o hubiese	pensado	hubiere	pensado
hayas	pensado	hubieras	o hubieses	pensado	hubieres	pensado
haya	pensado	hubiera	o hubiese	pensado	hubiere	pensado
hayamos	pensado	hubiéramos	o hubiésemos	pensado	hubiéremos	pensado
hayáis	pensado	hubierais	o hubieseis	pensado	hubiereis	pensado
hayan	pensado	hubieran	o hubiesen	pensado	hubieren	pensado

MODO IMPERATIVO	FORMAS NO PERSONALES

PRESENTE

FORMAS SIMPLES

piensa	tú
piense	él/ella/usted
pens emos	nosotros/as
pens ad	vosotros/as
piensen	ellos/ellas/ustedes

INFINITIVO	GERUNDIO	PARTICIPIO
pensar	pens ando	pens ado

FORMAS COMPUESTAS

INFINITIVO	GERUNDIO
haber pensado	habiendo pensando

(1) o Perfecto simple. (2), (3) muy poco usados.

tablas de verbos

14. NEGAR VERBO IRREGULAR

MODO INDICATIVO

PRESENTE	PRETÉRITO IMPERFECTO	PRETÉRITO INDEFINIDO (1)	FUTURO IMPERFECTO
niego	**neg** aba	negué	**negar** é
niegas	**neg** abas	**neg** aste	**negar** ás
niega	**neg** aba	**neg** ó	**negar** á
neg amos	**neg** ábamos	**neg** amos	**negar** emos
neg áis	**neg** abais	**neg** asteis	**negar** éis
niegan	**neg** aban	**neg** aron	**negar** án

PRETÉRITO PERFECTO		PRETÉRITO PLUSCUAMPERFECTO		PRETÉRITO ANTERIOR		FUTURO PERFECTO	
he	negado	había	negado	hube	negado	habré	negado
has	negado	habías	negado	hubiste	negado	habrás	negado
ha	negado	había	negado	hubo	negado	habrá	negado
hemos	negado	habíamos	negado	hubimos	negado	habremos	negado
habéis	negado	habíais	negado	hubisteis	negado	habréis	negado
han	negado	habían	negado	hubieron	negado	habrán	negado

CONDICIONAL SIMPLE	CONDICIONAL COMPUESTO	
negar ía	habría	negado
negar ías	habrías	negado
negar ía	habría	negado
negar íamos	habríamos	negado
negar íais	habríais	negado
negar ían	habrían	negado

MODO SUBJUNTIVO

PRESENTE	PRETÉRITO IMPERFECTO			FUTURO IMPERFECTO (2)
niegue	**neg** ara	o	**neg** ase	**neg** are
niegues	**neg** aras	o	**neg** ases	**neg** ares
niegue	**neg** ara	o	**neg** ase	**neg** are
neguemos	**neg** áramos	o	**neg** ásemos	**neg** áremos
neguéis	**neg** arais	o	**neg** aseis	**neg** areis
nieguen	**neg** aran	o	**neg** asen	**neg** aren

PRETÉRITO PERFECTO		PRETÉRITO PLUSCUAMPERFECTO				FUTURO PERFECTO (3)	
haya	negado	hubiera	o	hubiese	negado	hubiere	negado
hayas	negado	hubieras	o	hubieses	negado	hubieres	negado
haya	negado	hubiera	o	hubiese	negado	hubiere	negado
hayamos	negado	hubiéramos	o	hubiésemos	negado	hubiéremos	negado
hayáis	negado	hubierais	o	hubieseis	negado	hubiereis	negado
hayan	negado	hubieran	o	hubiesen	negado	hubieren	negado

MODO IMPERATIVO		FORMAS NO PERSONALES

PRESENTE	
niega	tú
niegue	él/ella/usted
neguemos	nosotros/as
neg ad	vosotros/as
nieguen	ellos/ellas/ustedes

FORMAS SIMPLES

INFINITIVO	GERUNDIO	PARTICIPIO
negar	**neg** ando	**neg** ado

FORMAS COMPUESTAS

INFINITIVO	GERUNDIO
haber negado	habiendo negado

(1) o Perfecto simple. (2), (3) muy poco usados.

Conjugar es fácil

tablas de verbos

15. EMPEZAR VERBO IRREGULAR

MODO INDICATIVO

PRESENTE	PRETÉRITO IMPERFECTO	PRETÉRITO INDEFINIDO (1)	FUTURO IMPERFECTO
empiezo	empez aba	empecé	empezar é
empiezas	empez abas	empez aste	empezar ás
empieza	empez aba	empez ó	empezar á
empez amos	empez ábamos	empez amos	empezar emos
empez áis	empez abais	empez asteis	empezar éis
empiezan	empez aban	empez aron	empezar án

PRETÉRITO PERFECTO	PRETÉRITO PLUSCUAMPERFECTO	PRETÉRITO ANTERIOR	FUTURO PERFECTO
he empezado	había empezado	hube empezado	habré empezado
has empezado	habías empezado	hubiste empezado	habrás empezado
ha empezado	había empezado	hubo empezado	habrá empezado
hemos empezado	habíamos empezado	hubimos empezado	habremos empezado
habéis empezado	habíais empezado	hubisteis empezado	habréis empezado
han empezado	habían empezado	hubieron empezado	habrán empezado

CONDICIONAL SIMPLE	CONDICIONAL COMPUESTO
empezar ía	habría empezado
empezar ías	habrías empezado
empezar ía	habría empezado
empezar íamos	habríamos empezado
empezar íais	habríais empezado
empezar ían	habrían empezado

MODO SUBJUNTIVO

PRESENTE	PRETÉRITO IMPERFECTO	FUTURO IMPERFECTO (2)
empiece	empez ara o empez ase	empez are
empieces	empez aras o empez ases	empez ares
empiece	empez ara o empez ase	empez are
empecemos	empez áramos o empez ásemos	empez áremos
empecéis	empez arais o empez aseis	empez areis
empiecen	empez aran o empez asen	empez aren

PRETÉRITO PERFECTO	PRETÉRITO PLUSCUAMPERFECTO	FUTURO PERFECTO (3)
haya empezado	hubiera o hubiese empezado	hubiere empezado
hayas empezado	hubieras o hubieses empezado	hubieres empezado
haya empezado	hubiera o hubiese empezado	hubiere empezado
hayamos empezado	hubiéramos o hubiésemos empezado	hubiéremos empezado
hayáis empezado	hubierais o hubieseis empezado	hubiereis empezado
hayan empezado	hubieran o hubiesen empezado	hubieren empezado

MODO IMPERATIVO

PRESENTE

empieza	tú
empiece	él/ella/usted
empecemos	nosotros/as
empez ad	vosotros/as
empiecen	ellos/ellas/ustedes

FORMAS NO PERSONALES

FORMAS SIMPLES

INFINITIVO	GERUNDIO	PARTICIPIO
empezar	empez ando	empez ado

FORMAS COMPUESTAS

INFINITIVO	GERUNDIO
haber empezado	habiendo empezado

(1) o Perfecto simple. (2), (3) muy poco usados.

Conjugar es fácil

tablas de verbos

16. CONTAR VERBO IRREGULAR

MODO INDICATIVO

PRESENTE	PRETÉRITO IMPERFECTO	PRETÉRITO INDEFINIDO (1)	FUTURO IMPERFECTO
cuento	cont aba	cont é	contar é
cuentas	cont abas	cont aste	contar ás
cuenta	cont aba	cont ó	contar á
cont amos	cont ábamos	cont amos	contar emos
cont áis	cont abais	cont asteis	contar éis
cuentan	cont aban	cont aron	contar án

PRETÉRITO PERFECTO	PRETÉRITO PLUSCUAMPERFECTO	PRETÉRITO ANTERIOR	FUTURO PERFECTO
he contado	había contado	hube contado	habré contado
has contado	habías contado	hubiste contado	habrás contado
ha contado	había contado	hubo contado	habrá contado
hemos contado	habíamos contado	hubimos contado	habremos contado
habéis contado	habíais contado	hubisteis contado	habréis contado
han contado	habían contado	hubieron contado	habrán contado

CONDICIONAL SIMPLE	CONDICIONAL COMPUESTO
contar ía	habría contado
contar ías	habrías contado
contar ía	habría contado
contar íamos	habríamos contado
contar íais	habríais contado
contar ían	habrían contado

MODO SUBJUNTIVO

PRESENTE	PRETÉRITO IMPERFECTO	FUTURO IMPERFECTO (2)
cuente	cont ara o cont ase	cont are
cuentes	cont aras o cont ases	cont ares
cuente	cont ara o cont ase	cont are
cont emos	cont áramos o cont ásemos	cont áremos
cont éis	cont arais o cont aseis	cont areis
cuenten	cont aran o cont asen	cont aren

PRETÉRITO PERFECTO	PRETÉRITO PLUSCUAMPERFECTO	FUTURO PERFECTO (3)
haya contado	hubiera o hubiese contado	hubiere contado
hayas contado	hubieras o hubieses contado	hubieres contado
haya contado	hubiera o hubiese contado	hubiere contado
hayamos contado	hubiéramos o hubiésemos contado	hubiéremos contado
hayáis contado	hubierais o hubieseis contado	hubiereis contado
hayan contado	hubieran o hubiesen contado	hubieren contado

MODO IMPERATIVO

FORMAS NO PERSONALES

PRESENTE	
cuenta	tú
cuente	él/ella/usted
cont emos	nosotros/as
cont ad	vosotros/as
cuenten	ellos/ellas/ustedes

FORMAS SIMPLES

INFINITIVO	GERUNDIO	PARTICIPIO
contar	cont ando	cont ado

FORMAS COMPUESTAS

INFINITIVO	GERUNDIO
haber contado	habiendo contado

(1) o Perfecto simple. (2), (3) muy poco usados.

Conjugar es fácil

tablas de verbos

17. TROCAR VERBO IRREGULAR

MODO INDICATIVO

PRESENTE	PRETÉRITO IMPERFECTO	PRETÉRITO INDEFINIDO (1)	FUTURO IMPERFECTO
trueco	**troc** aba	troqué	**trocar** é
truecas	**troc** abas	**troc** aste	**trocar** ás
trueca	**troc** aba	**troc** ó	**trocar** á
troc amos	**troc** ábamos	**troc** amos	**trocar** emos
troc áis	**troc** abais	**troc** asteis	**trocar** éis
truecan	**troc** aban	**troc** aron	**trocar** án

PRETÉRITO PERFECTO	PRETÉRITO PLUSCUAMPERFECTO	PRETÉRITO ANTERIOR	FUTURO PERFECTO
he trocado	había trocado	hube trocado	habré trocado
has trocado	habías trocado	hubiste trocado	habrás trocado
ha trocado	había trocado	hubo trocado	habrá trocado
hemos trocado	habíamos trocado	hubimos trocado	habremos trocado
habéis trocado	habíais trocado	hubisteis trocado	habréis trocado
han trocado	habían trocado	hubieron trocado	habrán trocado

CONDICIONAL SIMPLE	CONDICIONAL COMPUESTO
trocar ía	habría trocado
trocar ías	habrías trocado
trocar ía	habría trocado
trocar íamos	habríamos trocado
trocar íais	habríais trocado
trocar ían	habrían trocado

MODO SUBJUNTIVO

PRESENTE	PRETÉRITO IMPERFECTO	FUTURO IMPERFECTO (2)
trueque	**troc** ara o **troc** ase	**troc** are
trueques	**troc** aras o **troc** ases	**troc** ares
trueque	**troc** ara o **troc** ase	**troc** are
troquemos	**troc** áramos o **troc** ásemos	**troc** áremos
troquéis	**troc** arais o **troc** aseis	**troc** areis
truequen	**troc** aran o **troc** asen	**troc** aren

PRETÉRITO PERFECTO	PRETÉRITO PLUSCUAMPERFECTO	FUTURO PERFECTO (3)
haya trocado	hubiera o hubiese trocado	hubiere trocado
hayas trocado	hubieras o hubieses trocado	hubieres trocado
haya trocado	hubiera o hubiese trocado	hubiere trocado
hayamos trocado	hubiéramos o hubiésemos trocado	hubiéremos trocado
hayáis trocado	hubierais o hubieseis trocado	hubiereis trocado
hayan trocado	hubieran o hubiesen trocado	hubieren trocado

MODO IMPERATIVO

FORMAS NO PERSONALES

PRESENTE

trueca	tú
trueque	él/ella/usted
troquemos	nosotros/as
troc ad	vosotros/as
truequen	ellos/ellas/ustedes

FORMAS SIMPLES

INFINITIVO	GERUNDIO	PARTICIPIO
trocar	**troc** ando	**troc** ado

FORMAS COMPUESTAS

INFINITIVO	GERUNDIO
haber trocado	habiendo trocado

(1) o Perfecto simple. (2), (3) muy poco usados.

Conjugar es fácil

tablas de verbos

18. ROGAR VERBO IRREGULAR

MODO INDICATIVO

PRESENTE	PRETÉRITO IMPERFECTO	PRETÉRITO INDEFINIDO (1)	FUTURO IMPERFECTO
ruego	rog aba	rogué	rogar é
ruegas	rog abas	rog aste	rogar ás
ruega	rog aba	rog ó	rogar á
rog amos	rog ábamos	rog amos	rogar emos
rog áis	rog abais	rog asteis	rogar éis
ruegan	rog aban	rog aron	rogar án

PRETÉRITO PERFECTO		PRETÉRITO PLUSCUAMPERFECTO		PRETÉRITO ANTERIOR		FUTURO PERFECTO	
he	rogado	había	rogado	hube	rogado	habré	rogado
has	rogado	habías	rogado	hubiste	rogado	habrás	rogado
ha	rogado	había	rogado	hubo	rogado	habrá	rogado
hemos	rogado	habíamos	rogado	hubimos	rogado	habremos	rogado
habéis	rogado	habíais	rogado	hubisteis	rogado	habréis	rogado
han	rogado	habían	rogado	hubieron	rogado	habrán	rogado

CONDICIONAL SIMPLE

rogar ía	
rogar ías	
rogar ía	
rogar íamos	
rogar íais	
rogar ían	

CONDICIONAL COMPUESTO

habría	rogado
habrías	rogado
habría	rogado
habríamos	rogado
habríais	rogado
habrían	rogado

MODO SUBJUNTIVO

PRESENTE	PRETÉRITO IMPERFECTO			FUTURO IMPERFECTO (2)
ruegue	rog ara	o	rog ase	rog are
ruegues	rog aras	o	rog ases	rog ares
ruegue	rog ara	o	rog ase	rog are
roguemos	rog áramos	o	rog ásemos	rog áremos
roguéis	rog arais	o	rog aseis	rog areis
rueguen	rog aran	o	rog asen	rog aren

PRETÉRITO PERFECTO		PRETÉRITO PLUSCUAMPERFECTO				FUTURO PERFECTO (3)	
haya	rogado	hubiera	o	hubiese	rogado	hubiere	rogado
hayas	rogado	hubieras	o	hubieses	rogado	hubieres	rogado
haya	rogado	hubiera	o	hubiese	rogado	hubiere	rogado
hayamos	rogado	hubiéramos	o	hubiésemos	rogado	hubiéremos	rogado
hayáis	rogado	hubierais	o	hubieseis	rogado	hubiereis	rogado
hayan	rogado	hubieran	o	hubiesen	rogado	hubieren	rogado

MODO IMPERATIVO

PRESENTE

ruega	tú
ruegue	él/ella/usted
roguemos	nosotros/as
rog ad	vosotros/as
rueguen	ellos/ellas/ustedes

FORMAS NO PERSONALES

FORMAS SIMPLES

INFINITIVO	GERUNDIO	PARTICIPIO
rogar	rog ando	rog ado

FORMAS COMPUESTAS

INFINITIVO	GERUNDIO
haber rogado	habiendo rogado

(1) o Perfecto simple. (2), (3) muy poco usados.

42

Conjugar es fácil

19. FORZAR VERBO IRREGULAR

MODO INDICATIVO

PRESENTE	PRETÉRITO IMPERFECTO	PRETÉRITO INDEFINIDO (1)	FUTURO IMPERFECTO
fuerzo	**forz** aba	forcé	**forzar** é
fuerzas	**forz** abas	**forz** aste	**forzar** ás
fuerza	**forz** aba	**forz** ó	**forzar** á
forz amos	**forz** ábamos	**forz** amos	**forzar** emos
forz áis	**forz** abais	**forz** asteis	**forzar** éis
fuerzan	**forz** aban	**forz** aron	**forzar** án

PRETÉRITO PERFECTO		PRETÉRITO PLUSCUAMPERFECTO		PRETÉRITO ANTERIOR		FUTURO PERFECTO	
he	forzado	había	forzado	hube	forzado	habré	forzado
has	forzado	habías	forzado	hubiste	forzado	habrás	forzado
ha	forzado	había	forzado	hubo	forzado	habrá	forzado
hemos	forzado	habíamos	forzado	hubimos	forzado	habremos	forzado
habéis	forzado	habíais	forzado	hubisteis	forzado	habréis	forzado
han	forzado	habían	forzado	hubieron	forzado	habrán	forzado

CONDICIONAL SIMPLE

forzar ía
forzar ías
forzar ía
forzar íamos
forzar íais
forzar ían

CONDICIONAL COMPUESTO

habría	forzado
habrías	forzado
habría	forzado
habríamos	forzado
habríais	forzado
habrían	forzado

MODO SUBJUNTIVO

PRESENTE	PRETÉRITO IMPERFECTO			FUTURO IMPERFECTO (2)
fuerce	**forz** ara	o	**forz** ase	**forz** are
fuerces	**forz** aras	o	**forz** ases	**forz** ares
fuerce	**forz** ara	o	**forz** ase	**forz** are
forcemos	**forz** áramos	o	**forz** ásemos	**forz** áremos
forcéis	**forz** arais	o	**forz** aseis	**forz** areis
fuercen	**forz** aran	o	**forz** asen	**forz** aren

PRETÉRITO PERFECTO		PRETÉRITO PLUSCUAMPERFECTO				FUTURO PERFECTO (3)	
haya	forzado	hubiera	o	hubiese	forzado	hubiere	forzado
hayas	forzado	hubieras	o	hubieses	forzado	hubieres	forzado
haya	forzado	hubiera	o	hubiese	forzado	hubiere	forzado
hayamos	forzado	hubiéramos	o	hubiésemos	forzado	hubiéremos	forzado
hayáis	forzado	hubierais	o	hubieseis	forzado	hubiereis	forzado
hayan	forzado	hubieran	o	hubiesen	forzado	hubieren	forzado

MODO IMPERATIVO

FORMAS NO PERSONALES

PRESENTE

fuerza	tú
fuerce	él/ella/usted
forcemos	nosotros/as
forz ad	vosotros/as
fuercen	ellos/ellas/ustedes

FORMAS SIMPLES

INFINITIVO	GERUNDIO	PARTICIPIO
forzar	**forz** ando	**forz** ado

FORMAS COMPUESTAS

INFINITIVO	GERUNDIO
haber forzado	habiendo forzado

(1) o Perfecto simple. (2), (3) muy poco usados.

Conjugar es fácil

tablas de verbos

20. AVERGONZAR VERBO IRREGULAR

MODO INDICATIVO

PRESENTE	PRETÉRITO IMPERFECTO	PRETÉRITO INDEFINIDO (1)	FUTURO IMPERFECTO
avergüenzo	avergonz aba	avergoncé	avergonzar é
avergüenzas	avergonz abas	avergonz aste	avergonzar ás
avergüenza	avergonz aba	avergonz ó	avergonzar á
avergonz amos	avergonz ábamos	ᐅ avergonz amos	avergonzar emos
avergonz áis	avergonz abais	avergonz asteis	avergonzar éis
avergüenzan	avergonz aban	avergonz aron	avergonzar án

PRETÉRITO PERFECTO		PRETÉRITO PLUSCUAMPERFECTO		PRETÉRITO ANTERIOR		FUTURO PERFECTO	
he	avergonzado	había	avergonzado	hube	avergonzado	habré	avergonzado
has	avergonzado	habías	avergonzado	hubiste	avergonzado	habrás	avergonzado
ha	avergonzado	había	avergonzado	hubo	avergonzado	habrá	avergonzado
hemos	avergonzado	habíamos	avergonzado	hubimos	avergonzado	habremos	avergonzado
habéis	avergonzado	habíais	avergonzado	hubisteis	avergonzado	habréis	avergonzado
han	avergonzado	habían	avergonzado	hubieron	avergonzado	habrán	avergonzado

CONDICIONAL SIMPLE	CONDICIONAL COMPUESTO	
avergonzar ía	habría	avergonzado
avergonzar ías	habrías	avergonzado
avergonzar ía	habría	avergonzado
avergonzar íamos	habríamos	avergonzado
avergonzar íais	habríais	avergonzado
avergonzar ían	habrían	avergonzado

MODO SUBJUNTIVO

PRESENTE	PRETÉRITO IMPERFECTO		FUTURO IMPERFECTO (2)
avergüence	avergonz ara	o avergonz ase	avergonz are
avergüences	avergonz aras	o avergonz ases	avergonz ares
avergüence	avergonz ara	o avergonz ase	avergonz are
avergoncemos	avergonz áramos	o avergonz ásemos	avergonz áremos
avergoncéis	avergonz arais	o avergonz aseis	avergonz areis
avergüencen	avergonz aran	o avergonz asen	avergonz aren

PRETÉRITO PERFECTO		PRETÉRITO PLUSCUAMPERFECTO			FUTURO PERFECTO (3)	
haya	avergonzado	hubiera	o hubiese	avergonzado	hubiere	avergonzado
hayas	avergonzado	hubieras	o hubieses	avergonzado	hubieres	avergonzado
haya	avergonzado	hubiera	o hubiese	avergonzado	hubiere	avergonzado
hayamos	avergonzado	hubiéramos	o hubiésemos	avergonzado	hubiéremos	avergonzado
hayáis	avergonzado	hubierais	o hubieseis	avergonzado	hubiereis	avergonzado
hayan	avergonzado	hubieran	o hubiesen	avergonzado	hubieren	avergonzado

MODO IMPERATIVO

PRESENTE

avergüenza	tú
avergüence	él/ella/usted
avergoncemos	nosotros/as
avergonz ad	vosotros/as
avergüencen	ellos/ellas/ustedes

FORMAS NO PERSONALES

FORMAS SIMPLES

INFINITIVO	GERUNDIO	PARTICIPIO
avergonzar	avergonz ando	avergonz ado

FORMAS COMPUESTAS

INFINITIVO	GERUNDIO
haber avergonzado	habiendo avergonzado

(1) o Perfecto simple. (2), (3) muy poco usados.

Conjugar es fácil

tablas de verbos

21. JUGAR VERBO IRREGULAR

MODO INDICATIVO

PRESENTE	PRETÉRITO IMPERFECTO	PRETÉRITO INDEFINIDO (1)	FUTURO IMPERFECTO
juego	jug aba	jugué	jugar é
juegas	jug abas	jug aste	jugar ás
juega	jug aba	jug ó	jugar á
jug amos	jug ábamos	jug amos	jugar emos
jug áis	jug abais	jug asteis	jugar éis
juegan	jug aban	jug aron	jugar án

PRETÉRITO PERFECTO	PRETÉRITO PLUSCUAMPERFECTO	PRETÉRITO ANTERIOR	FUTURO PERFECTO
he jugado	había jugado	hube jugado	habré jugado
has jugado	habías jugado	hubiste jugado	habrás jugado
ha jugado	había jugado	hubo jugado	habrá jugado
hemos jugado	habíamos jugado	hubimos jugado	habremos jugado
habéis jugado	habíais jugado	hubisteis jugado	habréis jugado
han jugado	habían jugado	hubieron jugado	habrán jugado

CONDICIONAL SIMPLE	CONDICIONAL COMPUESTO	
jugar ía	habría	jugado
jugar ías	habrías	jugado
jugar ía	habría	jugado
jugar íamos	habríamos	jugado
jugar íais	habríais	jugado
jugar ían	habrían	jugado

MODO SUBJUNTIVO

PRESENTE	PRETÉRITO IMPERFECTO		FUTURO IMPERFECTO (2)
juegue	jug ara	o jug ase	jug are
juegues	jug aras	o jug ases	jug ares
juegue	jug ara	o jug ase	jug are
juguemos	jug áramos	o jug ásemos	jug áremos
juguéis	jug arais	o jug aseis	jug areis
jueguen	jug aran	o jug asen	jug aren

PRETÉRITO PERFECTO	PRETÉRITO PLUSCUAMPERFECTO		FUTURO PERFECTO (3)
haya jugado	hubiera o hubiese jugado		hubiere jugado
hayas jugado	hubieras o hubieses jugado		hubieres jugado
haya jugado	hubiera o hubiese jugado		hubiere jugado
hayamos jugado	hubiéramos o hubiésemos jugado		hubiéremos jugado
hayáis jugado	hubierais o hubieseis jugado		hubiereis jugado
hayan jugado	hubieran o hubiesen jugado		hubieren jugado

MODO IMPERATIVO

FORMAS NO PERSONALES

PRESENTE

juega	tú
juegue	él/ella/usted
juguemos	nosotros/as
jug ad	vosotros/as
jueguen	ellos/ellas/ustedes

FORMAS SIMPLES

INFINITIVO	GERUNDIO	PARTICIPIO
jugar	jug ando	jug ado

FORMAS COMPUESTAS

INFINITIVO	GERUNDIO
haber jugado	habiendo jugado

(1) o Perfecto simple. (2), (3) muy poco usados.

Conjugar es fácil

tablas de verbos

22. ANDAR VERBO IRREGULAR

MODO INDICATIVO

PRESENTE	PRETÉRITO IMPERFECTO	PRETÉRITO INDEFINIDO (1)	FUTURO IMPERFECTO
and o	**and** aba	anduve	**andar** é
and as	**and** abas	anduviste	**andar** ás
and a	**and** aba	anduvo	**andar** á
and amos	**and** ábamos	anduvimos	**andar** emos
and áis	**and** abais	anduvisteis	**andar** éis
and an	**and** aban	anduvieron	**andar** án

PRETÉRITO PERFECTO	PRETÉRITO PLUSCUAMPERFECTO	PRETÉRITO ANTERIOR	FUTURO PERFECTO
he andado	había andado	hube andado	habré andado
has andado	habías andado	hubiste andado	habrás andado
ha andado	había andado	hubo andado	habrá andado
hemos andado	habíamos andado	hubimos andado	habremos andado
habéis andado	habíais andado	hubisteis andado	habréis andado
han andado	habían andado	hubieron andado	habrán andado

CONDICIONAL SIMPLE	CONDICIONAL COMPUESTO
andar ía	habría andado
andar ías	habrías andado
andar ía	habría andado
andar íamos	habríamos andado
andar íais	habríais andado
andar ían	habrían andado

MODO SUBJUNTIVO

PRESENTE	PRETÉRITO IMPERFECTO		FUTURO IMPERFECTO (2)
and e	anduviera	o anduviese	anduviere
and es	anduvieras	o anduvieses	anduvieres
and e	anduviera	o anduviese	anduviere
and emos	anduviéramos	o anduviésemos	anduviéremos
and éis	anduvierais	o anduvieseis	anduviereis
and en	anduvieran	o anduviesen	anduvieren

PRETÉRITO PERFECTO	PRETÉRITO PLUSCUAMPERFECTO		FUTURO PERFECTO (3)
haya andado	hubiera	o hubiese andado	hubiere andado
hayas andado	hubieras	o hubieses andado	hubieres andado
haya andado	hubiera	o hubiese andado	hubiere andado
hayamos andado	hubiéramos	o hubiésemos andado	hubiéremos andado
hayáis andado	hubierais	o hubieseis andado	hubiereis andado
hayan andado	hubieran	o hubiesen andado	hubieren andado

MODO IMPERATIVO

PRESENTE

and a	tú
and e	él/ella/usted
and emos	nosotros/as
and ad	vosotros/as
and en	ellos/ellas/ustedes

FORMAS NO PERSONALES

FORMAS SIMPLES

INFINITIVO	GERUNDIO	PARTICIPIO
andar	**and** ando	**and** ado

FORMAS COMPUESTAS

INFINITIVO	GERUNDIO
haber andado	habiendo andado

(1) o Perfecto simple. (2), (3) muy poco usados.

Conjugar es fácil

tablas de verbos

23. DAR VERBO IRREGULAR

MODO INDICATIVO

PRESENTE	PRETÉRITO IMPERFECTO	PRETÉRITO INDEFINIDO (1)	FUTURO IMPERFECTO
doy	**d** aba	di	**dar** é
d as	**d** abas	diste	**dar** ás
d a	**d** aba	dio	**dar** á
d amos	**d** ábamos	dimos	**dar** emos
d ais	**d** abais	disteis	**dar** éis
d an	**d** aban	dieron	**dar** án

PRETÉRITO PERFECTO	PRETÉRITO PLUSCUAMPERFECTO	PRETÉRITO ANTERIOR	FUTURO PERFECTO
he dado	había dado	hube dado	habré dado
has dado	habías dado	hubiste dado	habrás dado
ha dado	había dado	hubo dado	habrá dado
hemos dado	habíamos dado	hubimos dado	habremos dado
habéis dado	habíais dado	hubisteis dado	habréis dado
han dado	habían dado	hubieron dado	habrán dado

CONDICIONAL SIMPLE	CONDICIONAL COMPUESTO
dar ía	habría dado
dar ías	habrías dado
dar ía	habría dado
dar íamos	habríamos dado
dar íais	habríais dado
dar ían	habrían dado

MODO SUBJUNTIVO

PRESENTE	PRETÉRITO IMPERFECTO	FUTURO IMPERFECTO (2)
dé	diera o diese	diere
d es	dieras o dieses	dieres
dé	diera o diese	diere
d emos	diéramos o diésemos	diéremos
d eis	dierais o dieseis	diereis
d en	dieran o diesen	dieren

PRETÉRITO PERFECTO	PRETÉRITO PLUSCUAMPERFECTO	FUTURO PERFECTO (3)
haya dado	hubiera o hubiese dado	hubiere dado
hayas dado	hubieras o hubieses dado	hubieres dado
haya dado	hubiera o hubiese dado	hubiere dado
hayamos dado	hubiéramos o hubiésemos dado	hubiéremos dado
hayáis dado	hubierais o hubieseis dado	hubiereis dado
hayan dado	hubieran o hubiesen dado	hubieren dado

MODO IMPERATIVO

PRESENTE

d a	tú
dé	él/ella/usted
d emos	nosotros/as
d ad	vosotros/as
d en	ellos/ellas/ustedes

FORMAS NO PERSONALES

FORMAS SIMPLES

INFINITIVO	GERUNDIO	PARTICIPIO
dar	**d** ando	**d** ado

FORMAS COMPUESTAS

INFINITIVO	GERUNDIO
haber dado	habiendo dado

(1) o Perfecto simple. (2), (3) muy poco usados.

Conjugar es fácil

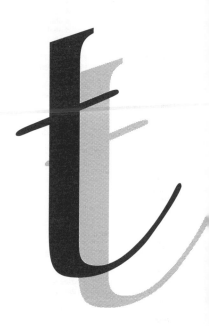

24. BEBER
25. coger
26. vencer
27. tañer
28. leer
29. perder
30. mover
31. nacer
32. conocer
33. obedecer
34. cocer
35. caber
36. caer
37. hacer
38. oler
39. placer
40. poder
41. poner.
42. querer
43. roer
44. saber
45. satisfacer
46. soler
47. traer
48. valer
49. ver
50. yacer

tablas de verbos

24. BEBER VERBO REGULAR

MODO INDICATIVO

PRESENTE	PRETÉRITO IMPERFECTO	PRETÉRITO INDEFINIDO (1)	FUTURO IMPERFECTO
beb o	beb ía	beb í	beber é
beb es	beb ías	beb iste	beber ás
beb e	beb ía	beb ió	beber á
beb emos	beb íamos	beb imos	beber emos
beb éis	beb íais	beb isteis	beber éis
beb en	beb ían	beb ieron	beber án

PRETÉRITO PERFECTO		PRETÉRITO PLUSCUAMPERFECTO		PRETÉRITO ANTERIOR		FUTURO PERFECTO	
he	bebido	había	bebido	hube	bebido	habré	bebido
has	bebido	habías	bebido	hubiste	bebido	habrás	bebido
ha	bebido	había	bebido	hubo	bebido	habrá	bebido
hemos	bebido	habíamos	bebido	hubimos	bebido	habremos	bebido
habéis	bebido	habíais	bebido	hubisteis	bebido	habréis	bebido
han	bebido	habían	bebido	hubieron	bebido	habrán	bebido

CONDICIONAL SIMPLE

	CONDICIONAL COMPUESTO	
beber ía	habría	bebido
beber ías	habrías	bebido
beber ía	habría	bebido
beber íamos	habríamos	bebido
beber íais	habríais	bebido
beber ían	habrían	bebido

MODO SUBJUNTIVO

PRESENTE	PRETÉRITO IMPERFECTO		FUTURO IMPERFECTO (2)
beb a	beb iera	o beb iese	beb iere
beb as	beb ieras	o beb ieses	beb ieres
beb a	beb iera	o beb iese	beb iere
beb amos	beb iéramos	o beb iésemos	beb iéremos
beb áis	beb ierais	o beb ieseis	beb iereis
beb an	beb ieran	o beb iesen	beb ieren

PRETÉRITO PERFECTO		PRETÉRITO PLUSCUAMPERFECTO			FUTURO PERFECTO (3)	
haya	bebido	hubiera	o hubiese	bebido	hubiere	bebido
hayas	bebido	hubieras	o hubieses	bebido	hubieres	bebido
haya	bebido	hubiera	o hubiese	bebido	hubiere	bebido
hayamos	bebido	hubiéramos	o hubiésemos	bebido	hubiéremos	bebido
hayáis	bebido	hubierais	o hubieseis	bebido	hubiereis	bebido
hayan	bebido	hubieran	o hubiesen	bebido	hubieren	bebido

MODO IMPERATIVO

FORMAS NO PERSONALES

PRESENTE

beb e	tú
beb a	él/ella/usted
beb amos	nosotros/as
beb ed	vosotros/as
beb an	ellos/ellas/ustedes

FORMAS SIMPLES

INFINITIVO	GERUNDIO	PARTICIPIO
beber	beb iendo	beb ido

FORMAS COMPUESTAS

INFINITIVO	GERUNDIO
haber bebido	habiendo bebido

(1) o Perfecto simple. (2), (3) muy poco usados.

Conjugar es fácil

tablas de verbos

25. COGER VERBO CON MODIFICACIÓN ORTOGRÁFICA

MODO INDICATIVO

PRESENTE	PRETÉRITO IMPERFECTO	PRETÉRITO INDEFINIDO (1)	FUTURO IMPERFECTO
cojo	cog ía	cog í	coger é
cog es	cog ías	cog iste	coger ás
cog e	cog ía	cog ió	coger á
cog emos	cog íamos	cog imos	coger emos
cog éis	cog íais	cog isteis	coger éis
cog en	cog ían	cog ieron	coger án

PRETÉRITO PERFECTO	PRETÉRITO PLUSCUAMPERFECTO	PRETÉRITO ANTERIOR	FUTURO PERFECTO
he cogido	había cogido	hube cogido	habré cogido
has cogido	habías cogido	hubiste cogido	habrás cogido
ha cogido	había cogido	hubo cogido	habrá cogido
hemos cogido	habíamos cogido	hubimos cogido	habremos cogido
habéis cogido	habíais cogido	hubisteis cogido	habréis cogido
han cogido	habían cogido	hubieron cogido	habrán cogido

CONDICIONAL SIMPLE	CONDICIONAL COMPUESTO
coger ía	habría cogido
coger ías	habrías cogido
coger ía	habría cogido
coger íamos	habríamos cogido
coger íais	habríais cogido
coger ían	habrían cogido

MODO SUBJUNTIVO

PRESENTE	PRETÉRITO IMPERFECTO	FUTURO IMPERFECTO (2)
coja	cog iera o cog iese	cog iere
cojas	cog ieras o cog ieses	cog ieres
coja	cog iera o cog iese	cog iere
cojamos	cog iéramos o cog iésemos	cog iéremos
cojáis	cog ierais o cog ieseis	cog iereis
cojan	cog ieran o cog iesen	cog ieren

PRETÉRITO PERFECTO	PRETÉRITO PLUSCUAMPERFECTO	FUTURO PERFECTO (3)
haya cogido	hubiera o hubiese cogido	hubiere cogido
hayas cogido	hubieras o hubieses cogido	hubieres cogido
haya cogido	hubiera o hubiese cogido	hubiere cogido
hayamos cogido	hubiéramos o hubiésemos cogido	hubiéremos cogido
hayáis cogido	hubierais o hubieseis cogido	hubiereis cogido
hayan cogido	hubieran o hubiesen cogido	hubieren cogido

MODO IMPERATIVO	FORMAS NO PERSONALES

PRESENTE

cog e	tú
coja	él/ella/usted
cojamos	nosotros/as
cog ed	vosotros/as
cojan	ellos/ellas/ustedes

FORMAS SIMPLES

INFINITIVO	GERUNDIO	PARTICIPIO
coger	cog iendo	cog ido

FORMAS COMPUESTAS

INFINITIVO	GERUNDIO
haber cogido	habiendo cogido

(1) o Perfecto simple. (2), (3) muy poco usados.

Conjugar es fácil

tablas de verbos

26. VENCER VERBO CON MODIFICACIÓN ORTOGRÁFICA

MODO INDICATIVO

PRESENTE	PRETÉRITO IMPERFECTO	PRETÉRITO INDEFINIDO (1)	FUTURO IMPERFECTO
venzo	venc ía	venc í	vencer é
venc es	venc ías	venc iste	vencer ás
venc e	venc ía	venc ió	vencer á
venc emos	venc íamos	venc imos	vencer emos
venc éis	venc íais	venc isteis	vencer éis
venc en	venc ían	venc ieron	vencer án

PRETÉRITO PERFECTO	PRETÉRITO PLUSCUAMPERFECTO	PRETÉRITO ANTERIOR	FUTURO PERFECTO
he vencido	había vencido	hube vencido	habré vencido
has vencido	habías vencido	hubiste vencido	habrás vencido
ha vencido	había vencido	hubo vencido	habrá vencido
hemos vencido	habíamos vencido	hubimos vencido	habremos vencido
habéis vencido	habíais vencido	hubisteis vencido	habréis vencido
han vencido	habían vencido	hubieron vencido	habrán vencido

CONDICIONAL SIMPLE	CONDICIONAL COMPUESTO
vencer ía	habría vencido
vencer ías	habrías vencido
vencer ía	habría vencido
vencer íamos	habríamos vencido
vencer íais	habríais vencido
vencer ían	habrían vencido

MODO SUBJUNTIVO

PRESENTE	PRETÉRITO IMPERFECTO	FUTURO IMPERFECTO (2)
venza	venc iera o venc iese	venc iere
venzas	venc ieras o venc ieses	venc ieres
venza	venc iera o venc iese	venc iere
venzamos	venc iéramos o venc iésemos	venc iéremos
venzáis	venc ierais o venc ieseis	venc iereis
venzan	venc ieran o venc iesen	venc ieren

PRETÉRITO PERFECTO	PRETÉRITO PLUSCUAMPERFECTO	FUTURO PERFECTO (3)
haya vencido	hubiera o hubiese vencido	hubiere vencido
hayas vencido	hubieras o hubieses vencido	hubieres vencido
haya vencido	hubiera o hubiese vencido	hubiere vencido
hayamos vencido	hubiéramos o hubiésemos vencido	hubiéremos vencido
hayáis vencido	hubierais o hubieseis vencido	hubiereis vencido
hayan vencido	hubieran o hubiesen vencido	hubieren vencido

MODO IMPERATIVO	FORMAS NO PERSONALES

PRESENTE

venc e	tú
venza	él/ella/usted
venzamos	nosotros/as
venc ed	vosotros/as
venzan	ellos/ellas/ustedes

FORMAS SIMPLES

INFINITIVO	GERUNDIO	PARTICIPIO
vencer	venc iendo	venc ido

FORMAS COMPUESTAS

INFINITIVO	GERUNDIO
haber vencido	habiendo vencido

(1) o Perfecto simple. (2), (3) muy poco usados.

Conjugar es fácil

tablas de verbos

27. TAÑER VERBO CON MODIFICACIÓN ORTOGRÁFICA

MODO INDICATIVO

PRESENTE	PRETÉRITO IMPERFECTO	PRETÉRITO INDEFINIDO (1)	FUTURO IMPERFECTO
tañ o	tañ ía	tañ í	tañer é
tañ es	tañ ías	tañ iste	tañer ás
tañ e	tañ ía	tañó	tañer á
tañ emos	tañ íamos	tañ imos	tañer emos
tañ éis	tañ íais	tañ isteis	tañer éis
tañ en	tañ ían	tañeron	tañer án

PRETÉRITO PERFECTO		PRETÉRITO PLUSCUAMPERFECTO		PRETÉRITO ANTERIOR		FUTURO PERFECTO	
he	tañido	había	tañido	hube	tañido	habré	tañido
has	tañido	habías	tañido	hubiste	tañido	habrás	tañido
ha	tañido	había	tañido	hubo	tañido	habrá	tañido
hemos	tañido	habíamos	tañido	hubimos	tañido	habremos	tañido
habéis	tañido	habíais	tañido	hubisteis	tañido	habréis	tañido
han	tañido	habían	tañido	hubieron	tañido	habrán	tañido

CONDICIONAL SIMPLE		CONDICIONAL COMPUESTO	
tañer ía		habría	tañido
tañer ías		habrías	tañido
tañer ía		habría	tañido
tañer íamos		habríamos	tañido
tañer íais		habríais	tañido
tañer ían		habrían	tañido

MODO SUBJUNTIVO

PRESENTE	PRETÉRITO IMPERFECTO			FUTURO IMPERFECTO (2)
tañ a	tañera	o	tañese	tañere
tañ as	tañeras	o	tañeses	tañeres
tañ a	tañera	o	tañese	tañere
tañ amos	tañéramos	o	tañésemos	tañéremos
tañ áis	tañerais	o	tañeseis	tañereis
tañ an	tañeran	o	tañesen	tañeren

PRETÉRITO PERFECTO		PRETÉRITO PLUSCUAMPERFECTO				FUTURO PERFECTO (3)	
haya	tañido	hubiera	o	hubiese	tañido	hubiere	tañido
hayas	tañido	hubieras	o	hubieses	tañido	hubieres	tañido
haya	tañido	hubiera	o	hubiese	tañido	hubiere	tañido
hayamos	tañido	hubiéramos	o	hubiésemos	tañido	hubiéremos	tañido
hayáis	tañido	hubierais	o	hubieseis	tañido	hubiereis	tañido
hayan	tañido	hubieran	o	hubiesen	tañido	hubieren	tañido

MODO IMPERATIVO

PRESENTE

tañ e	tú
tañ a	él/ella/usted
tañ amos	nosotros/as
tañ ed	vosotros/as
tañ an	ellos/ellas/ustedes

FORMAS NO PERSONALES

FORMAS SIMPLES

INFINITIVO	GERUNDIO	PARTICIPIO
tañer	tañendo	tañ ido

FORMAS COMPUESTAS

INFINITIVO	GERUNDIO
haber tañido	habiendo tañido

(1) o Perfecto simple. (2), (3) muy poco usados

tablas de verbos

MODO INDICATIVO

PRESENTE	PRETÉRITO IMPERFECTO	PRETÉRITO INDEFINIDO (1)	FUTURO IMPERFECTO
le o	le ía	le í	leer é
le es	le ías	leíste	leer ás
le e	le ía	leyó	leer á
le emos	le íamos	leímos	leer emos
le éis	le íais	leísteis	leer éis
le en	le ían	leyeron	leer án

PRETÉRITO PERFECTO		PRETÉRITO PLUSCUAMPERFECTO		PRETÉRITO ANTERIOR		FUTURO PERFECTO	
he	leído	había	leído	hube	leído	habré	leído
has	leído	habías	leído	hubiste	leído	habrás	leído
ha	leído	había	leído	hubo	leído	habrá	leído
hemos	leído	habíamos	leído	hubimos	leído	habremos	leído
habéis	leído	habíais	leído	hubisteis	leído	habréis	leído
han	leído	habían	leído	hubieron	leído	habrán	leído

CONDICIONAL SIMPLE	CONDICIONAL COMPUESTO	
leer ía	habría	leído
leer ías	habrías	leído
leer ía	habría	leído
leer íamos	habríamos	leído
leer íais	habríais	leído
leer ían	habrían	leído

MODO SUBJUNTIVO

PRESENTE	PRETÉRITO IMPERFECTO			FUTURO IMPERFECTO (2)
le a	leyera	o	leyese	leyere
le as	leyeras	o	leyeses	leyeres
le a	leyera	o	leyese	leyere
le amos	leyéramos	o	leyésemos	leyéremos
le áis	leyerais	o	leyeseis	leyereis
le an	leyeran	o	leyesen	leyeren

PRETÉRITO PERFECTO		PRETÉRITO PLUSCUAMPERFECTO				FUTURO PERFECTO (3)	
haya	leído	hubiera	o	hubiese	leído	hubiere	leído
hayas	leído	hubieras	o	hubieses	leído	hubieres	leído
haya	leído	hubiera	o	hubiese	leído	hubiere	leído
hayamos	leído	hubiéramos	o	hubiésemos	leído	hubiéremos	leído
hayáis	leído	hubierais	o	hubieseis	leído	hubiereis	leído
hayan	leído	hubieran	o	hubiesen	leído	hubieren	leído

MODO IMPERATIVO

PRESENTE

le e	tú
le a	él/ella/usted
le amos	nosotros/as
le ed	vosotros/as
le an	ellos/ellas/ustedes

FORMAS NO PERSONALES

FORMAS SIMPLES

INFINITIVO	GERUNDIO	PARTICIPIO
leer	leyendo	leído

FORMAS COMPUESTAS

INFINITIVO	GERUNDIO
haber leído	habiendo leído

(1) o Perfecto simple. (2), (3) muy poco usados.

Conjugar es fácil

tablas de verbos

29. PERDER VERBO IRREGULAR

MODO INDICATIVO

PRESENTE	PRETÉRITO IMPERFECTO	PRETÉRITO INDEFINIDO (1)	FUTURO IMPERFECTO
pierdo	perd ía	perd í	perder é
pierdes	perd ías	perd iste	perder ás
pierde	perd ía	perd ió	perder á
perd emos	perd íamos	perd imos	perder emos
perd éis	perd íais	perd isteis	perder éis
pierden	perd ían	perd ieron	perder án

PRETÉRITO PERFECTO		PRETÉRITO PLUSCUAMPERFECTO		PRETÉRITO ANTERIOR		FUTURO PERFECTO	
he	perdido	había	perdido	hube	perdido	habré	perdido
has	perdido	habías	perdido	hubiste	perdido	habrás	perdido
ha	perdido	había	perdido	hubo	perdido	habrá	perdido
hemos	perdido	habíamos	perdido	hubimos	perdido	habremos	perdido
habéis	perdido	habíais	perdido	hubisteis	perdido	habréis	perdido
han	perdido	habían	perdido	hubieron	perdido	habrán	perdido

CONDICIONAL SIMPLE	CONDICIONAL COMPUESTO	
perder ía	habría	perdido
perder ías	habrías	perdido
perder ía	habría	perdido
perder íamos	habríamos	perdido
perder íais	habríais	perdido
perder ían	habrían	perdido

MODO SUBJUNTIVO

PRESENTE	PRETÉRITO IMPERFECTO		FUTURO IMPERFECTO (2)
pierda	perd iera	o perd iese	perd iere
pierdas	perd ieras	o perd ieses	perd ieres
pierda	perd iera	o perd iese	perd iere
perd amos	perd iéramos	o perd iésemos	perd iéremos
perd áis	perd ierais	o perd ieseis	perd iereis
pierdan	perd ieran	o perd iesen	perd ieren

PRETÉRITO PERFECTO		PRETÉRITO PLUSCUAMPERFECTO			FUTURO PERFECTO (3)	
haya	perdido	hubiera	o hubiese	perdido	hubiere	perdido
hayas	perdido	hubieras	o hubieses	perdido	hubieres	perdido
haya	perdido	hubiera	o hubiese	perdido	hubiere	perdido
hayamos	perdido	hubiéramos	o hubiésemos	perdido	hubiéremos	perdido
hayáis	perdido	hubierais	o hubieseis	perdido	hubiereis	perdido
hayan	perdido	hubieran	o hubiesen	perdido	hubieren	perdido

MODO IMPERATIVO

PRESENTE	
pierde	tú
pierda	él/ella/usted
perd amos	nosotros/as
perd ed	vosotros/as
pierdan	ellos/ellas/ustedes

FORMAS NO PERSONALES

FORMAS SIMPLES

INFINITIVO	GERUNDIO	PARTICIPIO
perder	perd iendo	perd ido

FORMAS COMPUESTAS

INFINITIVO	GERUNDIO
haber perdido	habiendo perdido

(1) o Perfecto simple. (2), (3) muy poco usados.

Conjugar es fácil

tablas de verbos

30. MOVER VERBO IRREGULAR

MODO INDICATIVO

PRESENTE	PRETÉRITO IMPERFECTO	PRETÉRITO INDEFINIDO (1)	FUTURO IMPERFECTO
muevo	**mov** ía	**mov** í	**mover** é
mueves	**mov** ías	**mov** iste	**mover** ás
mueve	**mov** ía	**mov** ió	**mover** á
mov emos	**mov** íamos	**mov** imos	**mover** emos
mov éis	**mov** íais	**mov** isteis	**mover** éis
mueven	**mov** ían	**mov** ieron	**mover** án

PRETÉRITO PERFECTO	PRETÉRITO PLUSCUAMPERFECTO	PRETÉRITO ANTERIOR	FUTURO PERFECTO
he movido	había movido	hube movido	habré movido
has movido	habías movido	hubiste movido	habrás movido
ha movido	había movido	hubo movido	habrá movido
hemos movido	habíamos movido	hubimos movido	habremos movido
habéis movido	habíais movido	hubisteis movido	habréis movido
han movido	habían movido	hubieron movido	habrán movido

CONDICIONAL SIMPLE	CONDICIONAL COMPUESTO
mover ía	habría movido
mover ías	habrías movido
mover ía	habría movido
mover íamos	habríamos movido
mover íais	habríais movido
mover ían	habrían movido

MODO SUBJUNTIVO

PRESENTE	PRETÉRITO IMPERFECTO		FUTURO IMPERFECTO (2)
mueva	**mov** iera	o **mov** iese	**mov** iere
muevas	**mov** ieras	o **mov** ieses	**mov** ieres
mueva	**mov** iera	o **mov** iese	**mov** iere
mov amos	**mov** iéramos	o **mov** iésemos	**mov** iéremos
mov áis	**mov** ierais	o **mov** ieseis	**mov** iereis
muevan	**mov** ieran	o **mov** iesen	**mov** ieren

PRETÉRITO PERFECTO	PRETÉRITO PLUSCUAMPERFECTO		FUTURO PERFECTO (3)
haya movido	hubiera	o hubiese movido	hubiere movido
hayas movido	hubieras	o hubieses movido	hubieres movido
haya movido	hubiera	o hubiese movido	hubiere movido
hayamos movido	hubiéramos	o hubiésemos movido	hubiéremos movido
hayáis movido	hubierais	o hubieseis movido	hubiereis movido
hayan movido	hubieran	o hubiesen movido	hubieren movido

MODO IMPERATIVO

PRESENTE

mueve	tú
mueva	él/ella/usted
mov amos	nosotros/as
mov ed	vosotros/as
muevan	ellos/ellas/ustedes

FORMAS NO PERSONALES

FORMAS SIMPLES

INFINITIVO	GERUNDIO	PARTICIPIO
mover	**mov** iendo	**mov** ido

FORMAS COMPUESTAS

INFINITIVO	GERUNDIO
haber movido	habiendo movido

(1) o Perfecto simple. (2), (3) muy poco usados.

55

Conjugar es fácil

tablas de verbos

31. NACER VERBO IRREGULAR

MODO INDICATIVO

PRESENTE	PRETÉRITO IMPERFECTO	PRETÉRITO INDEFINIDO (1)	FUTURO IMPERFECTO
nazco	nac ía	nac í	nacer é
nac es	nac ías	nac iste	nacer ás
nac e	nac ía	nac ió	nacer á
nac emos	nac íamos	nac imos	nacer emos
nac éis	nac íais	nac isteis	nacer éis
nac en	nac ían	nac ieron	nacer án

PRETÉRITO PERFECTO	PRETÉRITO PLUSCUAMPERFECTO	PRETÉRITO ANTERIOR	FUTURO PERFECTO
he nacido	había nacido	hube nacido	habré nacido
has nacido	habías nacido	hubiste nacido	habrás nacido
ha nacido	había nacido	hubo nacido	habrá nacido
hemos nacido	habíamos nacido	hubimos nacido	habremos nacido
habéis nacido	habíais nacido	hubisteis nacido	habréis nacido
han nacido	habían nacido	hubieron nacido	habrán nacido

CONDICIONAL SIMPLE	CONDICIONAL COMPUESTO
nacer ía	habría nacido
nacer ías	habrías nacido
nacer ía	habría nacido
nacer íamos	habríamos nacido
nacer íais	habríais nacido
nacer ían	habrían nacido

MODO SUBJUNTIVO

PRESENTE	PRETÉRITO IMPERFECTO	FUTURO IMPERFECTO (2)
nazca	nac iera o nac iese	nac iere
nazcas	nac ieras o nac ieses	nac ieres
nazca	nac iera o nac iese	nac iere
nazcamos	nac iéramos o nac iésemos	nac iéremos
nazcáis	nac ierais o nac ieseis	nac iereis
nazcan	nac ieran o nac iesen	nac ieren

PRETÉRITO PERFECTO	PRETÉRITO PLUSCUAMPERFECTO	FUTURO PERFECTO (3)
haya nacido	hubiera o hubiese nacido	hubiere nacido
hayas nacido	hubieras o hubieses nacido	hubieres nacido
haya nacido	hubiera o hubiese nacido	hubiere nacido
hayamos nacido	hubiéramos o hubiésemos nacido	hubiéremos nacido
hayáis nacido	hubierais o hubieseis nacido	hubiereis nacido
hayan nacido	hubieran o hubiesen nacido	hubieren nacido

MODO IMPERATIVO

PRESENTE

nac e	tú
nazca	él/ella/usted
nazcamos	nosotros/as
nac ed	vosotros/as
nazcan	ellos/ellas/ustedes

FORMAS NO PERSONALES

FORMAS SIMPLES

INFINITIVO	GERUNDIO	PARTICIPIO
nacer	nac iendo	nac ido

FORMAS COMPUESTAS

INFINITIVO	GERUNDIO
haber nacido	habiendo nacido

(1) o Perfecto simple. (2), (3) muy poco usados.

32. CONOCER VERBO IRREGULAR

MODO INDICATIVO

PRESENTE	PRETÉRITO IMPERFECTO	PRETÉRITO INDEFINIDO (1)	FUTURO IMPERFECTO
conozco	conoc ía	conoc í	conocer é
conoc es	conoc ías	conoc iste	conocer ás
conoc e	conoc ía	conoc ió	conocer á
conoc emos	conoc íamos	conoc imos	conocer emos
conoc éis	conoc íais	conoc isteis	conocer éis
conoc en	conoc ían	conoc ieron	conocer án

PRETÉRITO PERFECTO		PRETÉRITO PLUSCUAMPERFECTO		PRETÉRITO ANTERIOR		FUTURO PERFECTO	
he	conocido	había	conocido	hube	conocido	habré	conocido
has	conocido	habías	conocido	hubiste	conocido	habrás	conocido
ha	conocido	había	conocido	hubo	conocido	habrá	conocido
hemos	conocido	habíamos	conocido	hubimos	conocido	habremos	conocido
habéis	conocido	habíais	conocido	hubisteis	conocido	habréis	conocido
han	conocido	habían	conocido	hubieron	conocido	habrán	conocido

CONDICIONAL SIMPLE	CONDICIONAL COMPUESTO	
conoce ría	habría	conocido
conoce rías	habrías	conocido
conoce ría	habría	conocido
conoce ríamos	habríamos	conocido
conoce ríais	habríais	conocido
conoce rían	habrían	conocido

MODO SUBJUNTIVO

PRESENTE	PRETÉRITO IMPERFECTO			FUTURO IMPERFECTO (2)
conozca	conoc iera	o	conoc iese	conoc iere
conozcas	conoc ieras	o	conoc ieses	conoc ieres
conozca	conoc iera	o	conoc iese	conoc iere
conozcamos	conoc iéramos	o	conoc iésemos	conoc iéremos
conozcáis	conoc ierais	o	conoc ieseis	conoc iereis
conozcan	conoc ieran	o	conoc iesen	conoc ieren

PRETÉRITO PERFECTO		PRETÉRITO PLUSCUAMPERFECTO				FUTURO PERFECTO (3)	
haya	conocido	hubiera	o	hubiese	conocido	hubiere	conocido
hayas	conocido	hubieras	o	hubieses	conocido	hubieres	conocido
haya	conocido	hubiera	o	hubiese	conocido	hubiere	conocido
hayamos	conocido	hubiéramos	o	hubiésemos	conocido	hubiéremos	conocido
hayáis	conocido	hubierais	o	hubieseis	conocido	hubiereis	conocido
hayan	conocido	hubieran	o	hubiesen	conocido	hubieren	conocido

---

MODO IMPERATIVO | ### FORMAS NO PERSONALES

PRESENTE

conoc e	tú
conozca	él/ella/usted
conozcamos	nosotros/as
conoc ed	vosotros/as
conozcan	ellos/ellas/ustedes

FORMAS SIMPLES

INFINITIVO	GERUNDIO	PARTICIPIO
conocer	conoc iendo	conoc ido

FORMAS COMPUESTAS

INFINITIVO	GERUNDIO
haber conocido	habiendo conocido

(1) o Perfecto simple. (2), (3) muy poco usados.

Conjugar es fácil

tablas de verbos

33. OBEDECER VERBO IRREGULAR

MODO INDICATIVO

PRESENTE	PRETÉRITO IMPERFECTO	PRETÉRITO INDEFINIDO (1)	FUTURO IMPERFECTO
obedezco	obedec ía	obedec í	obedecer é
obedec es	obedec ías	obedec iste	obedecer ás
obedec e	obedec ía	obedec ió	obedecer á
obedec emos	obedec íamos	obedec imos	obedecer emos
obedec éis	obedec íais	obedec isteis	obedecer éis
obedec en	obedec ían	obedec ieron	obedecer án

PRETÉRITO PERFECTO		PRETÉRITO PLUSCUAMPERFECTO		PRETÉRITO ANTERIOR		FUTURO PERFECTO	
he	obedecido	había	obedecido	hube	obedecido	habré	obedecido
has	obedecido	habías	obedecido	hubiste	obedecido	habrás	obedecido
ha	obedecido	había	obedecido	hubo	obedecido	habrá	obedecido
hemos	obedecido	habíamos	obedecido	hubimos	obedecido	habremos	obedecido
habéis	obedecido	habíais	obedecido	hubisteis	obedecido	habréis	obedecido
han	obedecido	habían	obedecido	hubieron	obedecido	habrán	obedecido

CONDICIONAL SIMPLE	CONDICIONAL COMPUESTO	
obedecer ía	habría	obedecido
obedecer ías	habrías	obedecido
obedecer ía	habría	obedecido
obedecer íamos	habríamos	obedecido
obedecer íais	habríais	obedecido
obedecer ían	habrían	obedecido

MODO SUBJUNTIVO

PRESENTE	PRETÉRITO IMPERFECTO			FUTURO IMPERFECTO (2)
obedezca	obedec iera	u	obedec iese	obedec iere
obedezcas	obedec ieras	u	obedec ieses	obedec ieres
obedezca	obedec iera	u	obedec iese	obedec iere
obedezcamos	obedec iéramos	u	obedec iésemos	obedec iéremos
obedezcáis	obedec ierais	u	obedec ieseis	obedec iereis
obedezcan	obedec ieran	u	obedec iesen	obedec ieren

PRETÉRITO PERFECTO		PRETÉRITO PLUSCUAMPERFECTO			FUTURO PERFECTO (3)	
haya	obedecido	hubiera	o	hubiese	obedecido	hubiere	obedecido
hayas	obedecido	hubieras	o	hubieses	obedecido	hubieres	obedecido
haya	obedecido	hubiera	o	hubiese	obedecido	hubiere	obedecido
hayamos	obedecido	hubiéramos	o	hubiésemos	obedecido	hubiéremos	obedecido
hayáis	obedecido	hubierais	o	hubieseis	obedecido	hubiereis	obedecido
hayan	obedecido	hubieran	o	hubiesen	obedecido	hubieren	obedecido

MODO IMPERATIVO

PRESENTE

obedec e	tú
obedezca	él/ella/usted
obedezcamos	nosotros/as
obedec ed	vosotros/as
obedezcan	ellos/ellas/ustedes

FORMAS NO PERSONALES

FORMAS SIMPLES

INFINITIVO	GERUNDIO	PARTICIPIO
obedecer	obedec iendo	obedec ido

FORMAS COMPUESTAS

INFINITIVO	GERUNDIO
haber obedecido	habiendo obedecido

(1) o Perfecto simple. (2), (3) muy poco usados.

tablas de verbos

34. COCER VERBO IRREGULAR

MODO INDICATIVO

PRESENTE	PRETÉRITO IMPERFECTO	PRETÉRITO INDEFINIDO (1)	FUTURO IMPERFECTO
cuezo	coc ía	coc í	cocer é
cueces	coc ías	coc iste	cocer ás
cuece	coc ía	coc ió	cocer á
coc emos	coc íamos	coc imos	cocer emos
coc éis	coc íais	coc isteis	cocer éis
cuecen	coc ían	coc ieron	cocer án

PRETÉRITO PERFECTO	PRETÉRITO PLUSCUAMPERFECTO	PRETÉRITO ANTERIOR	FUTURO PERFECTO
he cocido	había cocido	hube cocido	habré cocido
has cocido	habías cocido	hubiste cocido	habrás cocido
ha cocido	había cocido	hubo cocido	habrá cocido
hemos cocido	habíamos cocido	hubimos cocido	habremos cocido
habéis cocido	habíais cocido	hubisteis cocido	habréis cocido
han cocido	habían cocido	hubieron cocido	habrán cocido

CONDICIONAL SIMPLE

CONDICIONAL COMPUESTO

cocer ía	habría cocido
cocer ías	habrías cocido
cocer ía	habría cocido
cocer íamos	habríamos cocido
cocer íais	habríais cocido
cocer ían	habrían cocido

MODO SUBJUNTIVO

PRESENTE	PRETÉRITO IMPERFECTO	FUTURO IMPERFECTO (2)
cueza	coc iera o coc iese	coc iere
cuezas	coc ieras o coc ieses	coc ieres
cueza	coc iera o coc iese	coc iere
cozamos	coc iéramos o coc iésemos	coc iéremos
cozáis	coc ierais o coc ieseis	coc iereis
cuezan	coc ieran o coc iesen	coc ieren

PRETÉRITO PERFECTO	PRETÉRITO PLUSCUAMPERFECTO	FUTURO PERFECTO (3)
haya cocido	hubiera o hubiese cocido	hubiere cocido
hayas cocido	hubieras o hubieses cocido	hubieres cocido
haya cocido	hubiera o hubiese cocido	hubiere cocido
hayamos cocido	hubiéramos o hubiésemos cocido	hubiéremos cocido
hayáis cocido	hubierais o hubieseis cocido	hubiereis cocido
hayan cocido	hubieran o hubiesen cocido	hubieren cocido

MODO IMPERATIVO	FORMAS NO PERSONALES

PRESENTE

cuece	tú
cueza	él/ella/usted
cozamos	nosotros/as
coc ed	vosotros/as
cuezan	ellos/ellas/ustedes

FORMAS SIMPLES

INFINITIVO	GERUNDIO	PARTICIPIO
cocer	coc iendo	coc ido

FORMAS COMPUESTAS

INFINITIVO	GERUNDIO
haber cocido	habiendo cocido

(1) o Perfecto simple. (2), (3) muy poco usados.

Conjugar es fácil

tablas de verbos

35. CABER VERBO IRREGULAR

MODO INDICATIVO

PRESENTE	PRETÉRITO IMPERFECTO	PRETÉRITO INDEFINIDO (1)	FUTURO IMPERFECTO
quepo	cab ía	cupe	cabré
cab es	cab ías	cupiste	cabrás
cab e	cab ía	cupo	cabrá
cab emos	cab íamos	cupimos	cabremos
cab éis	cab íais	cupisteis	cabréis
cab en	cab ían	cupieron	cabrán

PRETÉRITO PERFECTO	PRETÉRITO PLUSCUAMPERFECTO	PRETÉRITO ANTERIOR	FUTURO PERFECTO
he cabido	había cabido	hube cabido	habré cabido
has cabido	habías cabido	hubiste cabido	habrás cabido
ha cabido	había cabido	hubo cabido	habrá cabido
hemos cabido	habíamos cabido	hubimos cabido	habremos cabido
habéis cabido	habíais cabido	hubisteis cabido	habréis cabido
han cabido	habían cabido	hubieron cabido	habrán cabido

CONDICIONAL SIMPLE	CONDICIONAL COMPUESTO
cabría	habría cabido
cabrías	habrías cabido
cabría	habría cabido
cabríamos	habríamos cabido
cabríais	habríais cabido
cabrían	habrían cabido

MODO SUBJUNTIVO

PRESENTE	PRETÉRITO IMPERFECTO	FUTURO IMPERFECTO (2)
quepa	cupiera o cupiese	cupiere
quepas	cupieras o cupieses	cupieres
quepa	cupiera o cupiese	cupiere
quepamos	cupiéramos o cupiésemos	cupiéremos
quepáis	cupierais o cupieseis	cupiereis
quepan	cupieran o cupiesen	cupieren

PRETÉRITO PERFECTO	PRETÉRITO PLUSCUAMPERFECTO	FUTURO PERFECTO (3)
haya cabido	hubiera o hubiese cabido	hubiere cabido
hayas cabido	hubieras o hubieses cabido	hubieres cabido
haya cabido	hubiera o hubiese cabido	hubiere cabido
hayamos cabido	hubiéramos o hubiésemos cabido	hubiéremos cabido
hayáis cabido	hubierais o hubieseis cabido	hubiereis cabido
hayan cabido	hubieran o hubiesen cabido	hubieren cabido

MODO IMPERATIVO

PRESENTE

cab e	tú
quepa	él/ella/usted
quepamos	nosotros/as
cab ed	vosotros/as
quepan	ellos/ellas/ustedes

FORMAS NO PERSONALES

FORMAS SIMPLES

INFINITIVO	GERUNDIO	PARTICIPIO
caber	cab iendo	cab ido

FORMAS COMPUESTAS

INFINITIVO	GERUNDIO
haber cabido	habiendo cabido

(1) o Perfecto simple. (2), (3) muy poco usados.

Conjugar es fácil

tablas de verbos

36. CAER VERBO IRREGULAR

MODO INDICATIVO

PRESENTE	PRETÉRITO IMPERFECTO	PRETÉRITO INDEFINIDO (1)	FUTURO IMPERFECTO
caigo	ca ía	ca í	caer é
ca es	ca ías	caíste	caer ás
ca e	ca ía	cayó	caer á
ca emos	ca íamos	caímos	caer emos
ca éis	ca íais	caísteis	caer éis
ca en	ca ían	cayeron	caer án

PRETÉRITO PERFECTO		PRETÉRITO PLUSCUAMPERFECTO		PRETÉRITO ANTERIOR		FUTURO PERFECTO	
he	caído	había	caído	hube	caído	habré	caído
has	caído	habías	caído	hubiste	caído	habrás	caído
ha	caído	había	caído	hubo	caído	habrá	caído
hemos	caído	habíamos	caído	hubimos	caído	habremos	caído
habéis	caído	habíais	caído	hubisteis	caído	habréis	caído
han	caído	habían	caído	hubieron	caído	habrán	caído

CONDICIONAL SIMPLE

caer ía
caer ías
caer ía
caer íamos
caer íais
caer ían

CONDICIONAL COMPUESTO

habría	caído
habrías	caído
habría	caído
habríamos	caído
habríais	caído
habrían	caído

MODO SUBJUNTIVO

PRESENTE	PRETÉRITO IMPERFECTO			FUTURO IMPERFECTO (2)
caiga	cayera	o	cayese	cayere
caigas	cayeras	o	cayeses	cayeres
caiga	cayera	o	cayese	cayere
caigamos	cayéramos	o	cayésemos	cayéremos
caigáis	cayerais	o	cayeseis	cayereis
caigan	cayeran	o	cayesen	cayeren

PRETÉRITO PERFECTO		PRETÉRITO PLUSCUAMPERFECTO				FUTURO PERFECTO (3)	
haya	caído	hubiera	o	hubiese	caído	hubiere	caído
hayas	caído	hubieras	o	hubieses	caído	hubieres	caído
haya	caído	hubiera	o	hubiese	caído	hubiere	caído
hayamos	caído	hubiéramos	o	hubiésemos	caído	hubiéremos	caído
hayáis	caído	hubierais	o	hubieseis	caído	hubiereis	caído
hayan	caído	hubieran	o	hubiesen	caído	hubieren	caído

MODO IMPERATIVO

FORMAS NO PERSONALES

PRESENTE

ca e	tú
caiga	él/ella/usted
caigamos	nosotros/as
ca ed	vosotros/as
caigan	ellos/ellas/ustedes

FORMAS SIMPLES

INFINITIVO	GERUNDIO	PARTICIPIO
caer	cayendo	caído

FORMAS COMPUESTAS

INFINITIVO	GERUNDIO
haber caído	habiendo caído

(1) o Perfecto simple. (2), (3) muy poco usados.

Conjugar es fácil

tablas de verbos

37. HACER VERBO IRREGULAR

MODO INDICATIVO

PRESENTE	PRETÉRITO IMPERFECTO	PRETÉRITO INDEFINIDO (1)	FUTURO IMPERFECTO
hago	hac ía	hice	haré
hac es	hac ías	hiciste	harás
hac e	hac ía	hizo	hará
hac emos	hac íamos	hicimos	haremos
hac éis	hac íais	hicisteis	haréis
hac en	hac ían	hicieron	harán

PRETÉRITO PERFECTO		PRETÉRITO PLUSCUAMPERFECTO		PRETÉRITO ANTERIOR		FUTURO PERFECTO	
he	hecho	había	hecho	hube	hecho	habré	hecho
has	hecho	habías	hecho	hubiste	hecho	habrás	hecho
ha	hecho	había	hecho	hubo	hecho	habrá	hecho
hemos	hecho	habíamos	hecho	hubimos	hecho	habremos	hecho
habéis	hecho	habíais	hecho	hubisteis	hecho	habréis	hecho
han	hecho	habían	hecho	hubieron	hecho	habrán	hecho

CONDICIONAL SIMPLE	CONDICIONAL COMPUESTO	
haría	habría	hecho
harías	habrías	hecho
haría	habría	hecho
haríamos	habríamos	hecho
haríais	habríais	hecho
harían	habrían	hecho

MODO SUBJUNTIVO

PRESENTE	PRETÉRITO IMPERFECTO			FUTURO IMPERFECTO (2)
haga	hiciera	o	hiciese	hiciere
hagas	hicieras	o	hicieses	hicieres
haga	hiciera	o	hiciese	hiciere
hagamos	hiciéramos	o	hiciésemos	hiciéremos
hagáis	hicierais	o	hicieseis	hiciereis
hagan	hicieran	o	hiciesen	hicieren

PRETÉRITO PERFECTO		PRETÉRITO PLUSCUAMPERFECTO				FUTURO PERFECTO (3)	
haya	hecho	hubiera	o	hubiese	hecho	hubiere	hecho
hayas	hecho	hubieras	o	hubieses	hecho	hubieres	hecho
haya	hecho	hubiera	o	hubiese	hecho	hubiere	hecho
hayamos	hecho	hubiéramos	o	hubiésemos	hecho	hubiéremos	hecho
hayáis	hecho	hubierais	o	hubieseis	hecho	hubiereis	hecho
hayan	hecho	hubieran	o	hubiesen	hecho	hubieren	hecho

MODO IMPERATIVO	FORMAS NO PERSONALES

PRESENTE

haz	tú
haga	él/ella/usted
hagamos	nosotros/as
hac ed	vosotros/as
hagan	ellos/ellas/ustedes

FORMAS SIMPLES

INFINITIVO	GERUNDIO	PARTICIPIO
hacer	hac iendo	hecho

FORMAS COMPUESTAS

INFINITIVO	GERUNDIO
haber hecho	habiendo hecho

(1) o Perfecto simple. (2), (3) muy poco usados.

tablas de verbos

38. OLER VERBO IRREGULAR

MODO INDICATIVO

PRESENTE	PRETÉRITO IMPERFECTO	PRETÉRITO INDEFINIDO (1)	FUTURO IMPERFECTO
huelo	ol ía	ol í	oler é
hueles	ol ías	ol iste	oler ás
huele	ol ía	ol ió	oler á
ol emos	ol íamos	ol imos	oler emos
ol éis	ol íais	ol isteis	oler éis
huelen	ol ían	ol ieron	oler án

PRETÉRITO PERFECTO	PRETÉRITO PLUSCUAMPERFECTO	PRETÉRITO ANTERIOR	FUTURO PERFECTO
he olido	había olido	hube olido	habré olido
has olido	habías olido	hubiste olido	habrás olido
ha olido	había olido	hubo olido	habrá olido
hemos olido	habíamos olido	hubimos olido	habremos olido
habéis olido	habíais olido	hubisteis olido	habréis olido
han olido	habían olido	hubieron olido	habrán olido

CONDICIONAL SIMPLE	CONDICIONAL COMPUESTO
oler ía	habría olido
oler ías	habrías olido
oler ía	habría olido
oler íamos	habríamos olido
oler íais	habríais olido
oler ían	habrían olido

MODO SUBJUNTIVO

PRESENTE	PRETÉRITO IMPERFECTO	FUTURO IMPERFECTO (2)
huela	ol iera u ol iese	ol iere
huelas	ol ieras u ol ieses	ol ieres
huela	ol iera u ol iese	ol iere
ol amos	ol iéramos u ol iésemos	ol iéremos
ol áis	ol ierais u ol ieseis	ol iereis
huelan	ol ieran u ol iesen	ol ieren

PRETÉRITO PERFECTO	PRETÉRITO PLUSCUAMPERFECTO	FUTURO PERFECTO (3)
haya olido	hubiera o hubiese olido	hubiere olido
hayas olido	hubieras o hubieses olido	hubieres olido
haya olido	hubiera o hubiese olido	hubiere olido
hayamos olido	hubiéramos o hubiésemos olido	hubiéremos olido
hayáis olido	hubierais o hubieseis olido	hubiereis olido
hayan olido	hubieran o hubiesen olido	hubieren olido

MODO IMPERATIVO	FORMAS NO PERSONALES

PRESENTE

huele	tú
huela	él/ella/usted
ol amos	nosotros/as
ol ed	vosotros/as
huelan	ellos/ellas/ustedes

FORMAS NO PERSONALES

FORMAS SIMPLES

INFINITIVO	GERUNDIO	PARTICIPIO
oler	ol iendo	ol ido

FORMAS COMPUESTAS

INFINITIVO	GERUNDIO
haber olido	habiendo olido

(1) o Perfecto simple. (2), (3) muy poco usados.

— 63 —

Conjugar es fácil

tablas de verbos

39. PLACER VERBO IRREGULAR

MODO INDICATIVO

PRESENTE	PRETÉRITO IMPERFECTO	PRETÉRITO INDEFINIDO (1)	FUTURO IMPERFECTO
plazco	plac ía	plac í	placer é
plac es	plac ías	plac iste	placer ás
plac e	plac ía	plac ió o plugo	placer á
plac emos	plac íamos	plac imos	placer emos
plac éis	plac íais	plac isteis	placer éis
plac en	plac ían	plac ieron o pluguieron	placer án

PRETÉRITO PERFECTO		PRETÉRITO PLUSCUAMPERFECTO		PRETÉRITO ANTERIOR		FUTURO PERFECTO	
he	placido	había	placido	hube	placido	habré	placido
has	placido	habías	placido	hubiste	placido	habrás	placido
ha	placido	había	placido	hubo	placido	habrá	placido
hemos	placido	habíamos	placido	hubimos	placido	habremos	placido
habéis	placido	habíais	placido	hubisteis	placido	habréis	placido
han	placido	habían	placido	hubieron	placido	habrán	placido

CONDICIONAL SIMPLE	CONDICIONAL COMPUESTO	
placer ía	habría	placido
placer ías	habrías	placido
placer ía	habría	placido
placer íamos	habríamos	placido
placer íais	habríais	placido
placer ían	habrían	placido

MODO SUBJUNTIVO

PRESENTE	PRETÉRITO IMPERFECTO			FUTURO IMPERFECTO (2)
plazca	plac iera	o	plac iese	plac iere
plazcas	plac ieras	o	plac ieses	plac ieres
plazca o plegue	plac iera o pluguiera	o	plac iese o pluguiese	plac iere o pluguiere
plazcamos	plac iéramos	o	plac iésemos	plac iéremos
plazcáis	plac ierais	o	plac ieseis	plac iereis
plazcan	plac ieran	o	plac iesen	plac ieren

PRETÉRITO PERFECTO		PRETÉRITO PLUSCUAMPERFECTO				FUTURO PERFECTO (3)	
haya	placido	hubiera	o	hubiese	placido	hubiere	placido
hayas	placido	hubieras	o	hubieses	placido	hubieres	placido
haya	placido	hubiera	o	hubiese	placido	hubiere	placido
hayamos	placido	hubiéramos	o	hubiésemos	placido	hubiéremos	placido
hayáis	placido	hubierais	o	hubieseis	placido	hubiereis	placido
hayan	placido	hubieran	o	hubiesen	placido	hubieren	placido

MODO IMPERATIVO

PRESENTE

plac e	tú
plazca	él/ella/usted
plazcamos	nosotros/as
plac ed	vosotros/as
plazcan	ellos/ellas/ustedes

FORMAS NO PERSONALES

FORMAS SIMPLES

INFINITIVO	GERUNDIO	PARTICIPIO
placer	plac iendo	plac ido

FORMAS COMPUESTAS

INFINITIVO	GERUNDIO
haber placido	habiendo placido

(1) o Perfecto simple. (2), (3) muy poco usados.

tablas de verbos

40. PODER VERBO IRREGULAR

MODO INDICATIVO

PRESENTE	PRETÉRITO IMPERFECTO	PRETÉRITO INDEFINIDO (1)	FUTURO IMPERFECTO
puedo	pod ía	pude	podré
puedes	pod ías	pudiste	podrás
puede	pod ía	pudo	podrá
pod emos	pod íamos	pudimos	podremos
pod éis	pod íais	pudisteis	podréis
pueden	pod ían	pudieron	podrán

PRETÉRITO PERFECTO	PRETÉRITO PLUSCUAMPERFECTO	PRETÉRITO ANTERIOR	FUTURO PERFECTO
he podido	había podido	hube podido	habré podido
has podido	habías podido	hubiste podido	habrás podido
ha podido	había podido	hubo podido	habrá podido
hemos podido	habíamos podido	hubimos podido	habremos podido
habéis podido	habíais podido	hubisteis podido	habréis podido
han podido	habían podido	hubieron podido	habrán podido

CONDICIONAL SIMPLE	CONDICIONAL COMPUESTO
podría	habría podido
podrías	habrías podido
podría	habría podido
podríamos	habríamos podido
podríais	habríais podido
podrían	habrían podido

MODO SUBJUNTIVO

PRESENTE	PRETÉRITO IMPERFECTO	FUTURO IMPERFECTO (2)
pueda	pudiera o pudiese	pudiere
puedas	pudieras o pudieses	pudieres
pueda	pudiera o pudiese	pudiere
pod amos	pudiéramos o pudiésemos	pudiéremos
pod áis	pudierais o pudieseis	pudiereis
puedan	pudieran o pudiesen	· pudieren

PRETÉRITO PERFECTO	PRETÉRITO PLUSCUAMPERFECTO	FUTURO PERFECTO (3)
haya podido	hubiera o hubiese podido	hubiere podido
hayas podido	hubieras o hubieses podido	hubieres podido
haya podido	hubiera o hubiese podido	hubiere podido
hayamos podido	hubiéramos o hubiésemos podido	hubiéremos podido
hayáis podido	hubierais o hubieseis podido	hubiereis podido
hayan podido	hubieran o hubiesen podido	hubieren podido

MODO IMPERATIVO

PRESENTE

puede	tú
pueda	él/ella/usted
pod amos	nosotros/as
pod ed	vosotros/as
puedan	ellos/ellas/ustedes

FORMAS NO PERSONALES

FORMAS SIMPLES

INFINITIVO	GERUNDIO	PARTICIPIO
poder	pudiendo	pod ido

FORMAS COMPUESTAS

INFINITIVO	GERUNDIO
haber podido	habiendo podido

(1) o Perfecto simple. (2), (3) muy poco usados.

Conjugar es fácil

tablas de verbos

41. PONER VERBO IRREGULAR

MODO INDICATIVO

PRESENTE	PRETÉRITO IMPERFECTO	PRETÉRITO INDEFINIDO (1)	FUTURO IMPERFECTO
pongo	pon ía	puse	pondré
pon es	pon ías	pusiste	pondrás
pon e	pon ía	puso	pondrá
pon emos	pon íamos	pusimos	pondremos
pon éis	pon íais	pusisteis	pondréis
pon en	pon ían	pusieron	pondrán

PRETÉRITO PERFECTO	PRETÉRITO PLUSCUAMPERFECTO	PRETÉRITO ANTERIOR	FUTURO PERFECTO
he puesto	había puesto	hube puesto	habré puesto
has puesto	habías puesto	hubiste puesto	habrás puesto
ha puesto	había puesto	hubo puesto	habrá puesto
hemos puesto	habíamos puesto	hubimos puesto	habremos puesto
habéis puesto	habíais puesto	hubisteis puesto	habréis puesto
han puesto	habían puesto	hubieron puesto	habrán puesto

CONDICIONAL SIMPLE

pondría
pondrías
pondría
pondríamos
pondríais
pondrían

CONDICIONAL COMPUESTO

habría	puesto
habrías	puesto
habría	puesto
habríamos	puesto
habríais	puesto
habrían	puesto

MODO SUBJUNTIVO

PRESENTE	PRETÉRITO IMPERFECTO	FUTURO IMPERFECTO (2)
ponga	pusiera o pusiese	pusiere
pongas	pusieras o pusieses	pusieres
ponga	pusiera o pusiese	pusiere
pongamos	pusiéramos o pusiésemos	pusiéremos
pongáis	pusierais o pusieseis	pusiereis
pongan	pusieran o pusiesen	pusieren

PRETÉRITO PERFECTO	PRETÉRITO PLUSCUAMPERFECTO	FUTURO PERFECTO (3)
haya puesto	hubiera o hubiese puesto	hubiere puesto
hayas puesto	hubieras o hubieses puesto	hubieres puesto
haya puesto	hubiera o hubiese puesto	hubiere puesto
hayamos puesto	hubiéramos o hubiésemos puesto	hubiéremos puesto
hayáis puesto	hubierais o hubieseis puesto	hubiereis puesto
hayan puesto	hubieran o hubiesen puesto	hubieren puesto

MODO IMPERATIVO

PRESENTE

pon	tú
ponga	él/ella/usted
pongamos	nosotros/as
pon ed	vosotros/as
pongan	ellos/ellas/ustedes

FORMAS NO PERSONALES

FORMAS SIMPLES

INFINITIVO	GERUNDIO	PARTICIPIO
poner	pon iendo	puesto

FORMAS COMPUESTAS

INFINITIVO	GERUNDIO
haber puesto	habiendo puesto

(1) o Perfecto simple. (2), (3) muy poco usados.

Conjugar es fácil

tablas de verbos

42. QUERER VERBO IRREGULAR

MODO INDICATIVO

PRESENTE	PRETÉRITO IMPERFECTO	PRETÉRITO INDEFINIDO (1)	FUTURO IMPERFECTO
quiero	quer ía	quise	querré
quieres	quer ías	quisiste	querrás
quiere	quer ía	quiso	querrá
quer emos	quer íamos	quisimos	querremos
quer éis	quer íais	quisisteis	querréis
quieren	quer ían	quisieron	querrán

PRETÉRITO PERFECTO		PRETÉRITO PLUSCUAMPERFECTO		PRETÉRITO ANTERIOR		FUTURO PERFECTO	
he	querido	había	querido	hube	querido	habré	querido
has	querido	habías	querido	hubiste	querido	habrás	querido
ha	querido	había	querido	hubo	querido	habrá	querido
hemos	querido	habíamos	querido	hubimos	querido	habremos	querido
habéis	querido	habíais	querido	hubisteis	querido	habréis	querido
han	querido	habían	querido	hubieron	querido	habrán	querido

CONDICIONAL SIMPLE	CONDICIONAL COMPUESTO	
querría	habría	querido
querrías	habrías	querido
querría	habría	querido
querríamos	habríamos	querido
querríais	habríais	querido
querrían	habrían	querido

MODO SUBJUNTIVO

PRESENTE	PRETÉRITO IMPERFECTO		FUTURO IMPERFECTO (2)
quiera	quisiera	o quisiese	quisiere
quieras	quisieras	o quisieses	quisieres
quiera	quisiera	o quisiese	quisiere
quer amos	quisiéramos	o quisiésemos	quisiéremos
quer áis	quisierais	o quisieseis	quisiereis
quieran	quisieran	o quisiesen	quisieren

PRETÉRITO PERFECTO		PRETÉRITO PLUSCUAMPERFECTO			FUTURO PERFECTO (3)	
haya	querido	hubiera	o hubiese	querido	hubiere	querido
hayas	querido	hubieras	o hubieses	querido	hubieres	querido
haya	querido	hubiera	o hubiese	querido	hubiere	querido
hayamos	querido	hubiéramos	o hubiésemos	querido	hubiéremos	querido
hayáis	querido	hubierais	o hubieseis	querido	hubiereis	querido
hayan	querido	hubieran	o hubiesen	querido	hubieren	querido

MODO IMPERATIVO

PRESENTE	
quiere	tú
quiera	él/ella/usted
quer amos	nosotros/as
quer ed	vosotros/as
quieran	ellos/ellas/ustedes

FORMAS NO PERSONALES

FORMAS SIMPLES

INFINITIVO	GERUNDIO	PARTICIPIO
querer	quer iendo	quer ido

FORMAS COMPUESTAS

INFINITIVO	GERUNDIO
haber querido	habiendo querido

(1) o Perfecto simple. (2), (3) muy poco usados.

Conjugar es fácil

tablas de verbos

43. ROER VERBO IRREGULAR

MODO INDICATIVO

PRESENTE	PRETÉRITO IMPERFECTO	PRETÉRITO INDEFINIDO (1)	FUTURO IMPERFECTO
ro o o **roigo** o **royo**	**ro** ía	**ro** í	**roer** é
ro es	**ro** ías	roíste	**roer** ás
ro e	**ro** ía	royó	**roer** á
ro emos	**ro** íamos	roímos	**roer** emos
ro éis	**ro** íais	roísteis	**roer** éis
ro en	**ro** ían	royeron	**roer** án

PRETÉRITO PERFECTO	PRETÉRITO PLUSCUAMPERFECTO	PRETÉRITO ANTERIOR	FUTURO PERFECTO
he roído	había roído	hube roído	habré roído
has roído	habías roído	hubiste roído	habrás roído
ha roído	había roído	hubo roído	habrá roído
hemos roído	habíamos roído	hubimos roído	habremos roído
habéis roído	habíais roído	hubisteis roído	habréis roído
han roído	habían roído	hubieron roído	habrán roído

CONDICIONAL SIMPLE	CONDICIONAL COMPUESTO	
roer ía	habría roído	
roer ías	habrías roído	
roer ía	habría roído	
roer íamos	habríamos roído	
roer íais	habríais roído	
roer ían	habrían roído	

MODO SUBJUNTIVO

PRESENTE			PRETÉRITO IMPERFECTO		FUTURO IMPERFECTO (2)
ro a	o **roiga**	o **roya**	royera	o royese	royere
ro as	o **roigas**	o **royas**	royeras	o royeses	royeres
ro a	o **roiga**	o **roya**	royera	o royese	royere
ro amos	o **roigamos**	o **royamos**	royéramos	o royésemos	royéremos
ro áis	o **roigáis**	o **royáis**	royerais	o royeseis	royereis
ro an	o **roigan**	o **royan**	royeran	o royesen	royeren

PRETÉRITO PERFECTO	PRETÉRITO PLUSCUAMPERFECTO		FUTURO PERFECTO (3)
haya roído	hubiera o hubiese roído		hubiere roído
hayas roído	hubieras o hubieses roído		hubieres roído
haya roído	hubiera o hubiese roído		hubiere roído
hayamos roído	hubiéramos o hubiésemos roído		hubiéremos roído
hayáis roído	hubierais o hubieseis roído		hubiereis roído
hayan roído	hubieran o hubiesen roído		hubieren roído

MODO IMPERATIVO

PRESENTE	
ro e	tú
ro a o **roiga** o **roya**	él/ella/usted
ro amos o **roigamos** o **royamos**	nosotros/as
ro ed	vosotros/as
ro an o **roigan** o **royan**	ellos/ellas/ustedes

FORMAS NO PERSONALES

FORMAS SIMPLES

INFINITIVO	GERUNDIO	PARTICIPIO
roer	royendo	roído

FORMAS COMPUESTAS

INFINITIVO	GERUNDIO
haber roído	habiendo roído

(1) o Perfecto simple. (2), (3) muy poco usados.

44. SABER VERBO IRREGULAR

MODO INDICATIVO

PRESENTE	PRETÉRITO IMPERFECTO	PRETÉRITO INDEFINIDO (1)	FUTURO IMPERFECTO
sé	sab ía	supe	sabré
sab es	sab ías	supiste	sabrás
sab e	sab ía	supo	sabrá
sab emos	sab íamos	supimos	sabremos
sab éis	sab íais	supisteis	sabréis
sab en	sab ían	supieron	sabrán

PRETÉRITO PERFECTO	PRETÉRITO PLUSCUAMPERFECTO	PRETÉRITO ANTERIOR	FUTURO PERFECTO
he sabido	había sabido	hube sabido	habré sabido
has sabido	habías sabido	hubiste sabido	habrás sabido
ha sabido	había sabido	hubo sabido	habrá sabido
hemos sabido	habíamos sabido	hubimos sabido	habremos sabido
habéis sabido	habíais sabido	hubisteis sabido	habréis sabido
han sabido	habían sabido	hubieron sabido	habrán sabido

CONDICIONAL SIMPLE	CONDICIONAL COMPUESTO	
sabría	habría	sabido
sabrías	habrías	sabido
sabría	habría	sabido
sabríamos	habríamos	sabido
sabríais	habríais	sabido
sabrían	habrían	sabido

MODO SUBJUNTIVO

PRESENTE	PRETÉRITO IMPERFECTO		FUTURO IMPERFECTO (2)
sepa	supiera	o supiese	supiere
sepas	supieras	o supieses	supieres
sepa	supiera	o supiese	supiere
sepamos	supiéramos	o supiésemos	supiéremos
sepáis	supierais	o supieseis	supiereis
sepan	supieran	o supiesen	supieren

PRETÉRITO PERFECTO	PRETÉRITO PLUSCUAMPERFECTO		FUTURO PERFECTO (3)
haya sabido	hubiera	o hubiese sabido	hubiere sabido
hayas sabido	hubieras	o hubieses sabido	hubieres sabido
haya sabido	hubiera	o hubiese sabido	hubiere sabido
hayamos sabido	hubiéramos	o hubiésemos sabido	hubiéremos sabido
hayáis sabido	hubierais	o hubieseis sabido	hubiereis sabido
hayan sabido	hubieran	o hubiesen sabido	hubieren sabido

MODO IMPERATIVO

PRESENTE

sab e	tú
sepa	él/ella/usted
sepamos	nosotros/as
sab ed	vosotros/as
sepan	ellos/ellas/ustedes

FORMAS NO PERSONALES

FORMAS SIMPLES

INFINITIVO	GERUNDIO	PARTICIPIO
saber	sab iendo	sab ido

FORMAS COMPUESTAS

INFINITIVO	GERUNDIO
haber sabido	habiendo sabido

(1) o Perfecto simple. (2), (3) muy poco usados.

Conjugar es fácil

tablas de verbos

45. SATISFACER VERBO IRREGULAR

MODO INDICATIVO

PRESENTE	PRETÉRITO IMPERFECTO	PRETÉRITO INDEFINIDO (1)	FUTURO IMPERFECTO
satisfago	satisfac ía	satisfice	satisfaré
satisfac es	satisfac ías	satisficiste	satisfarás
satisfac e	satisfac ía	satisfizo	satisfará
satisfac emos	satisfac íamos	satisficimos	satisfaremos
satisfac éis	satisfac íais	satisficisteis	satisfaréis
satisfac en	satisfac ían	satisficieron	satisfarán

PRETÉRITO PERFECTO	PRETÉRITO PLUSCUAMPERFECTO		PRETÉRITO ANTERIOR		FUTURO PERFECTO	
he satisfecho	había	satisfecho	hube	satisfecho	habré	satisfecho
has satisfecho	habías	satisfecho	hubiste	satisfecho	habrás	satisfecho
ha satisfecho	había	satisfecho	hubo	satisfecho	habrá	satisfecho
hemos satisfecho	habíamos	satisfecho	hubimos	satisfecho	habremos	satisfecho
habéis satisfecho	habíais	satisfecho	hubisteis	satisfecho	habréis	satisfecho
han satisfecho	habían	satisfecho	hubieron	satisfecho	habrán	satisfecho

CONDICIONAL SIMPLE / CONDICIONAL COMPUESTO

CONDICIONAL SIMPLE	CONDICIONAL COMPUESTO	
satisfaría	habría	satisfecho
satisfarías	habrías	satisfecho
satisfaría	habría	satisfecho
satisfaríamos	habríamos	satisfecho
satisfaríais	habríais	satisfecho
satisfarían	habrían	satisfecho

MODO SUBJUNTIVO

PRESENTE	PRETÉRITO IMPERFECTO			FUTURO IMPERFECTO (2)
satisfaga	satisficiera	o	satisficiese	satisficiere
satisfagas	satisficieras	o	satisficieses	satisficieres
satisfaga	satisficiera	o	satisficiese	satisficiere
satisfagamos	satisficiéramos	o	satisficiésemos	satisficiéremos
satisfagáis	satisficierais	o	satisficieseis	satisficiereis
satisfagan	satisficieran	o	satisficiesen	satisficieren

PRETÉRITO PERFECTO	PRETÉRITO PLUSCUAMPERFECTO				FUTURO PERFECTO (3)	
haya satisfecho	hubiera	o	hubiese	satisfecho	hubiere	satisfecho
hayas satisfecho	hubieras	o	hubieses	satisfecho	hubieres	satisfecho
haya satisfecho	hubiera	o	hubiese	satisfecho	hubiere	satisfecho
hayamos satisfecho	hubiéramos	o	hubiésemos	satisfecho	hubiéremos	satisfecho
hayáis satisfecho	hubierais	o	hubieseis	satisfecho	hubiereis	satisfecho
hayan satisfecho	hubieran	o	hubiesen	satisfecho	hubieren	satisfecho

MODO IMPERATIVO

PRESENTE

satisfaz o satisface	tú
satisfaga	él/ella/usted
satisfagamos	nosotros/as
satisfac ed	vosotros/as
satisfagan	ellos/ellas/ustedes

(1) o Perfecto simple. (2), (3) muy poco usados.

FORMAS NO PERSONALES

FORMAS SIMPLES

INFINITIVO	GERUNDIO	PARTICIPIO
satisfacer	satisfac iendo	satisfecho

FORMAS COMPUESTAS

INFINITIVO	GERUNDIO
haber satisfecho	habiendo satisfecho

Conjugar es fácil

46. SOLER VERBO IRREGULAR Y DEFECTIVO

MODO INDICATIVO

PRESENTE	PRETÉRITO IMPERFECTO	PRETÉRITO INDEFINIDO (1)	FUTURO IMPERFECTO
suelo	sol ía	sol í	—
sueles	sol ías	sol iste	—
suele	sol ía	sol ió	—
sol emos	sol íamos	sol imos	—
sol éis	sol íais	sol isteis	—
suelen	sol ían	sol ieron	—

PRETÉRITO PERFECTO		PRETÉRITO PLUSCUAMPERFECTO		PRETÉRITO ANTERIOR		FUTURO PERFECTO	
—	—	—	—	—	—	—	—
—	—	—	—	—	—	—	—
—	—	—	—	—	—	—	—
—	—	—	—	—	—	—	—
—	—	—	—	—	—	—	—

CONDICIONAL SIMPLE	CONDICIONAL COMPUESTO	
—	—	—
—	—	—
—	—	—
—	—	—
—	—	—

MODO SUBJUNTIVO

PRESENTE	PRETÉRITO IMPERFECTO			FUTURO IMPERFECTO (2)
suela	sol iera	o	sol iese	—
suelas	sol ieras	o	sol ieses	—
suela	sol iera	o	sol iese	—
sol amos	sol iéramos	o	sol iésemos	—
sol áis	sol ierais	o	sol ieseis	—
suelan	sol ieran	o	sol iesen	—

PRETÉRITO PERFECTO		PRETÉRITO PLUSCUAMPERFECTO			FUTURO PERFECTO (3)	
—	—	—	— —	—	—	—
—	—	—	— —	—	—	—
—	—	—	— —	—	—	—
—	—	—	— —	—	—	—
—	—	—	— —	—	—	—

MODO IMPERATIVO

PRESENTE

—	tú
—	él/ella/usted
—	nosotros/as
—	vosotros/as
—	ellos/ellas/ustedes

FORMAS NO PERSONALES

FORMAS SIMPLES

INFINITIVO	GERUNDIO	PARTICIPIO
soler	—	—

FORMAS COMPUESTAS

INFINITIVO	GERUNDIO
—	—

(1) o Perfecto simple. (2), (3) muy poco usados.

Conjugar es fácil

tablas de verbos

47. TRAER VERBO IRREGULAR

MODO INDICATIVO

PRESENTE	PRETÉRITO IMPERFECTO	PRETÉRITO INDEFINIDO (1)	FUTURO IMPERFECTO
traigo	tra ía	traje	traer é
tra es	tra ías	trajiste	traer ás
tra e	tra ía	trajo	traer á
tra emos	tra íamos	trajimos	traer emos
tra éis	tra íais	trajisteis	traer éis
tra en	tra ían	trajeron	traer án

PRETÉRITO PERFECTO	PRETÉRITO PLUSCUAMPERFECTO	PRETÉRITO ANTERIOR	FUTURO PERFECTO
he traído	había traído	hube traído	habré traído
has traído	habías traído	hubiste traído	habrás traído
ha traído	había traído	hubo traído	habrá traído
hemos traído	habíamos traído	hubimos traído	habremos traído
habéis traído	habíais traído	hubisteis traído	habréis traído
han traído	habían traído	hubieron traído	habrán traído

CONDICIONAL SIMPLE	CONDICIONAL COMPUESTO
traer ía	habría traído
traer ías	habrías traído
traer ía	habría traído
traer íamos	habríamos traído
traer íais	habríais traído
traer ían	habrían traído

MODO SUBJUNTIVO

PRESENTE	PRETÉRITO IMPERFECTO	FUTURO IMPERFECTO (2)
traiga	trajera o trajese	trajere
traigas	trajeras o trajeses	trajeres
traiga	trajera o trajese	trajere
traigamos	trajéramos o trajésemos	trajéremos
traigáis	trajerais o trajeseis	trajereis
traigan	trajeran o trajesen	trajeren

PRETÉRITO PERFECTO	PRETÉRITO PLUSCUAMPERFECTO	FUTURO PERFECTO (3)
haya traído	hubiera o hubiese traído	hubiere traído
hayas traído	hubieras o hubieses traído	hubieres traído
haya traído	hubiera o hubiese traído	hubiere traído
hayamos traído	hubiéramos o hubiésemos traído	hubiéremos traído
hayáis traído	hubierais o hubieseis traído	hubiereis traído
hayan traído	hubieran o hubiesen traído	hubieren traído

MODO IMPERATIVO

FORMAS NO PERSONALES

PRESENTE

tra e	tú
traiga	él/ella/usted
traigamos	nosotros/as
tra ed	vosotros/as
traigan	ellos/ellas/ustedes

FORMAS SIMPLES

INFINITIVO	GERUNDIO	PARTICIPIO
traer	trayendo	traído

FORMAS COMPUESTAS

INFINITIVO	GERUNDIO
haber traído	habiendo traído

(1) o Perfecto simple. (2), (3) muy poco usados.

Conjugar es fácil

tablas de verbos

48. VALER VERBO IRREGULAR

MODO INDICATIVO

PRESENTE	PRETÉRITO IMPERFECTO	PRETÉRITO INDEFINIDO (1)	FUTURO IMPERFECTO
valgo	val ía	val í	valdré
val es	val ías	val iste	valdrás
val e	val ía	val ió	valdrá
val emos	val íamos	val imos	valdremos
val éis	val íais	val isteis	valdréis
val en	val ían	val ieron	valdrán

PRETÉRITO PERFECTO		PRETÉRITO PLUSCUAMPERFECTO		PRETÉRITO ANTERIOR		FUTURO PERFECTO	
he	valido	había	valido	hube	valido	habré	valido
has	valido	habías	valido	hubiste	valido	habrás	valido
ha	valido	había	valido	hubo	valido	habrá	valido
hemos	valido	habíamos	valido	hubimos	valido	habremos	valido
habéis	valido	habíais	valido	hubisteis	valido	habréis	valido
han	valido	habían	valido	hubieron	valido	habrán	valido

CONDICIONAL SIMPLE	CONDICIONAL COMPUESTO	
valdría	habría	valido
valdrías	habrías	valido
valdría	habría	valido
valdríamos	habríamos	valido
valdríais	habríais	valido
valdrían	habrían	valido

MODO SUBJUNTIVO

PRESENTE	PRETÉRITO IMPERFECTO			FUTURO IMPERFECTO (2)
valga	val iera	o	val iese	val iere
valgas	val ieras	o	val ieses	val ieres
valga	val iera	o	val iese	val iere
valgamos	val iéramos	o	val iésemos	val iéremos
valgáis	val ierais	o	val ieseis	val iereis
valgan	val ieran	o	val iesen	val ieren

PRETÉRITO PERFECTO		PRETÉRITO PLUSCUAMPERFECTO				FUTURO PERFECTO (3)	
haya	valido	hubiera	o	hubiese	valido	hubiere	valido
hayas	valido	hubieras	o	hubieses	valido	hubieres	valido
haya	valido	hubiera	o	hubiese	valido	hubiere	valido
hayamos	valido	hubiéramos	o	hubiésemos	valido	hubiéremos	valido
hayáis	valido	hubierais	o	hubieseis	valido	hubiereis	valido
hayan	valido	hubieran	o	hubiesen	valido	hubieren	valido

MODO IMPERATIVO	FORMAS NO PERSONALES

PRESENTE

val e	tú
valga	él/ella/usted
valgamos	nosotros/as
val ed	vosotros/as
valgan	ellos/ellas/ustedes

FORMAS SIMPLES

INFINITIVO	GERUNDIO	PARTICIPIO
valer	val iendo	val ido

FORMAS COMPUESTAS

INFINITIVO	GERUNDIO
haber valido	habiendo valido

(1) o Perfecto simple. (2), (3) muy poco usados

Conjugar es fácil

tablas de verbos

49. VER VERBO IRREGULAR

MODO INDICATIVO

PRESENTE	PRETÉRITO IMPERFECTO	PRETÉRITO INDEFINIDO (1)	FUTURO IMPERFECTO
ve o	ve ía	vi	ver é
ves	ve ías	viste	ver ás
ve	ve ía	vio	ver á
vemos	ve íamos	vimos	ver emos
veis	ve íais	visteis	ver éis
ven	ve ían	vieron	ver án

PRETÉRITO PERFECTO	PRETÉRITO PLUSCUAMPERFECTO	PRETÉRITO ANTERIOR	FUTURO PERFECTO
he visto	había visto	hube visto	habré visto
has visto	habías visto	hubiste visto	habrás visto
ha visto	había visto	hubo visto	habrá visto
hemos visto	habíamos visto	hubimos visto	habremos visto
habéis visto	habíais visto	hubisteis visto	habréis visto
han visto	habían visto	hubieron visto	habrán visto

CONDICIONAL SIMPLE	CONDICIONAL COMPUESTO
ver ía	habría visto
ver ías	habrías visto
ver ía	habría visto
ver íamos	habríamos visto
ver íais	habríais visto
ver ían	habrían visto

MODO SUBJUNTIVO

PRESENTE	PRETÉRITO IMPERFECTO		FUTURO IMPERFECTO (2)
ve a	viera	o viese	viere
ve as	vieras	o vieses	vieres
ve a	viera	o viese	viere
ve amos	viéramos	o viésemos	viéremos
ve áis	vierais	o vieseis	viereis
ve an	vieran	o viesen	vieren

PRETÉRITO PERFECTO	PRETÉRITO PLUSCUAMPERFECTO		FUTURO PERFECTO (3)
haya visto	hubiera	o hubiese visto	hubiere visto
hayas visto	hubieras	o hubieses visto	hubieres visto
haya visto	hubiera	o hubiese visto	hubiere visto
hayamos visto	hubiéramos	o hubiésemos visto	hubiéremos visto
hayáis visto	hubierais	o hubieseis visto	hubiereis visto
hayan visto	hubieran	o hubiesen visto	hubieren visto

MODO IMPERATIVO

FORMAS NO PERSONALES

PRESENTE	
ve	tú
ve a	él/ella/usted
ve amos	nosotros/as
ved	vosotros/as
ve an	ellos/ellas/ustedes

FORMAS SIMPLES

INFINITIVO	GERUNDIO	PARTICIPIO
ver	viendo	visto

FORMAS COMPUESTAS

INFINITIVO	GERUNDIO
haber visto	habiendo visto

(1) o Perfecto simple. (2), (3) muy poco usados

Conjugar es fácil

50. YACER VERBO IRREGULAR

MODO INDICATIVO

PRESENTE	PRETÉRITO IMPERFECTO	PRETÉRITO INDEFINIDO (1)	FUTURO IMPERFECTO
yazco o yazgo o yago	yac ía	yac í	yacer é
yac es	yac ías	yac iste	yacer ás
yac e	yac ía	yac ió	yacer á
yac emos	yac íamos	yac imos	yacer emos
yac éis	yac íais	yac isteis	yacer éis
yac en	yac ían	yac ieron	yacer án

PRETÉRITO PERFECTO	PRETÉRITO PLUSCUAMPERFECTO	PRETÉRITO ANTERIOR	FUTURO PERFECTO
he yacido	había yacido	hube yacido	habré yacido
has yacido	habías yacido	hubiste yacido	habrás yacido
ha yacido	había yacido	hubo yacido	habrá yacido
hemos yacido	habíamos yacido	hubimos yacido	habremos yacido
habéis yacido	habíais yacido	hubisteis yacido	habréis yacido
han yacido	habían yacido	hubieron yacido	habrán yacido

CONDICIONAL SIMPLE	CONDICIONAL COMPUESTO
yacería	habría yacido
yacerías	habrías yacido
yacería	habría yacido
yaceríamos	habríamos yacido
yaceríais	habríais yacido
yacerían	habrían yacido

MODO SUBJUNTIVO

PRESENTE			PRETÉRITO IMPERFECTO			FUTURO IMPERFECTO (2)
yazca	o yazga	o yaga	yac iera	o	yac iese	yac iere
yazcas	o yazgas	o yagas	yac ieras	o	yac ieses	yac ieres
yazca	o yazga	o yaga	yac iera	o	yac iese	yac iere
yazcamos	o yazgamos	o yagamos	yac iéramos	o	yac iésemos	yac iéremos
yazcáis	o yazgáis	o yagáis	yac ierais	o	yac ieseis	yac iereis
yazcan	o yazgan	o yagan	yac ieran	o	yac iesen	yac ieren

PRETÉRITO PERFECTO	PRETÉRITO PLUSCUAMPERFECTO		FUTURO PERFECTO (3)
haya yacido	hubiera o hubiese	yacido	hubiere yacido
hayas yacido	hubieras o hubieses	yacido	hubieres yacido
haya yacido	hubiera o hubiese	yacido	hubiere yacido
hayamos yacido	hubiéramos o hubiésemos	yacido	hubiéremos yacido
hayáis yacido	hubierais o hubieseis	yacido	hubiereis yacido
hayan yacido	hubieran o hubiesen	yacido	hubieren yacido

MODO IMPERATIVO

PRESENTE

yac e o yaz	tú
yazca o yazga o yaga	él/ella/usted
yazcamos o yazgamos o yagamos	nosotros/as
yac ed	vosotros/as
yazcan o yazgan o yagan	ellos/ellas/ustedes

FORMAS NO PERSONALES

FORMAS SIMPLES

INFINITIVO	GERUNDIO	PARTICIPIO
yacer	yac iendo	yac ido

FORMAS COMPUESTAS

INFINITIVO	GERUNDIO
haber yacido	habiendo yacido

(1) o Perfecto simple. (2), (3) muy poco usados.

Conjugar es fácil

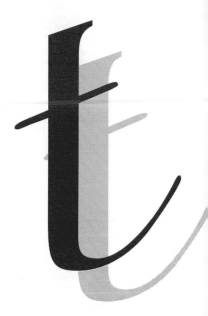

51. VIVIR
52. dirigir
53. distinguir
54. esparcir
55. prohibir
56. reunir
57. mullir
58. bruñir
59. concluir
60. pedir
61. corregir
62. seguir
63. reír
64. teñir
65. sentir
66. discernir
67. adquirir
68. dormir
69. traducir
70. lucir
71. abolir
72. asir
73. bendecir
74. decir
75. delinquir
76. erguir
77. ir
78. oír
79. salir
80. venir

tablas de verbos

51. VIVIR VERBO REGULAR

MODO INDICATIVO

PRESENTE	PRETÉRITO IMPERFECTO	PRETÉRITO INDEFINIDO (1)	FUTURO IMPERFECTO
viv o	viv ía	viv í	vivir é
viv es	viv ías	viv iste	vivir ás
viv e	viv ía	viv ió	vivir á
viv imos	viv íamos	viv imos	vivir emos
viv ís	viv íais	viv isteis	vivir éis
viv en	viv ían	viv ieron	vivir án

PRETÉRITO PERFECTO	PRETÉRITO PLUSCUAMPERFECTO	PRETÉRITO ANTERIOR	FUTURO PERFECTO
he vivido	había vivido	hube vivido	habré vivido
has vivido	habías vivido	hubiste vivido	habrás vivido
ha vivido	había vivido	hubo vivido	habrá vivido
hemos vivido	habíamos vivido	hubimos vivido	habremos vivido
habéis vivido	habíais vivido	hubisteis vivido	habréis vivido
han vivido	habían vivido	hubieron vivido	habrán vivido

CONDICIONAL SIMPLE

vivir ía
vivir ías
vivir ía
vivir íamos
vivir íais
vivir ían

CONDICIONAL COMPUESTO

habría vivido
habrías vivido
habría vivido
habríamos vivido
habríais vivido
habrían vivido

MODO SUBJUNTIVO

PRESENTE	PRETÉRITO IMPERFECTO	FUTURO IMPERFECTO (2)
viv a	viv iera o viv iese	viv iere
viv as	viv ieras o viv ieses	viv ieres
viv a	viv iera o viv iese	viv iere
viv amos	viv iéramos o viv iésemos	viv iéremos
viv áis	viv ierais o viv ieseis	viv iereis
viv an	viv ieran o viv iesen	viv ieren

PRETÉRITO PERFECTO	PRETÉRITO PLUSCUAMPERFECTO	FUTURO PERFECTO (3)
haya vivido	hubiera o hubiese vivido	hubiere vivido
hayas vivido	hubieras o hubieses vivido	hubieres vivido
haya vivido	hubiera o hubiese vivido	hubiere vivido
hayamos vivido	hubiéramos o hubiésemos vivido	hubiéremos vivido
hayáis vivido	hubierais o hubieseis vivido	hubiereis vivido
hayan vivido	hubieran o hubiesen vivido	hubieren vivido

MODO IMPERATIVO

PRESENTE

viv e	tú
viv a	él/ella/usted
viv amos	nosotros/as
viv id	vosotros/as
viv an	ellos/ellas/ustedes

FORMAS NO PERSONALES

FORMAS SIMPLES

INFINITIVO	GERUNDIO	PARTICIPIO
vivir	viv iendo	viv ido

FORMAS COMPUESTAS

INFINITIVO	GERUNDIO
haber vivido	habiendo vivido

(1) o Perfecto simple. (2), (3) muy poco usados.

Conjugar es fácil

tablas de verbos

52. DIRIGIR VERBO CON MODIFICACIÓN ORTOGRÁFICA

MODO INDICATIVO

PRESENTE	PRETÉRITO IMPERFECTO	PRETÉRITO INDEFINIDO (1)	FUTURO IMPERFECTO
dirijo	dirig ía	dirig í	dirigir é
dirig es	dirig ías	dirig iste	dirigir ás
dirig e	dirig ía	dirig ió	dirigir á
dirig imos	dirig íamos	dirig imos	dirigir emos
dirig ís	dirig íais	dirig isteis	dirigir éis
dirig en	dirig ían	dirig ieron	dirigir án

PRETÉRITO PERFECTO		PRETÉRITO PLUSCUAMPERFECTO		PRETÉRITO ANTERIOR		FUTURO PERFECTO	
he	dirigido	había	dirigido	hube	dirigido	habré	dirigido
has	dirigido	habías	dirigido	hubiste	dirigido	habrás	dirigido
ha	dirigido	había	dirigido	hubo	dirigido	habrá	dirigido
hemos	dirigido	habíamos	dirigido	hubimos	dirigido	habremos	dirigido
habéis	dirigido	habíais	dirigido	hubisteis	dirigido	habréis	dirigido
han	dirigido	habían	dirigido	hubieron	dirigido	habrán	dirigido

CONDICIONAL SIMPLE	CONDICIONAL COMPUESTO	
dirigir ía	habría	dirigido
dirigir ías	habrías	dirigido
dirigir ía	habría	dirigido
dirigir íamos	habríamos	dirigido
dirigir íais	habríais	dirigido
dirigir ían	habrían	dirigido

MODO SUBJUNTIVO

PRESENTE	PRETÉRITO IMPERFECTO		FUTURO IMPERFECTO (2)
dirija	dirig iera	o dirig iese	dirig iere
dirijas	dirig ieras	o dirig ieses	dirig ieres
dirija	dirig iera	o dirig iese	dirig iere
dirijamos	dirig iéramos	o dirig iésemos	dirig iéremos
dirijáis	dirig ierais	o dirig ieseis	dirig iereis
dirijan	dirig ieran	o dirig iesen	dirig ieren

PRETÉRITO PERFECTO		PRETÉRITO PLUSCUAMPERFECTO			FUTURO PERFECTO (3)	
haya	dirigido	hubiera	o hubiese	dirigido	hubiere	dirigido
hayas	dirigido	hubieras	o hubieses	dirigido	hubieres	dirigido
haya	dirigido	hubiera	o hubiese	dirigido	hubiere	dirigido
hayamos	dirigido	hubiéramos	o hubiésemos	dirigido	hubiéremos	dirigido
hayáis	dirigido	hubierais	o hubieseis	dirigido	hubiereis	dirigido
hayan	dirigido	hubieran	o hubiesen	dirigido	hubieren	dirigido

---

MODO IMPERATIVO

FORMAS NO PERSONALES

PRESENTE

dirig e	tú
dirija	él/ella/usted
dirijamos	nosotros/as
dirig id	vosotros/as
dirijan	ellos/ellas/ustedes

FORMAS SIMPLES

INFINITIVO	GERUNDIO	PARTICIPIO
dirigir	dirig iendo	dirig ido

FORMAS COMPUESTAS

INFINITIVO	GERUNDIO
haber dirigido	habiendo dirigido

(1) o Perfecto simple. (2), (3) muy poco usados.

Conjugar es fácil

tablas de verbos

53. DISTINGUIR VERBO CON MODIFICACIÓN ORTOGRÁFICA

MODO INDICATIVO

PRESENTE	PRETÉRITO IMPERFECTO	PRETÉRITO INDEFINIDO (1)	FUTURO IMPERFECTO
distingo	distingu ía	distingu í	distinguir é
distingu es	distingu ías	distingu iste	distinguir ás
distingu e	distingu ía	distingu ió	distinguir á
distingu imos	distingu íamos	distingu imos	distinguir emos
distingu ís	distingu íais	distingu isteis	distinguir éis
distingu en	distingu ían	distingu ieron	distinguir án

PRETÉRITO PERFECTO		PRETÉRITO PLUSCUAMPERFECTO		PRETÉRITO ANTERIOR		FUTURO PERFECTO	
he	distinguido	había	distinguido	hube	distinguido	habré	distinguido
has	distinguido	habías	distinguido	hubiste	distinguido	habrás	distinguido
ha	distinguido	había	distinguido	hubo	distinguido	habrá	distinguido
hemos	distinguido	habíamos	distinguido	hubimos	distinguido	habremos	distinguido
habéis	distinguido	habíais	distinguido	hubisteis	distinguido	habréis	distinguido
han	distinguido	habían	distinguido	hubieron	distinguido	habrán	distinguido

CONDICIONAL SIMPLE

distinguir ía	
distinguir ías	
distinguir ía	
distinguir íamos	
distinguir íais	
distinguir ían	

CONDICIONAL COMPUESTO

habría	distinguido
habrías	distinguido
habría	distinguido
habríamos	distinguido
habríais	distinguido
habrían	distinguido

MODO SUBJUNTIVO

PRESENTE	PRETÉRITO IMPERFECTO			FUTURO IMPERFECTO (2)
distinga	distingu iera	o	distingu iese	distingu iere
distingas	distingu ieras	o	distingu ieses	distingu ieres
distinga	distingu iera	o	distingu iese	distingu iere
distingamos	distingu iéramos	o	distingu iésemos	distingu iéremos
distingáis	distingu ierais	o	distingu ieseis	distingu iereis
distingan	distingu ieran	o	distingu iesen	distingu ieren

PRETÉRITO PERFECTO		PRETÉRITO PLUSCUAMPERFECTO				FUTURO PERFECTO (3)	
haya	distinguido	hubiera	o	hubiese	distinguido	hubiere	distinguido
hayas	distinguido	hubieras	o	hubieses	distinguido	hubieres	distinguido
haya	distinguido	hubiera	o	hubiese	distinguido	hubiere	distinguido
hayamos	distinguido	hubiéramos	o	hubiésemos	distinguido	hubiéremos	distinguido
hayáis	distinguido	hubierais	o	hubieseis	distinguido	hubiereis	distinguido
hayan	distinguido	hubieran	o	hubiesen	distinguido	hubieren	distinguido

MODO IMPERATIVO

FORMAS NO PERSONALES

PRESENTE

distingu e	tú
distinga	él/ella/usted
distingamos	nosotros/as
distingu id	vosotros/as
distingan	ellos/ellas/ustedes

FORMAS SIMPLES

INFINITIVO	GERUNDIO	PARTICIPIO
distinguir	distingu iendo	distingu ido

FORMAS COMPUESTAS

INFINITIVO	GERUNDIO
haber distinguido	habiendo distinguido

(1) o Perfecto simple. (2), (3) muy poco usados.

Conjugar es fácil

tablas de verbos

54. ESPARCIR VERBO CON MODIFICACIÓN ORTOGRÁFICA

MODO INDICATIVO

PRESENTE	PRETÉRITO IMPERFECTO	PRETÉRITO INDEFINIDO (1)	FUTURO IMPERFECTO
esparzo	esparc ía	esparc í	esparcir é
esparc es	esparc ías	esparc iste	esparcir ás
esparc e	esparc ía	esparc ió	esparcir á
esparc emos	esparc íamos	esparc imos	esparcir emos
esparc ís	esparc íais	esparc isteis	esparcir éis
esparc en	esparc ían	esparc ieron	esparcir án

PRETÉRITO PERFECTO	PRETÉRITO PLUSCUAMPERFECTO	PRETÉRITO ANTERIOR	FUTURO PERFECTO
he esparcido	había esparcido	hube esparcido	habré esparcido
has esparcido	habías esparcido	hubiste esparcido	habrás esparcido
ha esparcido	había esparcido	hubo esparcido	habrá esparcido
hemos esparcido	habíamos esparcido	hubimos esparcido	habremos esparcido
habéis esparcido	habíais esparcido	hubisteis esparcido	habréis esparcido
han esparcido	habían esparcido	hubieron esparcido	habrán esparcido

CONDICIONAL SIMPLE	CONDICIONAL COMPUESTO
esparcir ía	habría esparcido
esparcir ías	habrías esparcido
esparcir ía	habría esparcido
esparcir íamos	habríamos esparcido
esparcir íais	habríais esparcido
esparcir ían	habrían esparcido

MODO SUBJUNTIVO

PRESENTE	PRETÉRITO IMPERFECTO		FUTURO IMPERFECTO (2)
esparza	esparc iera	o esparc iese	esparc iere
esparzas	esparc ieras	o esparc ieses	esparc ieres
esparza	esparc iera	o esparc iese	esparc iere
esparzamos	esparc iéramos	o esparc iésemos	esparc iéremos
esparzáis	esparc ierais	o esparc ieseis	esparc iereis
esparzan	esparc ieran	o esparc iesen	esparc ieren

PRETÉRITO PERFECTO	PRETÉRITO PLUSCUAMPERFECTO		FUTURO PERFECTO (3)
haya esparcido	hubiera o hubiese esparcido		hubiere esparcido
hayas esparcido	hubieras o hubieses esparcido		hubieres esparcido
haya esparcido	hubiera o hubiese esparcido		hubiere esparcido
hayamos esparcido	hubiéramos o hubiésemos esparcido		hubiéremos esparcido
hayáis esparcido	hubierais o hubieseis esparcido		hubiereis esparcido
hayan esparcido	hubieran o hubiesen esparcido		hubieren esparcido

MODO IMPERATIVO

PRESENTE

esparc e	tú
esparza	él/ella/usted
esparzamos	nosotros/as
esparc id	vosotros/as
esparzan	ellos/ellas/ustedes

FORMAS NO PERSONALES

FORMAS SIMPLES

INFINITIVO	GERUNDIO	PARTICIPIO
esparcir	esparc iendo	esparc ido

FORMAS COMPUESTAS

INFINITIVO	GERUNDIO
haber esparcido	habiendo esparcido

(1) o Perfecto simple. (2), (3) muy poco usados.

55. PROHIBIR VERBO CON ALTERACIÓN DEL ACENTO

MODO INDICATIVO

PRESENTE	PRETÉRITO IMPERFECTO	PRETÉRITO INDEFINIDO (1)	FUTURO IMPERFECTO
prohíbo	prohib ía	prohib í	prohibir é
prohíbes	prohib ías	prohib iste	prohibir ás
prohíbe	prohib ía	prohib ió	prohibir á
prohib imos	prohib íamos	prohib imos	prohibir emos
prohib ís	prohib íais	prohib isteis	prohibir éis
prohíben	prohib ían	prohib ieron	prohibir án

PRETÉRITO PERFECTO		PRETÉRITO PLUSCUAMPERFECTO		PRETÉRITO ANTERIOR		FUTURO PERFECTO	
he	prohibido	había	prohibido	hube	prohibido	habré	prohibido
has	prohibido	habías	prohibido	hubiste	prohibido	habrás	prohibido
ha	prohibido	había	prohibido	hubo	prohibido	habrá	prohibido
hemos	prohibido	habíamos	prohibido	hubimos	prohibido	habremos	prohibido
habéis	prohibido	habíais	prohibido	hubisteis	prohibido	habréis	prohibido
han	prohibido	habían	prohibido	hubieron	prohibido	habrán	prohibido

CONDICIONAL SIMPLE	CONDICIONAL COMPUESTO	
prohibir ía	habría	prohibido
prohibir ías	habrías	prohibido
prohibir ía	habría	prohibido
prohibir íamos	habríamos	prohibido
prohibir íais	habríais	prohibido
prohibir ían	habrían	prohibido

MODO SUBJUNTIVO

PRESENTE	PRETÉRITO IMPERFECTO		FUTURO IMPERFECTO (2)
prohíba	prohib iera	o prohib iese	prohib iere
prohíbas	prohib ieras	o prohib ieses	prohib ieres
prohíba	prohib iera	o prohib iese	prohib iere
prohib amos	prohib iéramos	o prohib iésemos	prohib iéremos
prohib áis	prohib ierais	o prohib ieseis	prohib iereis
prohíban	prohib ieran	o prohib iesen	prohib ieren

PRETÉRITO PERFECTO		PRETÉRITO PLUSCUAMPERFECTO			FUTURO PERFECTO (3)	
haya	prohibido	hubiera	o hubiese	prohibido	hubiere	prohibido
hayas	prohibido	hubieras	o hubieses	prohibido	hubieres	prohibido
haya	prohibido	hubiera	o hubiese	prohibido	hubiere	prohibido
hayamos	prohibido	hubiéramos	o hubiésemos	prohibido	hubiéremos	prohibido
hayáis	prohibido	hubierais	o hubieseis	prohibido	hubiereis	prohibido
hayan	prohibido	hubieran	o hubiesen	prohibido	hubieren	prohibido

---

MODO IMPERATIVO

PRESENTE

prohíbe	tú
prohíba	él/ella/usted
prohib amos	nosotros/as
prohib id	vosotros/as
prohíban	ellos/ellas/ustedes

FORMAS NO PERSONALES

FORMAS SIMPLES

INFINITIVO	GERUNDIO	PARTICIPIO
prohibir	prohib iendo	prohib ido

FORMAS COMPUESTAS

INFINITIVO	GERUNDIO
haber prohibido	habiendo prohibido

(1) o Perfecto simple. (2), (3) muy poco usados.

Conjugar es fácil

tablas de verbos

56. REUNIR VERBO CON ALTERACIÓN DEL ACENTO

MODO INDICATIVO

PRESENTE	PRETÉRITO IMPERFECTO	PRETÉRITO INDEFINIDO (1)	FUTURO IMPERFECTO
reúno	reun ía	reun í	reunir é
reúnes	reun ías	reun iste	reunir ás
reúne	reun ía	reun ió	reunir á
reun imos	reun íamos	reun imos	reunir emos
reun ís	reun íais	reun isteis	reunir éis
reúnen	reun ían	reun ieron	reunir án

PRETÉRITO PERFECTO	PRETÉRITO PLUSCUAMPERFECTO	PRETÉRITO ANTERIOR	FUTURO PERFECTO
he reunido	había reunido	hube reunido	habré reunido
has reunido	habías reunido	hubiste reunido	habrás reunido
ha reunido	había reunido	hubo reunido	habrá reunido
hemos reunido	habíamos reunido	hubimos reunido	habremos reunido
habéis reunido	habíais reunido	hubisteis reunido	habréis reunido
han reunido	habían reunido	hubieron reunido	habrán reunido

CONDICIONAL SIMPLE	CONDICIONAL COMPUESTO
reunir ía	habría reunido
reunir ías	habrías reunido
reunir ía	habría reunido
reunir íamos	habríamos reunido
reunir íais	habríais reunido
reunir ían	habrían reunido

MODO SUBJUNTIVO

PRESENTE	PRETÉRITO IMPERFECTO		FUTURO IMPERFECTO (2)
reúna	reun iera	o reun iese	reun iere
reúnas	reun ieras	o reun ieses	reun ieres
reúna	reun iera	o reun iese	reun iere
reun amos	reun iéramos	o reun iésemos	reun iéremos
reun áis	reun ierais	o reun ieseis	reun iereis
reúnan	reun ieran	o reun iesen	reun ieren

PRETÉRITO PERFECTO	PRETÉRITO PLUSCUAMPERFECTO		FUTURO PERFECTO (3)
haya reunido	hubiera	o hubiese reunido	hubiere reunido
hayas reunido	hubieras	o hubieses reunido	hubieres reunido
haya reunido	hubiera	o hubiese reunido	hubiere reunido
hayamos reunido	hubiéramos	o hubiésemos reunido	hubiéremos reunido
hayáis reunido	hubierais	o hubieseis reunido	hubiereis reunido
hayan reunido	hubieran	o hubiesen reunido	hubieren reunido

MODO IMPERATIVO

PRESENTE

reúne	tú
reúna	él/ella/usted
reun amos	nosotros/as
reun id	vosotros/as
reúnan	ellos/ellas/ustedes

FORMAS NO PERSONALES

FORMAS SIMPLES

INFINITIVO	GERUNDIO	PARTICIPIO
reunir	reun iendo	reun ido

FORMAS COMPUESTAS

INFINITIVO	GERUNDIO
haber reunido	habiendo reunido

(1) o Perfecto simple. (2), (3) muy poco usados.

57. MULLIR VERBO CON MODIFICACIÓN ORTOGRÁFICA

MODO INDICATIVO

PRESENTE	PRETÉRITO IMPERFECTO	PRETÉRITO INDEFINIDO (1)	FUTURO IMPERFECTO
mull o	mull ía	mull í	mullir é
mull es	mull ías	mull iste	mullir ás
mull e	mull ía	mulló	mullir á
mull imos	mull íamos	mull imos	mullir emos
mull ís	mull íais	mull isteis	mullir éis
mull en	mull ían	mulleron	mullir án

PRETÉRITO PERFECTO		PRETÉRITO PLUSCUAMPERFECTO		PRETÉRITO ANTERIOR		FUTURO PERFECTO	
he	mullido	había	mullido	hube	mullido	habré	mullido
has	mullido	habías	mullido	hubiste	mullido	habrás	mullido
ha	mullido	había	mullido	hubo	mullido	habrá	mullido
hemos	mullido	habíamos	mullido	hubimos	mullido	habremos	mullido
habéis	mullido	habíais	mullido	hubisteis	mullido	habréis	mullido
han	mullido	habían	mullido	hubieron	mullido	habrán	mullido

CONDICIONAL SIMPLE / CONDICIONAL COMPUESTO

CONDICIONAL SIMPLE	CONDICIONAL COMPUESTO	
mullir ía	habría	mullido
mullir ías	habrías	mullido
mullir ía	habría	mullido
mullir íamos	habríamos	mullido
mullir íais	habríais	mullido
mullir ían	habrían	mullido

MODO SUBJUNTIVO

PRESENTE	PRETÉRITO IMPERFECTO			FUTURO IMPERFECTO (2)
mull a	mullera	o	mullese	mullere
mull as	mulleras	o	mulleses	mulleres
mull a	mullera	o	mullese	mullere
mull amos	mulléramos	o	mullésemos	mulléremos
mull áis	mullerais	o	mulleseis	mullereis
mull an	mulleran	o	mullesen	mulleren

PRETÉRITO PERFECTO		PRETÉRITO PLUSCUAMPERFECTO				FUTURO PERFECTO (3)	
haya	mullido	hubiera	o	hubiese	mullido	hubiere	mullido
hayas	mullido	hubieras	o	hubieses	mullido	hubieres	mullido
haya	mullido	hubiera	o	hubiese	mullido	hubiere	mullido
hayamos	mullido	hubiéramos	o	hubiésemos	mullido	hubiéremos	mullido
hayáis	mullido	hubierais	o	hubieseis	mullido	hubiereis	mullido
hayan	mullido	hubieran	o	hubiesen	mullido	hubieren	mullido

MODO IMPERATIVO / FORMAS NO PERSONALES

PRESENTE

mulle	tú
mulla	él/ella/usted
mullamos	nosotros/as
mullid	vosotros/as
mullan	ellos/ellas/ustedes

FORMAS SIMPLES

INFINITIVO	GERUNDIO	PARTICIPIO
mullir	mullendo	mull ido

FORMAS COMPUESTAS

INFINITIVO	GERUNDIO
haber mullido	habiendo mullido

(1) o Perfecto simple. (2), (3) muy poco usados.

Conjugar es fácil

tablas de verbos

58. BRUÑIR VERBO CON MODIFICACIÓN ORTOGRÁFICA

MODO INDICATIVO

PRESENTE	PRETÉRITO IMPERFECTO	PRETÉRITO INDEFINIDO (1)	FUTURO IMPERFECTO
bruñ o	bruñ ía	bruñ í	bruñir é
bruñ es	bruñ ías	bruñ iste	bruñir ás
bruñ e	bruñ ía	bruñó	bruñir á
bruñ imos	bruñ íamos	bruñ imos	bruñir emos
bruñ ís	bruñ íais	bruñ isteis	bruñir éis
bruñ en	bruñ ían	bruñeron	bruñir án

PRETÉRITO PERFECTO		PRETÉRITO PLUSCUAMPERFECTO		PRETÉRITO ANTERIOR		FUTURO PERFECTO	
he	bruñido	había	bruñido	hube	bruñido	habré	bruñido
has	bruñido	habías	bruñido	hubiste	bruñido	habrás	bruñido
ha	bruñido	había	bruñido	hubo	bruñido	habrá	bruñido
hemos	bruñido	habíamos	bruñido	hubimos	bruñido	habremos	bruñido
habéis	bruñido	habíais	bruñido	hubisteis	bruñido	habréis	bruñido
han	bruñido	habían	bruñido	hubieron	bruñido	habrán	bruñido

CONDICIONAL SIMPLE

bruñir ía	
bruñir ías	
bruñir ía	
bruñir íamos	
bruñir íais	
bruñir ían	

CONDICIONAL COMPUESTO

habría	bruñido
habrías	bruñido
habría	bruñido
habríamos	bruñido
habríais	bruñido
habrían	bruñido

MODO SUBJUNTIVO

PRESENTE	PRETÉRITO IMPERFECTO			FUTURO IMPERFECTO (2)
bruñ a	bruñera	o	bruñese	bruñere
bruñ as	bruñeras	o	bruñeses	bruñeres
bruñ a	bruñera	o	bruñese	bruñere
bruñ amos	bruñéramos	o	bruñésemos	bruñéremos
bruñ áis	bruñerais	o	bruñeseis	bruñereis
bruñ an	bruñeran	o	bruñesen	bruñeren

PRETÉRITO PERFECTO		PRETÉRITO PLUSCUAMPERFECTO				FUTURO PERFECTO (3)	
haya	bruñido	hubiera	o	hubiese	bruñido	hubiere	bruñido
hayas	bruñido	hubieras	o	hubieses	bruñido	hubieres	bruñido
haya	bruñido	hubiera	o	hubiese	bruñido	hubiere	bruñido
hayamos	bruñido	hubiéramos	o	hubiésemos	bruñido	hubiéremos	bruñido
hayáis	bruñido	hubierais	o	hubieseis	bruñido	hubiereis	bruñido
hayan	bruñido	hubieran	o	hubiesen	bruñido	hubieren	bruñido

MODO IMPERATIVO

PRESENTE

bruñ e	tú
bruñ a	él/ella/usted
bruñ amos	nosotros/as
bruñ id	vosotros/as
bruñ an	ellos/ellas/ustedes

FORMAS NO PERSONALES

FORMAS SIMPLES

INFINITIVO	GERUNDIO	PARTICIPIO
bruñir	bruñendo	bruñ ido

FORMAS COMPUESTAS

INFINITIVO	GERUNDIO
haber bruñido	habiendo bruñido

(1) o Perfecto simple. (2), (3) muy poco usados.

Conjugar es fácil

tables de verbos

59. CONCLUIR VERBO IRREGULAR

MODO INDICATIVO

PRESENTE	PRETÉRITO IMPERFECTO	PRETÉRITO INDEFINIDO (1)	FUTURO IMPERFECTO
concluyo	conclu ía	conclu í	concluir é
concluyes	conclu ías	conclu iste	concluir ás
concluye	conclu ía	concluyó	concluir á
conclu imos	conclu íamos	conclu imos	concluir emos
conclu ís	conclu íais	conclu isteis	concluir éis
concluyen	conclu ían	concluyeron	concluir án

PRETÉRITO PERFECTO		PRETÉRITO PLUSCUAMPERFECTO		PRETÉRITO ANTERIOR		FUTURO PERFECTO	
he	concluido	había	concluido	hube	concluido	habré	concluido
has	concluido	habías	concluido	hubiste	concluido	habrás	concluido
ha	concluido	había	concluido	hubo	concluido	habrá	concluido
hemos	concluido	habíamos	concluido	hubimos	concluido	habremos	concluido
habéis	concluido	habíais	concluido	hubisteis	concluido	habréis	concluido
han	concluido	habían	concluido	hubieron	concluido	habrán	concluido

CONDICIONAL SIMPLE	CONDICIONAL COMPUESTO	
concluir ía	habría	concluido
concluir ías	habrías	concluido
concluir ía	habría	concluido
concluir íamos	habríamos	concluido
concluir íais	habríais	concluido
concluir ían	habrían	concluido

MODO SUBJUNTIVO

PRESENTE	PRETÉRITO IMPERFECTO		FUTURO IMPERFECTO (2)
concluya	concluyera	o concluyese	concluyere
concluyas	concluyeras	o concluyeses	concluyeres
concluya	concluyera	o concluyese	concluyere
concluyamos	concluyéramos	o concluyésemos	concluyéremos
concluyáis	concluyerais	o concluyeseis	concluyereis
concluyan	concluyeran	o concluyesen	concluyeren

PRETÉRITO PERFECTO		PRETÉRITO PLUSCUAMPERFECTO			FUTURO PERFECTO (3)	
haya	concluido	hubiera	o hubiese	concluido	hubiere	concluido
hayas	concluido	hubieras	o hubieses	concluido	hubieres	concluido
haya	concluido	hubiera	o hubiese	concluido	hubiere	concluido
hayamos	concluido	hubiéramos	o hubiésemos	concluido	hubiéremos	concluido
hayáis	concluido	hubierais	o hubieseis	concluido	hubiereis	concluido
hayan	concluido	hubieran	o hubiesen	concluido	hubieren	concluido

MODO IMPERATIVO	FORMAS NO PERSONALES

PRESENTE

concluye	tú
concluya	él/ella/usted
concluyamos	nosotros/as
conclu id	vosotros/as
concluyan	ellos/ellas/ustedes

FORMAS SIMPLES

INFINITIVO	GERUNDIO	PARTICIPIO
concluir	concluyendo	conclu ido

FORMAS COMPUESTAS

INFINITIVO	GERUNDIO
haber concluido	habiendo concluido

(1) o Perfecto simple. (2), (3) muy poco usados.

Conjugar es fácil

tablas de verbos

60. PEDIR VERBO IRREGULAR

MODO INDICATIVO

PRESENTE	PRETÉRITO IMPERFECTO	PRETÉRITO INDEFINIDO (1)	FUTURO IMPERFECTO
pido	ped ía	ped í	pedir é
pides	ped ías	ped iste	pedir ás
pide	ped ía	pidió	pedir á
ped imos	ped íamos	ped imos	pedir emos
ped ís	ped íais	ped isteis	pedir éis
piden	ped ían	pidieron	pedi rán

PRETÉRITO PERFECTO	PRETÉRITO PLUSCUAMPERFECTO	PRETÉRITO ANTERIOR	FUTURO PERFECTO
he pedido	había pedido	hube pedido	habré pedido
has pedido	habías pedido	hubiste pedido	habrás pedido
ha pedido	había pedido	hubo pedido	habrá pedido
hemos pedido	habíamos pedido	hubimos pedido	habremos pedido
habéis pedido	habíais pedido	hubisteis pedido	habréis pedido
han pedido	habían pedido	hubieron pedido	habrán pedido

CONDICIONAL SIMPLE	CONDICIONAL COMPUESTO
pedir ía	habría pedido
pedir ías	habrías pedido
pedir ía	habría pedido
pedir íamos	habríamos pedido
pedir íais	habríais pedido
pedir ían	habrían pedido

MODO SUBJUNTIVO

PRESENTE	PRETÉRITO IMPERFECTO		FUTURO IMPERFECTO (2)
pida	pidiera	o pidiese	pidiere
pidas	pidieras	o pidieses	pidieres
pida	pidiera	o pidiese	pidiere
pidamos	pidiéramos	o pidiésemos	pidiéremos
pidáis	pidierais	o pidieseis	pidiereis
pidan	pidieran	o pidiesen	pidieren

PRETÉRITO PERFECTO	PRETÉRITO PLUSCUAMPERFECTO		FUTURO PERFECTO (3)
haya pedido	hubiera o hubiese pedido		hubiere pedido
hayas pedido	hubieras o hubieses pedido		hubieres pedido
haya pedido	hubiera o hubiese pedido		hubiere pedido
hayamos pedido	hubiéramos o hubiésemos pedido		hubiéremos pedido
hayáis pedido	hubierais o hubieseis pedido		hubiereis pedido
hayan pedido	hubieran o hubiesen pedido		hubieren pedido

MODO IMPERATIVO

PRESENTE

pide	tú
pida	él/ella/usted
pidamos	nosotros/as
ped id	vosotros/as
pidan	ellos/ellas/ustedes

FORMAS NO PERSONALES

FORMAS SIMPLES

INFINITIVO	GERUNDIO	PARTICIPIO
pedir	pidiendo	ped ido

FORMAS COMPUESTAS

INFINITIVO	GERUNDIO
haber pedido	habiendo pedido

(1) o Perfecto simple. (2), (3) muy poco usados.

Conjugar es fácil

61. CORREGIR VERBO IRREGULAR

MODO INDICATIVO

PRESENTE	PRETÉRITO IMPERFECTO	PRETÉRITO INDEFINIDO (1)	FUTURO IMPERFECTO
corrijo	correg ía	correg í	corregir é
corriges	correg ías	correg iste	corregir ás
corrige	correg ía	corrigió	corregir á
correg imos	correg íamos	correg imos	corregir emos
correg ís	correg íais	correg isteis	corregir éis
corrigen	correg ían	corrigieron	corregir án

PRETÉRITO PERFECTO		PRETÉRITO PLUSCUAMPERFECTO		PRETÉRITO ANTERIOR		FUTURO PERFECTO	
he	corregido	había	corregido	hube	corregido	habré	corregido
has	corregido	habías	corregido	hubiste	corregido	habrás	corregido
ha	corregido	había	corregido	hubo	corregido	habrá	corregido
hemos	corregido	habíamos	corregido	hubimos	corregido	habremos	corregido
habéis	corregido	habíais	corregido	hubisteis	corregido	habréis	corregido
han	corregido	habían	corregido	hubieron	corregido	habrán	corregido

CONDICIONAL SIMPLE	CONDICIONAL COMPUESTO	
corregir ía	habría	corregido
corregir ías	habrías	corregido
corregir ía	habría	corregido
corregir íamos	habríamos	corregido
corregir íais	habríais	corregido
corregir ían	habrían	corregido

MODO SUBJUNTIVO

PRESENTE	PRETÉRITO IMPERFECTO			FUTURO IMPERFECTO (2)
corrija	corrigiera	o	corrigiese	corrigiere
corrijas	corrigieras	o	corrigieses	corrigieres
corrija	corrigiera	o	corrigiese	corrigiere
corrijamos	corrigiéramos	o	corrigiésemos	corrigiéremos
corrijáis	corrigierais	o	corrigieseis	corrigiereis
corrijan	corrigieran	o	corrigiesen	corrigieren

PRETÉRITO PERFECTO		PRETÉRITO PLUSCUAMPERFECTO				FUTURO PERFECTO (3)	
haya	corregido	hubiera	o	hubiese	corregido	hubiere	corregido
hayas	corregido	hubieras	o	hubieses	corregido	hubieres	corregido
haya	corregido	hubiera	o	hubiese	corregido	hubiere	corregido
hayamos	corregido	hubiéramos	o	hubiésemos	corregido	hubiéremos	corregido
hayáis	corregido	hubierais	o	hubieseis	corregido	hubiereis	corregido
hayan	corregido	hubieran	o	hubiesen	corregido	hubieren	corregido

---

MODO IMPERATIVO

FORMAS NO PERSONALES

PRESENTE

corrige	tú
corrija	él/ella/usted
corrijamos	nosotros/as
correg id	vosotros/as
corrijan	ellos/ellas/ustedes

FORMAS SIMPLES

INFINITIVO	GERUNDIO	PARTICIPIO
corregir	corrigiendo	correg ido

FORMAS COMPUESTAS

INFINITIVO	GERUNDIO
haber corregido	habiendo corregido

(1) o Perfecto simple. (2), (3) muy poco usados.

Conjugar es fácil

tablas de verbos

62. SEGUIR VERBO IRREGULAR

MODO INDICATIVO

PRESENTE	PRETÉRITO IMPERFECTO	PRETÉRITO INDEFINIDO (1)	FUTURO IMPERFECTO
sigo	segu ía	segu í	seguir é
sigues	segu ías	segu iste	seguir ás
sigue	segu ía	siguió	seguir á
segu imos	segu íamos	segu imos	seguir emos
segu ís	segu íais	segu isteis	seguir éis
siguen	segu ían	siguieron	seguir án

PRETÉRITO PERFECTO	PRETÉRITO PLUSCUAMPERFECTO	PRETÉRITO ANTERIOR	FUTURO PERFECTO
he seguido	había seguido	hube seguido	habré seguido
has seguido	habías seguido	hubiste seguido	habrás seguido
ha seguido	había seguido	hubo seguido	habrá seguido
hemos seguido	habíamos seguido	hubimos seguido	habremos seguido
habéis seguido	habíais seguido	hubisteis seguido	habréis seguido
han seguido	habían seguido	hubieron seguido	habrán seguido

CONDICIONAL SIMPLE	CONDICIONAL COMPUESTO
seguir ía	habría seguido
seguir ías	habrías seguido
seguir ía	habría seguido
seguir íamos	habríamos seguido
seguir íais	habríais seguido
seguir ían	habrían seguido

MODO SUBJUNTIVO

PRESENTE	PRETÉRITO IMPERFECTO		FUTURO IMPERFECTO (2)
siga	siguiera	o siguiese	siguiere
sigas	siguieras	o siguieses	siguieres
siga	siguiera	o siguiese	siguiere
sigamos	siguiéramos	o siguiésemos	siguiéremos
sigáis	siguierais	o siguieseis	siguiereis
sigan	siguieran	o siguiesen	siguieren

PRETÉRITO PERFECTO	PRETÉRITO PLUSCUAMPERFECTO		FUTURO PERFECTO (3)
haya seguido	hubiera o hubiese seguido		hubiere seguido
hayas seguido	hubieras o hubieses seguido		hubieres seguido
haya seguido	hubiera o hubiese seguido		hubiere seguido
hayamos seguido	hubiéramos o hubiésemos seguido		hubiéremos seguido
hayáis seguido	hubierais o hubieseis seguido		hubiereis seguido
hayan seguido	hubieran o hubiesen seguido		hubieren seguido

MODO IMPERATIVO / FORMAS NO PERSONALES

PRESENTE

sigue	tú
siga	él/ella/usted
sigamos	nosotros/as
segu id	vosotros/as
sigan	ellos/ellas/ustedes

FORMAS SIMPLES

INFINITIVO	GERUNDIO	PARTICIPIO
seguir	siguiendo	segu ido

FORMAS COMPUESTAS

INFINITIVO	GERUNDIO
haber seguido	habiendo seguido

(1) o Perfecto simple. (2), (3) muy poco usados.

Conjugar es fácil

tablas de verbos

63. REÍR VERBO IRREGULAR

MODO INDICATIVO

PRESENTE	PRETÉRITO IMPERFECTO	PRETÉRITO INDEFINIDO (1)	FUTURO IMPERFECTO
río	re ía	re í	reir é
ríes	re ías	reíste	reir ás
ríe	re ía	rió	reir á
reímos	re íamos	reímos	reir emos
re ís	re íais	reísteis	reir éis
ríen	re ían	rieron	reir án

PRETÉRITO PERFECTO	PRETÉRITO PLUSCUAMPERFECTO	PRETÉRITO ANTERIOR	FUTURO PERFECTO
he reído	había reído	hube reído	habré reído
has reído	habías reído	hubiste reído	habrás reído
ha reído	había reído	hubo reído	habrá reído
hemos reído	habíamos reído	hubimos reído	habremos reído
habéis reído	habíais reído	hubisteis reído	habréis reído
han reído	habían reído	hubieron reído	habrán reído

CONDICIONAL SIMPLE	CONDICIONAL COMPUESTO
reir ía	habría reído
reir ías	habrías reído
reir ía	habría reído
reir íamos	habríamos reído
reir íais	habríais reído
reir ían	habrían reído

MODO SUBJUNTIVO

PRESENTE	PRETÉRITO IMPERFECTO	FUTURO IMPERFECTO (2)
ría	riera o riese	riere
rías	rieras o rieses	rieres
ría	riera o riese	riere
riamos	riéramos o riésemos	riéremos
riáis	rierais o rieseis	riereis
rían	rieran o riesen	rieren

PRETÉRITO PERFECTO	PRETÉRITO PLUSCUAMPERFECTO	FUTURO PERFECTO (3)
haya reído	hubiera o hubiese reído	hubiere reído
hayas reído	hubieras o hubieses reído	hubieres reído
haya reído	hubiera o hubiese reído	hubiere reído
hayamos reído	hubiéramos o hubiésemos reído	hubiéremos reído
hayáis reído	hubierais o hubieseis reído	hubiereis reído
hayan reído	hubieran o hubiesen reído	hubieren reído

MODO IMPERATIVO	FORMAS NO PERSONALES

PRESENTE

ríe	tú
ría	él/ella/usted
riamos	nosotros/as
reíd	vosotros/as
rían	ellos/ellas/ustedes

FORMAS SIMPLES

INFINITIVO	GERUNDIO	PARTICIPIO
reír	riendo	reído

FORMAS COMPUESTAS

INFINITIVO	GERUNDIO
haber reído	habiendo reído

(1) o Perfecto simple. (2), (3) muy poco usados.

Conjugar es fácil

tablas de verbos

64. TEÑIR VERBO IRREGULAR

MODO INDICATIVO

PRESENTE	PRETÉRITO IMPERFECTO	PRETÉRITO INDEFINIDO (1)	FUTURO IMPERFECTO
tiño	teñ ía	teñ í	teñir é
tiñes	teñ ías	teñ iste	teñir ás
tiñe	teñ ía	tiñó	teñir á
teñ imos	teñ íamos	teñ imos	teñir emos
teñ ís	teñ íais	teñ isteis	teñir éis
tiñen	teñ ían	tiñeron	teñir án

PRETÉRITO PERFECTO	PRETÉRITO PLUSCUAMPERFECTO	PRETÉRITO ANTERIOR	FUTURO PERFECTO
he teñido	había teñido	hube teñido	habré teñido
has teñido	habías teñido	hubiste teñido	habrás teñido
ha teñido	había teñido	hubo teñido	habrá teñido
hemos teñido	habíamos teñido	hubimos teñido	habremos teñido
habéis teñido	habíais teñido	hubisteis teñido	habréis teñido
han teñido	habían teñido	hubieron teñido	habrán teñido

CONDICIONAL SIMPLE	CONDICIONAL COMPUESTO
teñir ía	habría teñido
teñir ías	habrías teñido
teñir ía	habría teñido
teñir íamos	habríamos teñido
teñir íais	habríais teñido
teñir ían	habrían teñido

MODO SUBJUNTIVO

PRESENTE	PRETÉRITO IMPERFECTO		FUTURO IMPERFECTO (2)
tiña	tiñera	o tiñese	tiñere
tiñas	tiñeras	o tiñeses	tiñeres
tiña	tiñera	o tiñese	tiñere
tiñamos	tiñéramos	o tiñésemos	tiñéremos
tiñáis	tiñerais	o tiñeseis	tiñereis
tiñan	tiñeran	o tiñesen	tiñeren

PRETÉRITO PERFECTO	PRETÉRITO PLUSCUAMPERFECTO		FUTURO PERFECTO (3)
haya teñido	hubiera	o hubiese teñido	hubiere teñido
hayas teñido	hubieras	o hubieses teñido	hubieres teñido
haya teñido	hubiera	o hubiese teñido	hubiere teñido
hayamos teñido	hubiéramos	o hubiésemos teñido	hubiéremos teñido
hayáis teñido	hubierais	o hubieseis teñido	hubiereis teñido
hayan teñido	hubieran	o hubiesen teñido	hubieren teñido

MODO IMPERATIVO

PRESENTE

tiñe	tú
tiña	él/ella/usted
tiñamos	nosotros/as
teñ id	vosotros/as
tiñan	ellos/ellas/ustedes

FORMAS NO PERSONALES

FORMAS SIMPLES

INFINITIVO	GERUNDIO	PARTICIPIO
teñir	tiñendo	teñ ido

FORMAS COMPUESTAS

INFINITIVO	GERUNDIO
haber teñido	habiendo teñido

(1) o Perfecto simple. (2), (3) muy poco usados.

Conjugar es fácil

65. SENTIR VERBO IRREGULAR

MODO INDICATIVO

PRESENTE	PRETÉRITO IMPERFECTO	PRETÉRITO INDEFINIDO (1)	FUTURO IMPERFECTO
siento	sent ía	sent í	sentir é
sientes	sent ías	sent iste	sentir ás
siente	sent ía	sintió	sentir á
sent imos	sent íamos	sent imos	sentir emos
sent ís	sent íais	sent isteis	sentir éis
sienten	sent ían	sintieron	sentir án

PRETÉRITO PERFECTO	PRETÉRITO PLUSCUAMPERFECTO	PRETÉRITO ANTERIOR	FUTURO PERFECTO
he sentido	había sentido	hube sentido	habré sentido
has sentido	habías sentido	hubiste sentido	habrás sentido
ha sentido	había sentido	hubo sentido	habrá sentido
hemos sentido	habíamos sentido	hubimos sentido	habremos sentido
habéis sentido	habíais sentido	hubisteis sentido	habréis sentido
han sentido	habían sentido	hubieron sentido	habrán sentido

CONDICIONAL SIMPLE	CONDICIONAL COMPUESTO
sentir ía	habría sentido
sentir ías	habrías sentido
sentir ía	habría sentido
sentir íamos	habríamos sentido
sentir íais	habríais sentido
sentir ían	habrían sentido

MODO SUBJUNTIVO

PRESENTE	PRETÉRITO IMPERFECTO		FUTURO IMPERFECTO (2)
sienta	sintiera	o sintiese	sintiere
sientas	sintieras	o sintieses	sintieres
sienta	sintiera	o sintiese	sintiere
sintamos	sintiéramos	o sintiésemos	sintiéremos
sintáis	sintierais	o sintieseis	sintiereis
sientan	sintieran	o sintiesen	sintieren

PRETÉRITO PERFECTO	PRETÉRITO PLUSCUAMPERFECTO		FUTURO PERFECTO (3)
haya sentido	hubiera o hubiese sentido		hubiere sentido
hayas sentido	hubieras o hubieses sentido		hubieres sentido
haya sentido	hubiera o hubiese sentido		hubiere sentido
hayamos sentido	hubiéramos o hubiésemos sentido		hubiéremos sentido
hayáis sentido	hubierais o hubieseis sentido		hubiereis sentido
hayan sentido	hubieran o hubiesen sentido		hubieren sentido

MODO IMPERATIVO

FORMAS NO PERSONALES

PRESENTE

siente	tú
sienta	él/ella/usted
sintamos	nosotros/as
sent id	vosotros/as
sientan	ellos/ellas/ustedes

FORMAS SIMPLES

INFINITIVO	GERUNDIO	PARTICIPIO
sentir	sintiendo	sent ido

FORMAS COMPUESTAS

INFINITIVO	GERUNDIO
haber sentido	habiendo sentido

(1) o Perfecto simple. (2), (3) muy poco usados.

Conjugar es fácil

tablas de verbos

66. DISCERNIR VERBO IRREGULAR

MODO INDICATIVO

PRESENTE	PRETÉRITO IMPERFECTO	PRETÉRITO INDEFINIDO (1)	FUTURO IMPERFECTO
discierno	discern ía	discern í	discernir é
disciernes	discern ías	discern iste	discernir ás
discierne	discern ía	discern ió	discernir á
discern imos	discern íamos	discern imos	discernir emos
discern ís	discern íais	discern isteis	discernir éis
disciernen	discern ían	discern ieron	discernir án

PRETÉRITO PERFECTO		PRETÉRITO PLUSCUAMPERFECTO		PRETÉRITO ANTERIOR		FUTURO PERFECTO	
he	discernido	había	discernido	hube	discernido	habré	discernido
has	discernido	habías	discernido	hubiste	discernido	habrás	discernido
ha	discernido	había	discernido	hubo	discernido	habrá	discernido
hemos	discernido	habíamos	discernido	hubimos	discernido	habremos	discernido
habéis	discernido	habíais	discernido	hubisteis	discernido	habréis	discernido
han	discernido	habían	discernido	hubieron	discernido	habrán	discernido

CONDICIONAL SIMPLE	CONDICIONAL COMPUESTO	
discernir ía	habría	discernido
discernir ías	habrías	discernido
discernir ía	habría	discernido
discernir íamos	habríamos	discernido
discernir íais	habríais	discernido
discernir ían	habrían	discernido

MODO SUBJUNTIVO

PRESENTE	PRETÉRITO IMPERFECTO			FUTURO IMPERFECTO (2)
discierna	discern iera	o	discern iese	discern iere
disciernas	discern ieras	o	discern ieses	discern ieres
discierna	discern iera	o	discern iese	discern iere
discer namos	discern iéramos	o	discern iésemos	discern iéremos
discer náis	discern ierais	o	discern ieseis	discern iereis
disciernan	discern ieran	o	discern iesen	discern ieren

PRETÉRITO PERFECTO		PRETÉRITO PLUSCUAMPERFECTO				FUTURO PERFECTO (3)	
haya	discernido	hubiera	o	hubiese	discernido	hubiere	discernido
hayas	discernido	hubieras	o	hubieses	discernido	hubieres	discernido
haya	discernido	hubiera	o	hubiese	discernido	hubiere	discernido
hayamos	discernido	hubiéramos	o	hubiésemos	discernido	hubiéremos	discernido
hayáis	discernido	hubierais	o	hubieseis	discernido	hubiereis	discernido
hayan	discernido	hubieran	o	hubiesen	discernido	hubieren	discernido

MODO IMPERATIVO

PRESENTE

discierne	tú
discierna	él/ella/usted
discern amos	nosotros/as
discern id	vosotros/as
disciernan	ellos/ellas/ustedes

FORMAS NO PERSONALES

FORMAS SIMPLES

INFINITIVO	GERUNDIO	PARTICIPIO
discernir	discern iendo	discern ido

FORMAS COMPUESTAS

INFINITIVO	GERUNDIO
haber discernido	habiendo discernido

(1) o Perfecto simple. (2), (3) muy poco usados.

Conjugar es fácil

tablas de verbos

67. ADQUIRIR VERBO IRREGULAR

MODO INDICATIVO

PRESENTE	PRETÉRITO IMPERFECTO	PRETÉRITO INDEFINIDO (1)	FUTURO IMPERFECTO
adquiero	adquir ía	adquir í	adquirir é
adquieres	adquir ías	adquir iste	adquirir ás
adquiere	adquir ía	adquir ió	adquirir á
adquir imos	adquir íamos	adquir imos	adquirir emos
adquir ís	adquir íais	adquir isteis	adquirir éis
adquieren	adquir ían	adquir ieron	adquirir án

PRETÉRITO PERFECTO	PRETÉRITO PLUSCUAMPERFECTO	PRETÉRITO ANTERIOR	FUTURO PERFECTO
he adquirido	había adquirido	hube adquirido	habré adquirido
has adquirido	habías adquirido	hubiste adquirido	habrás adquirido
ha adquirido	había adquirido	hubo adquirido	habrá adquirido
hemos adquirido	habíamos adquirido	hubimos adquirido	habremos adquirido
habéis adquirido	habíais adquirido	hubisteis adquirido	habréis adquirido
han adquirido	habían adquirido	hubieron adquirido	habrán adquirido

CONDICIONAL SIMPLE | **CONDICIONAL COMPUESTO**

CONDICIONAL SIMPLE	CONDICIONAL COMPUESTO	
adquirir ía	habría	adquirido
adquirir ías	habrías	adquirido
adquirir ía	habría	adquirido
adquirir íamos	habríamos	adquirido
adquirir íais	habríais	adquirido
adquirir ían	habrían	adquirido

MODO SUBJUNTIVO

PRESENTE	PRETÉRITO IMPERFECTO		FUTURO IMPERFECTO (2)
adquiera	adquir iera	o adquir iese	adquir iere
adquieras	adquir ieras	o adquir ieses	adquir ieres
adquiera	adquir iera	o adquir iese	adquir iere
adquir amos	adquir iéramos	o adquir iésemos	adquir iéremos
adquir áis	adquir ierais	o adquir ieseis	adquir iereis
adquieran	adquir ieran	o adquir iesen	adquir ieren

PRETÉRITO PERFECTO	PRETÉRITO PLUSCUAMPERFECTO		FUTURO PERFECTO (3)
haya adquirido	hubiera	o hubiese adquirido	hubiere adquirido
hayas adquirido	hubieras	o hubieses adquirido	hubieres adquirido
haya adquirido	hubiera	o hubiese adquirido	hubiere adquirido
hayamos adquirido	hubiéramos	o hubiésemos adquirido	hubiéremos adquirido
hayáis adquirido	hubierais	o hubieseis adquirido	hubiereis adquirido
hayan adquirido	hubieran	o hubiesen adquirido	hubieren adquirido

MODO IMPERATIVO		FORMAS NO PERSONALES

PRESENTE

adquiere	tú
adquiera	él/ella/usted
adquir amos	nosotros/as
adquir id	vosotros/as
adquieran	ellos/ellas/ustedes

FORMAS SIMPLES

INFINITIVO	GERUNDIO	PARTICIPIO
adquirir	adquir iendo	adquir ido

FORMAS COMPUESTAS

INFINITIVO	GERUNDIO
haber adquirido	habiendo adquirido

(1) o Perfecto simple. (2), (3) muy poco usados.

Conjugar es fácil

tablas de verbos

68. DORMIR VERBO IRREGULAR

MODO INDICATIVO

PRESENTE	PRETÉRITO IMPERFECTO	PRETÉRITO INDEFINIDO (1)	FUTURO IMPERFECTO
duermo	dorm ía	dorm í	dormir é
duermes	dorm ías	dorm iste	dormir ás
duerme	dorm ía	durmió	dormir á
dorm imos	dorm íamos	dorm imos	dormir emos
dorm ís	dorm íais	dorm isteis	dormir éis
duermen	dorm ían	durmieron	dormir án

PRETÉRITO PERFECTO		PRETÉRITO PLUSCUAMPERFECTO		PRETÉRITO ANTERIOR		FUTURO PERFECTO	
he	dormido	había	dormido	hube	dormido	habré	dormido
has	dormido	habías	dormido	hubiste	dormido	habrás	dormido
ha	dormido	había	dormido	hubo	dormido	habrá	dormido
hemos	dormido	habíamos	dormido	hubimos	dormido	habremos	dormido
habéis	dormido	habíais	dormido	hubisteis	dormido	habréis	dormido
han	dormido	habían	dormido	hubieron	dormido	habrán	dormido

CONDICIONAL SIMPLE / CONDICIONAL COMPUESTO

CONDICIONAL SIMPLE	CONDICIONAL COMPUESTO	
dormir ía	habría	dormido
dormir ías	habrías	dormido
dormir ía	habría	dormido
dormir íamos	habríamos	dormido
dormir íais	habríais	dormido
dormir ían	habrían	dormido

MODO SUBJUNTIVO

PRESENTE	PRETÉRITO IMPERFECTO			FUTURO IMPERFECTO (2)
duerma	durmiera	o	durmiese	durmiere
duermas	durmieras	o	durmieses	durmieres
duerma	durmiera	o	durmiese	durmiere
durmamos	durmiéramos	o	durmiésemos	durmiéremos
durmáis	durmierais	o	durmieseis	durmiereis
duerman	durmieran	o	durmiesen	durmieren

PRETÉRITO PERFECTO		PRETÉRITO PLUSCUAMPERFECTO				FUTURO PERFECTO (3)	
haya	dormido	hubiera	o	hubiese	dormido	hubiere	dormido
hayas	dormido	hubieras	o	hubieses	dormido	hubieres	dormido
haya	dormido	hubiera	o	hubiese	dormido	hubiere	dormido
hayamos	dormido	hubiéramos	o	hubiésemos	dormido	hubiéremos	dormido
hayáis	dormido	hubierais	o	hubieseis	dormido	hubiereis	dormido
hayan	dormido	hubieran	o	hubiesen	dormido	hubieren	dormido

MODO IMPERATIVO

PRESENTE

duerme	tú
duerma	él/ella/usted
durmamos	nosotros/as
dorm id	vosotros/as
duerman	ellos/ellas/ustedes

FORMAS NO PERSONALES

FORMAS SIMPLES

INFINITIVO	GERUNDIO	PARTICIPIO
dormir	durmiendo	dorm ido

FORMAS COMPUESTAS

INFINITIVO	GERUNDIO
haber dormido	habiendo dormido

(1) o Perfecto simple. (2), (3) muy poco usados.

Conjugar es fácil

tables de verbos

69. TRADUCIR VERBO IRREGULAR

MODO INDICATIVO

PRESENTE	PRETÉRITO IMPERFECTO	PRETÉRITO INDEFINIDO (1)	FUTURO IMPERFECTO
traduzco	traduc ía	traduje	traducir é
traduc es	traduc ías	tradujiste	traducir ás
traduc e	traduc ía	tradujo	traducir á
traduc imos	traduc íamos	tradujimos	traducir emos
traduc ís	traduc íais	tradujisteis	traducir éis
traduc en	traduc ían	tradujeron	traducir án

PRETÉRITO PERFECTO	PRETÉRITO PLUSCUAMPERFECTO	PRETÉRITO ANTERIOR	FUTURO PERFECTO
he traducido	había traducido	hube traducido	habré traducido
has traducido	habías traducido	hubiste traducido	habrás traducido
ha traducido	había traducido	hubo traducido	habrá traducido
hemos traducido	habíamos traducido	hubimos traducido	habremos traducido
habéis traducido	habíais traducido	hubisteis traducido	habréis traducido
han traducido	habían traducido	hubieron traducido	habrán traducido

CONDICIONAL SIMPLE	CONDICIONAL COMPUESTO
traducir ía	habría traducido
traducir ías	habrías traducido
traducir ía	habría traducido
traducir íamos	habríamos traducido
traducir íais	habríais traducido
traducir ían	habrían traducido

MODO SUBJUNTIVO

PRESENTE	PRETÉRITO IMPERFECTO	FUTURO IMPERFECTO (2)
traduzca	tradujera o tradujese	tradujere
traduzcas	tradujeras o tradujeses	tradujeres
traduzca	tradujera o tradujese	tradujere
traduzcamos	tradujéramos o tradujésemos	tradujéremos
traduzcáis	tradujerais o tradujeseis	tradujereis
traduzcan	tradujeran o tradujesen	tradujeren

PRETÉRITO PERFECTO	PRETÉRITO PLUSCUAMPERFECTO	FUTURO PERFECTO (3)
haya traducido	hubiera o hubiese traducido	hubiere traducido
hayas traducido	hubieras o hubieses traducido	hubieres traducido
haya traducido	hubiera o hubiese traducido	hubiere traducido
hayamos traducido	hubiéramos o hubiésemos traducido	hubiéremos traducido
hayáis traducido	hubierais o hubieseis traducido	hubiereis traducido
hayan traducido	hubieran o hubiesen traducido	hubieren traducido

MODO IMPERATIVO / FORMAS NO PERSONALES

PRESENTE

traduc e	tú
traduzca	él/ella/usted
traduzcamos	nosotros/as
traduc id	vosotros/as
traduzcan	ellos/ellas/ustedes

FORMAS SIMPLES

INFINITIVO	GERUNDIO	PARTICIPIO
traducir	traduc iendo	traduc ido

FORMAS COMPUESTAS

INFINITIVO	GERUNDIO
haber traducido	habiendo traducido

(1) o Perfecto simple. (2), (3) muy poco usados.

Conjugar es fácil

tablas de verbos

70. LUCIR VERBO IRREGULAR

MODO INDICATIVO

PRESENTE	PRETÉRITO IMPERFECTO	PRETÉRITO INDEFINIDO (1)	FUTURO IMPERFECTO
luzco	luc ía	luc í	lucir é
luc es	luc ías	luc iste	lucir ás
luc e	luc ía	luc ió	lucir á
luc imos	luc íamos	luc imos	lucir emos
luc ís	luc íais	luc isteis	lucir éis
luc en	luc ían	luc ieron	lucir án

PRETÉRITO PERFECTO		PRETÉRITO PLUSCUAMPERFECTO		PRETÉRITO ANTERIOR		FUTURO PERFECTO	
he	lucido	había	lucido	hube	lucido	habré	lucido
has	lucido	habías	lucido	hubiste	lucido	habrás	lucido
ha	lucido	había	lucido	hubo	lucido	habrá	lucido
hemos	lucido	habíamos	lucido	hubimos	lucido	habremos	lucido
habéis	lucido	habíais	lucido	hubisteis	lucido	habréis	lucido
han	lucido	habían	lucido	hubieron	lucido	habrán	lucido

CONDICIONAL SIMPLE

CONDICIONAL COMPUESTO	
lucir ía	habría lucido
lucir ías	habrías lucido
lucir ía	habría lucido
lucir íamos	habríamos lucido
lucir íais	habríais lucido
lucir ían	habrían lucido

(reordenado:)

CONDICIONAL SIMPLE	CONDICIONAL COMPUESTO	
lucir ía	habría	lucido
lucir ías	habrías	lucido
lucir ía	habría	lucido
lucir íamos	habríamos	lucido
lucir íais	habríais	lucido
lucir ían	habrían	lucido

MODO SUBJUNTIVO

PRESENTE	PRETÉRITO IMPERFECTO		FUTURO IMPERFECTO (2)
luzca	luc iera	o luc iese	luc iere
luzcas	luc ieras	o luc ieses	luc ieres
luzca	luc iera	o luc iese	luc iere
luzcamos	luc iéramos	o luc iésemos	luc iéremos
luzcáis	luc ierais	o luc ieseis	luc iereis
luzcan	luc ieran	o luc iesen	luc ieren

PRETÉRITO PERFECTO		PRETÉRITO PLUSCUAMPERFECTO			FUTURO PERFECTO (3)	
haya	lucido	hubiera	o hubiese	lucido	hubiere	lucido
hayas	lucido	hubieras	o hubieses	lucido	hubieres	lucido
haya	lucido	hubiera	o hubiese	lucido	hubiere	lucido
hayamos	lucido	hubiéramos	o hubiésemos	lucido	hubiéremos	lucido
hayáis	lucido	hubierais	o hubieseis	lucido	hubiereis	lucido
hayan	lucido	hubieran	o hubiesen	lucido	hubieren	lucido

MODO IMPERATIVO

PRESENTE

luc e	tú
luzca	él/ella/usted
luzcamos	nosotros/as
luc id	vosotros/as
luzcan	ellos/ellas/ustedes

FORMAS NO PERSONALES

FORMAS SIMPLES

INFINITIVO	GERUNDIO	PARTICIPIO
lucir	luc iendo	luc ido

FORMAS COMPUESTAS

INFINITIVO	GERUNDIO
haber lucido	habiendo lucido

(1) o Perfecto simple. (2), (3) muy poco usados.

Conjugar es fácil

71. ABOLIR VERBO DEFECTIVO

MODO INDICATIVO

PRESENTE	PRETÉRITO IMPERFECTO	PRETÉRITO INDEFINIDO (1)	FUTURO IMPERFECTO
—	abol ía	abol í	abolir é
—	abol ías	abol iste	abolir ás
—	abol ía	abol ió	abolir á
abol imos	abol íamos	abol imos	abolir emos
abol ís	abol íais	abol isteis	abolir éis
—	abol ían	abol ieron	abolir án

PRETÉRITO PERFECTO	PRETÉRITO PLUSCUAMPERFECTO	PRETÉRITO ANTERIOR	FUTURO PERFECTO
he abolido	había abolido	hube abolido	habré abolido
has abolido	habías abolido	hubiste abolido	habrás abolido
ha abolido	había abolido	hubo abolido	habrá abolido
hemos abolido	habíamos abolido	hubimos abolido	habremos abolido
habéis abolido	habíais abolido	hubisteis abolido	habréis abolido
han abolido	habían abolido	hubieron abolido	habrán abolido

CONDICIONAL SIMPLE

abolir ía
abolir ías
abolir ía
abolir íamos
abolir íais
abolir ían

CONDICIONAL COMPUESTO

habría	abolido
habrías	abolido
habría	abolido
habríamos	abolido
habríais	abolido
habrían	abolido

MODO SUBJUNTIVO

PRESENTE	PRETÉRITO IMPERFECTO		FUTURO IMPERFECTO (2)
—	abol iera	o abol iese	abol iere
—	abol ieras	o abol ieses	abol ieres
—	abol iera	o abol iese	abol iere
—	abol iéramos	o abol iésemos	abol iéremos
—	abol ierais	o abol ieseis	abol iereis
—	abol ieran	o abol iesen	abol ieren

PRETÉRITO PERFECTO	PRETÉRITO PLUSCUAMPERFECTO		FUTURO PERFECTO (3)
haya abolido	hubiera o hubiese	abolido	hubiere abolido
hayas abolido	hubieras o hubieses	abolido	hubieres abolido
haya abolido	hubiera o hubiese	abolido	hubiere abolido
hayamos abolido	hubiéramos o hubiésemos	abolido	hubiéremos abolido
hayáis abolido	hubierais o hubieseis	abolido	hubiereis abolido
hayan abolido	hubieran o hubiesen	abolido	hubieren abolido

MODO IMPERATIVO | **FORMAS NO PERSONALES**

PRESENTE

—	tú
—	él/ella/usted
—	nosotros/as
abol id	vosotros/as
—	ellos/ellas/ustedes

FORMAS SIMPLES

INFINITIVO	GERUNDIO	PARTICIPIO
abolir	abol iendo	abol ido

FORMAS COMPUESTAS

INFINITIVO	GERUNDIO
haber abolido	habiendo abolido

(1) o Perfecto simple. (2), (3) muy poco usados.

Conjugar es fácil

tablas de verbos

72. ASIR VERBO IRREGULAR

MODO INDICATIVO

PRESENTE	PRETÉRITO IMPERFECTO	PRETÉRITO INDEFINIDO (1)	FUTURO IMPERFECTO
asgo	as ía	as í	asir é
as es	as ías	as iste	asir ás
as e	as ía	as ió	asir á
as imos	as íamos	as imos	asir emos
as ís	as íais	as isteis	asir éis
as en	as ían	as ieron	asir án

PRETÉRITO PERFECTO	PRETÉRITO PLUSCUAMPERFECTO	PRETÉRITO ANTERIOR	FUTURO PERFECTO
he asido	había asido	hube asido	habré asido
has asido	habías asido	hubiste asido	habrás asido
ha asido	había asido	hubo asido	habrá asido
hemos asido	habíamos asido	hubimos asido	habremos asido
habéis asido	habíais asido	hubisteis asido	habréis asido
han asido	habían asido	hubieron asido	habrán asido

CONDICIONAL SIMPLE	CONDICIONAL COMPUESTO
asir ía	habría asido
asir ías	habrías asido
asir ía	habría asido
asir íamos	habríamos asido
asir íais	habríais asido
asir ían	habrían asido

MODO SUBJUNTIVO

PRESENTE	PRETÉRITO IMPERFECTO		FUTURO IMPERFECTO (2)
asga	as iera	o as iese	as iere
asgas	as ieras	o as ieses	as ieres
asga	as iera	o as iese	as iere
asgamos	as iéramos	o as iésemos	as iéremos
asgáis	as ierais	o as ieseis	as iereis
asgan	as ieran	o as iesen	as ieren

PRETÉRITO PERFECTO	PRETÉRITO PLUSCUAMPERFECTO		FUTURO PERFECTO (3)
haya asido	hubiera	o hubiese asido	hubiere asido
hayas asido	hubieras	o hubieses asido	hubieres asido
haya asido	hubiera	o hubiese asido	hubiere asido
hayamos asido	hubiéramos	o hubiésemos asido	hubiéremos asido
hayáis asido	hubierais	o hubieseis asido	hubiereis asido
hayan asido	hubieran	o hubiesen asido	hubieren asido

MODO IMPERATIVO

PRESENTE

as e	tú
asga	él/ella/usted
asgamos	nosotros/as
as id	vosotros/as
asgan	ellos/ellas/ustedes

FORMAS NO PERSONALES

FORMAS SIMPLES

INFINITIVO	GERUNDIO	PARTICIPIO
asir	as iendo	as ido

FORMAS COMPUESTAS

INFINITIVO	GERUNDIO
haber asido	habiendo asido

(1) o Perfecto simple. (2), (3) muy poco usados.

tablas de verbos

73. BENDECIR VERBO IRREGULAR

MODO INDICATIVO

PRESENTE	PRETÉRITO IMPERFECTO	PRETÉRITO INDEFINIDO (1)	FUTURO IMPERFECTO
bendigo	bendec ía	bendije	bendecir é
bendices	bendec ías	bendijiste	bendecir ás
bendice	bendec ía	bendijo	bendecir á
bendec imos	bendec íamos	bendijimos	bendecir emos
bendec ís	bendec íais	bendijisteis	bendecir éis
bendicen	bendec ían	bendijeron	bendecir án

PRETÉRITO PERFECTO		PRETÉRITO PLUSCUAMPERFECTO		PRETÉRITO ANTERIOR		FUTURO PERFECTO	
he	bendecido	había	bendecido	hube	bendecido	habré	bendecido
has	bendecido	habías	bendecido	hubiste	bendecido	habrás	bendecido
ha	bendecido	había	bendecido	hubo	bendecido	habrá	bendecido
hemos	bendecido	habíamos	bendecido	hubimos	bendecido	habremos	bendecido
habéis	bendecido	habíais	bendecido	hubisteis	bendecido	habréis	bendecido
han	bendecido	habían	bendecido	hubieron	bendecido	habrán	bendecido

CONDICIONAL SIMPLE

bendecir ía	
bendecir ías	
bendecir ía	
bendecir íamos	
bendecir íais	
bendecir ían	

CONDICIONAL COMPUESTO

habría	bendecido
habrías	bendecido
habría	bendecido
habríamos	bendecido
habríais	bendecido
habrían	bendecido

MODO SUBJUNTIVO

PRESENTE	PRETÉRITO IMPERFECTO		FUTURO IMPERFECTO (2)
bendiga	bendijera	o bendijese	bendijere
bendigas	bendijeras	o bendijeses	bendijeres
bendiga	bendijera	o bendijese	bendijere
bendigamos	bendijéramos	o bendijésemos	bendijéremos
bendigáis	bendijerais	o bendijeseis	bendijereis
bendigan	bendijeran	o bendijesen	bendijeren

PRETÉRITO PERFECTO		PRETÉRITO PLUSCUAMPERFECTO			FUTURO PERFECTO (3)	
haya	bendecido	hubiera	o hubiese	bendecido	hubiere	bendecido
hayas	bendecido	hubieras	o hubieses	bendecido	hubieres	bendecido
haya	bendecido	hubiera	o hubiese	bendecido	hubiere	bendecido
hayamos	bendecido	hubiéramos	o hubiésemos	bendecido	hubiéremos	bendecido
hayáis	bendecido	hubierais	o hubieseis	bendecido	hubiereis	bendecido
hayan	bendecido	hubieran	o hubiesen	bendecido	hubieren	bendecido

MODO IMPERATIVO

PRESENTE

bendice	tú
bendiga	él/ella/usted
bendigamos	nosotros/as
bendec id	vosotros/as
bendigan	ellos/ellas/ustedes

FORMAS NO PERSONALES

FORMAS SIMPLES

INFINITIVO	GERUNDIO	PARTICIPIO
bendecir	bendiciendo	bendec ido

FORMAS COMPUESTAS

INFINITIVO	GERUNDIO
haber bendecido	habiendo bendecido

(1) o Perfecto simple. (2), (3) muy poco usados.

Conjugar es fácil

tablas de verbos

74. DECIR VERBO IRREGULAR

MODO INDICATIVO

PRESENTE	PRETÉRITO IMPERFECTO	PRETÉRITO INDEFINIDO (1)	FUTURO IMPERFECTO
digo	dec ía	dije	diré
dices	dec ías	dijiste	dirás
dice	dec ía	dijo	dirá
dec imos	dec íamos	dijimos	diremos
dec ís	dec íais	dijisteis	diréis
dicen	dec ían	dijeron	dirán

PRETÉRITO PERFECTO		PRETÉRITO PLUSCUAMPERFECTO		PRETÉRITO ANTERIOR		FUTURO PERFECTO	
he	dicho	había	dicho	hube	dicho	habré	dicho
has	dicho	habías	dicho	hubiste	dicho	habrás	dicho
ha	dicho	había	dicho	hubo	dicho	habrá	dicho
hemos	dicho	habíamos	dicho	hubimos	dicho	habremos	dicho
habéis	dicho	habíais	dicho	hubisteis	dicho	habréis	dicho
han	dicho	habían	dicho	hubieron	dicho	habrán	dicho

CONDICIONAL SIMPLE / CONDICIONAL COMPUESTO

CONDICIONAL SIMPLE	CONDICIONAL COMPUESTO	
diría	habría	dicho
dirías	habrías	dicho
diría	habría	dicho
diríamos	habríamos	dicho
diríais	habríais	dicho
dirían	habrían	dicho

MODO SUBJUNTIVO

PRESENTE	PRETÉRITO IMPERFECTO			FUTURO IMPERFECTO (2)
diga	dijera	o	dijese	dijere
digas	dijeras	o	dijeses	dijeres
diga	dijera	o	dijese	dijere
digamos	dijéramos	o	dijésemos	dijéremos
digáis	dijerais	o	dijeseis	dijereis
digan	dijeran	o	dijesen	dijeren

PRETÉRITO PERFECTO		PRETÉRITO PLUSCUAMPERFECTO				FUTURO PERFECTO (3)	
haya	dicho	hubiera	o	hubiese	dicho	hubiere	dicho
hayas	dicho	hubieras	o	hubieses	dicho	hubieres	dicho
haya	dicho	hubiera	o	hubiese	dicho	hubiere	dicho
hayamos	dicho	hubiéramos	o	hubiésemos	dicho	hubiéremos	dicho
hayáis	dicho	hubierais	o	hubieseis	dicho	hubiereis	dicho
hayan	dicho	hubieran	o	hubiesen	dicho	hubieren	dicho

MODO IMPERATIVO

PRESENTE

di	tú
diga	él/ella/usted
digamos	nosotros/as
dec id	vosotros/as
digan	ellos/ellas/ustedes

FORMAS NO PERSONALES

FORMAS SIMPLES

INFINITIVO	GERUNDIO	PARTICIPIO
decir	diciendo	dicho

FORMAS COMPUESTAS

INFINITIVO	GERUNDIO
haber dicho	habiendo dicho

(1) o Perfecto simple. (2), (3) muy poco usados.

Conjugar es fácil

tablas de verbos

75. DELINQUIR VERBO IRREGULAR Y CON MODIFICACIÓN ORTOGRÁFICA

MODO INDICATIVO

PRESENTE	PRETÉRITO IMPERFECTO	PRETÉRITO INDEFINIDO (1)	FUTURO IMPERFECTO
delinco	delinq uía	delinq uí	delinquir é
delinq ues	delinq uías	delinq uiste	delinquir ás
delinq ue	delinq uía	delinq uió	delinquir á
delinq uimos	delinq uíamos	delinq uimos	delinquir emos
delinq uís	delinq uíais	delinq uisteis	delinquir éis
delinq uen	delinq uían	delinq uieron	delinquir án

PRETÉRITO PERFECTO		PRETÉRITO PLUSCUAMPERFECTO		PRETÉRITO ANTERIOR		FUTURO PERFECTO	
he	delinquido	había	delinquido	hube	delinquido	habré	delinquido
has	delinquido	habías	delinquido	hubiste	delinquido	habrás	delinquido
ha	delinquido	había	delinquido	hubo	delinquido	habrá	delinquido
hemos	delinquido	habíamos	delinquido	hubimos	delinquido	habremos	delinquido
habéis	delinquido	habíais	delinquido	hubisteis	delinquido	habréis	delinquido
han	delinquido	habían	delinquido	hubieron	delinquido	habrán	delinquido

CONDICIONAL SIMPLE	CONDICIONAL COMPUESTO	
delinquir ía	habría	delinquido
delinquir ías	habrías	delinquido
delinquir ía	habría	delinquido
delinquir íamos	habríamos	delinquido
delinquir íais	habríais	delinquido
delinquir ían	habrían	delinquido

MODO SUBJUNTIVO

PRESENTE	PRETÉRITO IMPERFECTO		FUTURO IMPERFECTO (2)
delinca	delinqu iera	o delinqu iese	delinqu iere
delincas	delinqu ieras	o delinqu ieses	delinqu ieres
delinca	delinqu iera	o delinqu iese	delinqu iere
delincamos	delinqu iéramos	o delinqu iésemos	delinqu iéremos
delincáis	delinqu ierais	o delinqu ieseis	delinqu iereis
delincan	delinqu ieran	o delinqu iesen	delinqu ieren

PRETÉRITO PERFECTO		PRETÉRITO PLUSCUAMPERFECTO			FUTURO PERFECTO (3)	
haya	delinquido	hubiera	o hubiese	delinquido	hubiere	delinquido
hayas	delinquido	hubieras	o hubieses	delinquido	hubieres	delinquido
haya	delinquido	hubiera	o hubiese	delinquido	hubiere	delinquido
hayamos	delinquido	hubiéramos	o hubiésemos	delinquido	hubiéremos	delinquido
hayáis	delinquido	hubierais	o hubieseis	delinquido	hubiereis	delinquido
hayan	delinquido	hubieran	o hubiesen	delinquido	hubieren	delinquido

MODO IMPERATIVO

FORMAS NO PERSONALES

PRESENTE

delinq ue	tú
delinca	él/ella/usted
delincamos	nosotros/as
delinqu id	vosotros/as
delincan	ellos/ellas/ustedes

FORMAS SIMPLES

INFINITIVO	GERUNDIO	PARTICIPIO
delinquir	delinqu iendo	delinqu ido

FORMAS COMPUESTAS

INFINITIVO	GERUNDIO
haber delinquido	habiendo delinquido

(1) o Perfecto simple. (2), (3) muy poco usados.

Conjugar es fácil

tablas de verbos

76. ERGUIR VERBO IRREGULAR

MODO INDICATIVO

PRESENTE	PRETÉRITO IMPERFECTO	PRETÉRITO INDEFINIDO (1)	FUTURO IMPERFECTO
irgo o **yergo**	**ergu** ía	**ergu** í	**erguir** é
irgues o **yergues**	**ergu** ías	**ergu** iste	**erguir** ás
irgue o **yergue**	**ergu** ía	**irguió**	**erguir** á
ergu imos	**ergu** íamos	**ergu** imos	**erguir** emos
ergu ís	**ergu** íais	**ergu** isteis	**erguir** éis
irguen o **yerguen**	**ergu** ían	**irguieron**	**erguir** án

PRETÉRITO PERFECTO	PRETÉRITO PLUSCUAMPERFECTO	PRETÉRITO ANTERIOR	FUTURO PERFECTO
he erguido	había erguido	hube erguido	habré erguido
has erguido	habías erguido	hubiste erguido	habrás erguido
ha erguido	había erguido	hubo erguido	habrá erguido
hemos erguido	habíamos erguido	hubimos erguido	habremos erguido
habéis erguido	habíais erguido	hubisteis erguido	habréis erguido
han erguido	habían erguido	hubieron erguido	habrán erguido

CONDICIONAL SIMPLE	CONDICIONAL COMPUESTO
erguir ía	habría erguido
erguir ías	habrías erguido
erguir ía	habría erguido
erguir íamos	habríamos erguido
erguir íais	habríais erguido
erguir ían	habrían erguido

MODO SUBJUNTIVO

PRESENTE	PRETÉRITO IMPERFECTO	FUTURO IMPERFECTO (2)
irga o **yerga**	**irguiera** o **irguiese**	**irguiere**
irgas o **yergas**	**irguieras** o **irguieses**	**irguieres**
irga o **yerga**	**irguiera** o **irguiese**	**irguiere**
irgamos o **yergamos**	**irguiéramos** o **irguiésemos**	**irguiéremos**
irgáis o **yergáis**	**irguierais** o **irguieseis**	**irguiereis**
irgan o **yergan**	**irguieran** o **irguiesen**	**irguieren**

PRETÉRITO PERFECTO	PRETÉRITO PLUSCUAMPERFECTO	FUTURO PERFECTO (3)
haya erguido	hubiera o hubiese erguido	hubiere erguido
hayas erguido	hubieras o hubieses erguido	hubieres erguido
haya erguido	hubiera o hubiese erguido	hubiere erguido
hayamos erguido	hubiéramos o hubiésemos erguido	hubiéremos erguido
hayáis erguido	hubierais o hubieseis erguido	hubiereis erguido
hayan erguido	hubieran o hubiesen erguido	hubieren erguido

MODO IMPERATIVO

PRESENTE

irgue o **yergue**	tú
irga o **yerga**	él/ella/usted
irgamos	nosotros/as
ergu id	vosotros/as
irgan o **yergan**	ellos/ellas/ustedes

FORMAS NO PERSONALES

FORMAS SIMPLES

INFINITIVO	GERUNDIO	PARTICIPIO
erguir	**irguiendo**	**ergu** ido

FORMAS COMPUESTAS

INFINITIVO	GERUNDIO
haber erguido	habiendo erguido

(1) o Perfecto simple. (2), (3) muy poco usados.

Conjugar es fácil

tablas de verbos

77. IR VERBO IRREGULAR

MODO INDICATIVO

PRESENTE	PRETÉRITO IMPERFECTO	PRETÉRITO INDEFINIDO (1)	FUTURO IMPERFECTO
voy	iba	fui	ir é
vas	ibas	fuiste	ir ás
va	iba	fue	ir á
vamos	íbamos	fuimos	ir emos
vais	ibais	fuisteis	ir éis
van	iban	fueron	ir án

PRETÉRITO PERFECTO	PRETÉRITO PLUSCUAMPERFECTO	PRETÉRITO ANTERIOR	FUTURO PERFECTO
he ido	había ido	hube ido	habré ido
has ido	habías ido	hubiste ido	habrás ido
ha ido	había ido	hubo ido	habrá ido
hemos ido	habíamos ido	hubimos ido	habremos ido
habéis ido	habíais ido	hubisteis ido	habréis ido
han ido	habían ido	hubieron ido	habrán ido

CONDICIONAL SIMPLE	CONDICIONAL COMPUESTO
ir ía	habría ido
ir ías	habrías ido
ir ía	habría ido
ir íamos	habríamos ido
ir íais	habríais ido
ir ían	habrían ido

MODO SUBJUNTIVO

PRESENTE	PRETÉRITO IMPERFECTO	FUTURO IMPERFECTO (2)
vaya	fuera o fuese	fuere
vayas	fueras o fueses	fueres
vaya	fuera o fuese	fuere
vayamos	fuéramos o fuésemos	fuéremos
vayáis	fuerais o fueseis	fuereis
vayan	fueran o fuesen	fueren

PRETÉRITO PERFECTO	PRETÉRITO PLUSCUAMPERFECTO	FUTURO PERFECTO (3)
haya ido	hubiera o hubiese ido	hubiere ido
hayas ido	hubieras o hubieses ido	hubieres ido
haya ido	hubiera o hubiese ido	hubiere ido
hayamos ido	hubiéramos o hubiésemos ido	hubiéremos ido
hayáis ido	hubierais o hubieseis ido	hubiereis ido
hayan ido	hubieran o hubiesen ido	hubieren ido

MODO IMPERATIVO

PRESENTE	
ve	tú
vaya	él/ella/usted
vayamos	nosotros/as
id	vosotros/as
vayan	ellos/ellas/ustedes

FORMAS NO PERSONALES

FORMAS SIMPLES

INFINITIVO	GERUNDIO	PARTICIPIO
ir	yendo	ido

FORMAS COMPUESTAS

INFINITIVO	GERUNDIO
haber ido	habiendo ido

(1) o Perfecto simple. (2), (3) muy poco usados.

Conjugar es fácil

tablas de verbos

78. OÍR VERBO IRREGULAR

MODO INDICATIVO

PRESENTE	PRETÉRITO IMPERFECTO	PRETÉRITO INDEFINIDO (1)	FUTURO IMPERFECTO
oigo	o ía	o í	oir é
oyes	o ías	o íste	oir ás
oye	o ía	oyó	oir á
o ímos	o íamos	o ímos	oir emos
o ís	o íais	o ísteis	oir éis
oyen	o ían	oyeron	oir án

PRETÉRITO PERFECTO	PRETÉRITO PLUSCUAMPERFECTO	PRETÉRITO ANTERIOR	FUTURO PERFECTO
he oído	había oído	hube oído	habré oído
has oído	habías oído	hubiste oído	habrás oído
ha oído	había oído	hubo oído	habrá oído
hemos oído	habíamos oído	hubimos oído	habremos oído
habéis oído	habíais oído	hubisteis oído	habréis oído
han oído	habían oído	hubieron oído	habrán oído

CONDICIONAL SIMPLE	CONDICIONAL COMPUESTO
oir ía	habría oído
oir ías	habrías oído
oir ía	habría oído
oir íamos	habríamos oído
oir íais	habríais oído
oir ían	habrían oído

MODO SUBJUNTIVO

PRESENTE	PRETÉRITO IMPERFECTO	FUTURO IMPERFECTO (2)
oiga	oyera o oyese	oyere
oigas	oyeras o oyeses	oyeres
oiga	oyera o oyese	oyere
oigamos	oyéramos o oyésemos	oyéremos
oigáis	oyerais o oyeseis	oyereis
oigan	oyeran o oyesen	oyeren

PRETÉRITO PERFECTO	PRETÉRITO PLUSCUAMPERFECTO	FUTURO PERFECTO (3)
haya oído	hubiera o hubiese oído	hubiere oído
hayas oído	hubieras o hubieses oído	hubieres oído
haya oído	hubiera o hubiese oído	hubiere oído
hayamos oído	hubiéramos o hubiésemos oído	hubiéremos oído
hayáis oído	hubierais o hubieseis oído	hubiereis oído
hayan oído	hubieran o hubiesen oído	hubieren oído

MODO IMPERATIVO

PRESENTE

oye	tú
oiga	él/ella/usted
oigamos	nosotros/as
o íd	vosotros/as
oigan	ellos/ellas/ustedes

FORMAS NO PERSONALES

FORMAS SIMPLES

INFINITIVO	GERUNDIO	PARTICIPIO
oír	oyendo	o ído

FORMAS COMPUESTAS

INFINITIVO	GERUNDIO
haber oído	habiendo oído

(1) o Perfecto simple. (2), (3) muy poco usados.

Conjugar es fácil

tablas de verbos

79. SALIR VERBO IRREGULAR

MODO INDICATIVO

PRESENTE	PRETÉRITO IMPERFECTO	PRETÉRITO INDEFINIDO (1)	FUTURO IMPERFECTO
salgo	sal ía	sal í	saldré
sal es	sal ías	sal iste	saldrás
sal e	sal ía	sal ió	saldrá
sal imos	sal íamos	sal imos	saldremos
sal ís	sal íais	sal isteis	saldréis
sal en	sal ían	sal ieron	saldrán

PRETÉRITO PERFECTO		PRETÉRITO PLUSCUAMPERFECTO		PRETÉRITO ANTERIOR		FUTURO PERFECTO	
he	salido	había	salido	hube	salido	habré	salido
has	salido	habías	salido	hubiste	salido	habrás	salido
ha	salido	había	salido	hubo	salido	habrá	salido
hemos	salido	habíamos	salido	hubimos	salido	habremos	salido
habéis	salido	habíais	salido	hubisteis	salido	habréis	salido
han	salido	habían	salido	hubieron	salido	habrán	salido

CONDICIONAL SIMPLE

saldría
saldrías
saldría
saldríamos
saldríais
saldrían

CONDICIONAL COMPUESTO

habría	salido
habrías	salido
habría	salido
habríamos	salido
habríais	salido
habrían	salido

MODO SUBJUNTIVO

PRESENTE	PRETÉRITO IMPERFECTO		FUTURO IMPERFECTO (2)
salga	sal iera	o sal iese	sal iere
salgas	sal ieras	o sal ieses	sal ieres
salga	sal iera	o sal iese	sal iere
salgamos	sal iéramos	o sal iésemos	sal iéremos
salgáis	sal ierais	o sal ieseis	sal iereis
salgan	sal ieran	o sal iesen	sal ieren

PRETÉRITO PERFECTO		PRETÉRITO PLUSCUAMPERFECTO			FUTURO PERFECTO (3)	
haya	salido	hubiera	o hubiese	salido	hubiere	salido
hayas	salido	hubieras	o hubieses	salido	hubieres	salido
haya	salido	hubiera	o hubiese	salido	hubiere	salido
hayamos	salido	hubiéramos	o hubiésemos	salido	hubiéremos	salido
hayáis	salido	hubierais	o hubieseis	salido	hubiereis	salido
hayan	salido	hubieran	o hubiesen	salido	hubieren	salido

MODO IMPERATIVO

PRESENTE

sal	tú
salga	él/ella/usted
salgamos	nosotros/as
sal id	vosotros/as
salgan	ellos/ellas/ustedes

FORMAS NO PERSONALES

FORMAS SIMPLES

INFINITIVO	GERUNDIO	PARTICIPIO
salir	sal iendo	sal ido

FORMAS COMPUESTAS

INFINITIVO	GERUNDIO
haber salido	habiendo salido

(1) o Perfecto simple. (2), (3) muy poco usados.

Conjugar es fácil

tablas de verbos

80. VENIR VERBO IRREGULAR

MODO INDICATIVO

PRESENTE	PRETÉRITO IMPERFECTO	PRETÉRITO INDEFINIDO (1)	FUTURO IMPERFECTO
vengo	ven ía	vine	vendré
vienes	ven ías	viniste	vendrás
viene	ven ía	vino	vendrá
ven imos	ven íamos	vinimos	vendremos
ven ís	ven íais	vinisteis	vendréis
vienen	ven ían	vinieron	vendrán

PRETÉRITO PERFECTO	PRETÉRITO PLUSCUAMPERFECTO	PRETÉRITO ANTERIOR	FUTURO PERFECTO
he venido	había venido	hube venido	habré venido
has venido	habías venido	hubiste venido	habrás venido
ha venido	había venido	hubo venido	habrá venido
hemos venido	habíamos venido	hubimos venido	habremos venido
habéis venido	habíais venido	hubisteis venido	habréis venido
han venido	habían venido	hubieron venido	habrán venido

CONDICIONAL SIMPLE	CONDICIONAL COMPUESTO
vendría	habría venido
vendrías	habrías venido
vendría	habría venido
vendríamos	habríamos venido
vendríais	habríais venido
vendrían	habrían venido

MODO SUBJUNTIVO

PRESENTE	PRETÉRITO IMPERFECTO	FUTURO IMPERFECTO (2)
venga	viniera o viniese	viniere
vengas	vinieras o vinieses	vinieres
venga	viniera o viniese	viniere
vengamos	viniéramos o viniésemos	viniéremos
vengáis	vinierais o vinieseis	viniereis
vengan	vinieran o viniesen	vinieren

PRETÉRITO PERFECTO	PRETÉRITO PLUSCUAMPERFECTO	FUTURO PERFECTO (3)
haya venido	hubiera o hubiese venido	hubiere venido
hayas venido	hubieras o hubieses venido	hubieres venido
haya venido	hubiera o hubiese venido	hubiere venido
hayamos venido	hubiéramos o hubiésemos venido	hubiéremos venido
hayáis venido	hubierais o hubieseis venido	hubiereis venido
hayan venido	hubieran o hubiesen venido	hubieren venido

MODO IMPERATIVO

PRESENTE

ven	tú
venga	él/ella/usted
vengamos	nosotros/as
ven id	vosotros/as
vengan	ellos/ellas/ustedes

FORMAS NO PERSONALES

FORMAS SIMPLES

INFINITIVO	GERUNDIO	PARTICIPIO
venir	viniendo	ven ido

FORMAS COMPUESTAS

INFINITIVO	GERUNDIO
haber venido	habiendo venido

(1) o Perfecto simple. (2), (3) muy poco usados.

Conjugar es fácil

81. MODELO DE CONJUGACIÓN EN VOZ PASIVA: AMAR VERBO REGULAR

MODO INDICATIVO

PRESENTE		PRETÉRITO IMPERFECTO		PRETÉRITO INDEFINIDO (1)		FUTURO IMPERFECTO	
soy	amado	era	amado	fui	amado	seré	amado
eres	amado	eras	amado	fuiste	amado	serás	amado
es	amado	era	amado	fue	amado	será	amado
somos	amados	éramos	amados	fuimos	amados	seremos	amados
sois	amados	erais	amados	fuisteis	amados	seréis	amados
son	amados	eran	amados	fueron	amados	serán	amados

PRETÉRITO PERFECTO		PRETÉRITO PLUSCUAMPERFECTO		PRETÉRITO ANTERIOR		FUTURO PERFECTO	
he sido	amado	había sido	amado	hube sido	amado	habré sido	amado
has sido	amado	habías sido	amado	hubiste sido	amado	habrás sido	amado
ha sido	amado	había sido	amado	hubo sido	amado	habrá sido	amado
hemos sido	amados	habíamos sido	amados	hubimos sido	amados	habremos sido	amados
habéis sido	amados	habíais sido	amados	hubisteis sido	amados	habréis sido	amados
han sido	amados	habían sido	amados	hubieron sido	amados	habrán sido	amados

CONDICIONAL SIMPLE		CONDICIONAL COMPUESTO	
sería	amado	habría sido	amado
serías	amado	habrías sido	amado
sería	amado	habría sido	amado
seríamos	amados	habríamos sido	amados
seríais	amados	habríais sido	amados
serían	amados	habrían sido	amados

MODO SUBJUNTIVO

PRESENTE		PRETÉRITO IMPERFECTO				FUTURO IMPERFECTO (2)	
sea	amado	fuera	o	fuese	amado	fuere	amado
seas	amado	fueras	o	fueses	amado	fueres	amado
sea	amado	fuera	o	fuese	amado	fuere	amado
seamos	amados	fuéramos	o	fuésemos	amados	fuéremos	amados
seáis	amados	fuerais	o	fueseis	amados	fuereis	amados
sean	amados	fueran	o	fuesen	amados	fueren	amados

PRETÉRITO PERFECTO		PRETÉRITO PLUSCUAMPERFECTO				FUTURO PERFECTO (3)	
haya sido	amado	hubiera	o	hubiese sido	amado	hubiere sido	amado
hayas sido	amado	hubieras	o	hubieses sido	amado	hubieres sido	amado
haya sido	amado	hubiera	o	hubiese sido	amado	hubiere sido	amado
hayamos sido	amados	hubiéramos	o	hubiésemos sido	amados	hubiéremos sido	amados
hayáis sido	amados	hubierais	o	hubieseis sido	amados	hubiereis sido	amados
hayan sido	amados	hubieran	o	hubiesen sido	amados	hubieren sido	amados

MODO IMPERATIVO

PRESENTE

sé amado	tú
sea amado	él/ella/usted
seamos amados	nosotros/as
sed amados	vosotros/as
sean amados	ellos/ellas/ustedes

FORMAS NO PERSONALES

FORMAS SIMPLES

INFINITIVO	GERUNDIO	PARTICIPIO
ser amado	siendo amado	sido amado

FORMAS COMPUESTAS

INFINITIVO	GERUNDIO
haber sido amado	habiendo sido amado

(1) o Perfecto simple. (2), (3) muy poco usados.

Conjugar es fácil

tablas de verbos

82. MODELO DE CONJUGACIÓN PRONOMINAL: **LAVARSE** VERBO REGULAR

MODO INDICATIVO

PRESENTE		PRETÉRITO IMPERFECTO		PRETÉRITO INDEFINIDO (1)		FUTURO IMPERFECTO	
me	lavo	me	lavaba	me	lavé	me	lavaré
te	lavas	te	lavabas	te	lavaste	te	lavarás
se	lava	se	lavaba	se	lavó	se	lavará
nos	lavamos	nos	lavábamos	nos	lavamos	nos	lavaremos
os	laváis	os	lavabais	os	lavasteis	os	lavaréis
se	lavan	se	lavaban	se	lavaron	se	lavarán

PRETÉRITO PERFECTO			PRETÉRITO PLUSCUAMPERFECTO			PRETÉRITO ANTERIOR			FUTURO PERFECTO		
me	he	lavado	me	había	lavado	me	hube	lavado	me	habré	lavado
te	has	lavado	te	habías	lavado	te	hubiste	lavado	te	habrás	lavado
se	ha	lavado	se	había	lavado	se	hubo	lavado	se	habrá	lavado
nos	hemos	lavado	nos	habíamos	lavado	nos	hubimos	lavado	nos	habremos	lavado
os	habéis	lavado	os	habíais	lavado	os	hubisteis	lavado	os	habréis	lavado
se	han	lavado	se	habían	lavado	se	hubieron	lavado	se	habrán	lavado

CONDICIONAL SIMPLE

me	lavaría
te	lavarías
se	lavaría
nos	lavaríamos
os	lavaríais
se	lavarían

CONDICIONAL COMPUESTO

me	habría	lavado
te	habrías	lavado
se	habría	lavado
nos	habríamos	lavado
os	habríais	lavado
se	habrían	lavado

MODO SUBJUNTIVO

PRESENTE		PRETÉRITO IMPERFECTO						FUTURO IMPERFECTO (2)	
me	lave	me	lavara	o	me	lavase		me	lavare
te	laves	te	lavaras	o	te	lavases		te	lavares
se	lave	se	lavara	o	se	lavase		se	lavare
nos	lavemos	nos	laváramos	o	nos	lavásemos		nos	laváremos
os	lavéis	os	lavarais	o	os	lavaseis		os	lavareis
se	laven	se	lavaran	o	se	lavasen		se	lavaren

PRETÉRITO PERFECTO			PRETÉRITO PLUSCUAMPERFECTO						FUTURO PERFECTO (3)		
me	haya	lavado	me	hubiera	o	me	hubiese	lavado	me	hubiere	lavado
te	hayas	lavado	te	hubieras	o	te	hubieses	lavado	te	hubieres	lavado
se	haya	lavado	se	hubiera	o	se	hubiese	lavado	se	hubiere	lavado
nos	hayamos	lavado	nos	hubiéramos	o	nos	hubiésemos	lavado	nos	hubiéremos	lavado
os	hayáis	lavado	os	hubierais	o	os	hubieseis	lavado	os	hubiereis	lavado
se	hayan	lavado	se	hubieran	o	se	hubiesen	lavado	se	hubieren	lavado

MODO IMPERATIVO

PRESENTE

lávate	tú
lávese	él/ella/usted
lavémonos	nosotros/as
lavaos	vosotros/as
lávense	ellos/ellas/ustedes

FORMAS NO PERSONALES

FORMAS SIMPLES

INFINITIVO	GERUNDIO	PARTICIPIO
lavarse	lavándose	

FORMAS COMPUESTAS

INFINITIVO	GERUNDIO
haberse lavado	habiéndose lavado

(1) o Perfecto simple. (2), (3) muy poco usados.

Conjugar es fácil

lista de verbos

verbo	modelo	tabla	nota	verbo	modelo	tabla	nota
				Abrevar	cantar	5	
	a			Abreviar	cantar	5	
				Abrigar	pagar	6	
				Abrillantar	cantar	5	
Abalanzarse	cruzar	8		* Abrir	vivir	51	Nota 2, pág. 169
Abanderar	cantar	5		Abrochar	cantar	5	
Abandonar	cantar	5		Abrogar	pagar	6	
Abanicar	atacar	7		Abrumar	cantar	5	
Abaratar	cantar	5		* Absolver	mover	30	Nota 3, pág. 169
Abarcar	atacar	7		Absorber	beber	24	Nota 4, pág. 169
Abarquillar	cantar	5		* Abstenerse	tener	2	
Abarrotar	cantar	5		* Abstraer	traer	47	Nota 5, pág. 169
* Abastecer	obedecer	33		Abuchear	cantar	5	
Abatir	vivir	51		Abultar	cantar	5	
Abdicar	atacar	7		Abundar	cantar	5	
Abetunar	cantar	5		Aburguesarse	cantar	5	
Abigarrar	cantar	5		Aburrir	vivir	51	
Abismar	cantar	5		Abusar	cantar	5	
Abjurar	cantar	5		Acabar	cantar	5	
Ablandar	cantar	5		* Acaecer	obedecer	33	Nota 6, pág. 169
* Abnegar	negar	14		Acallar	cantar	5	
Abobar	cantar	5		Acalorarse	cantar	5	
Abocar	atacar	7		Acampar	cantar	5	
Abocetar	cantar	5		Acanalar	cantar	5	
Abochornar	cantar	5		Acantonar	cantar	5	
Abocinar	cantar	5		Acaparar	cantar	5	
Abofetear	cantar	5		Acaramelar	cantar	5	
Abogar	pagar	6		Acariciar	cantar	5	
Abolir		71	Nota 1, pág. 169	Acarrear	cantar	5	
Abollar	cantar	5		Acartonarse	cantar	5	
Abombar	cantar	5		Acatar	cantar	5	
Abominar	cantar	5		Acatarrarse	cantar	5	
Abonar	cantar	5		Acaudalar	cantar	5	
Abordar	cantar	5		Acaudillar	cantar	5	
* Aborrecer	obedecer	33		Acceder	beber	24	
Aborregarse	pagar	6		Accidentarse	cantar	5	
Abortar	cantar	5		Accionar	cantar	5	
Abotargarse	pagar	6		Acechar	cantar	5	
Abotonar	cantar	5		Acecinar	cantar	5	
Abovedar	cantar	5		Aceitar	cantar	5	
Abrasar	cantar	5		Acelerar	cantar	5	
Abrazar	cruzar	8		Acendrar	cantar	5	

verbo	modelo	tabla	nota	verbo	modelo	tabla	nota
Acentuar	actuar	10		* Acordar	contar	16	
Aceptar	cantar	5		Acordonar	cantar	5	
Acerar	cantar	5		Acorralar	cantar	5	
Acercar	atacar	7		Acortar	cantar	5	
* Acertar	pensar	13		Acosar	cantar	5	
Achabacanarse	cantar	5		* Acostar	contar	16	
Achacar	atacar	7		Acostumbrar	cantar	5	
Achantar	cantar	5		Acotar	cantar	5	
Achaparrarse	cantar	5		* Acrecentar	pensar	13	
Acharolar	cantar	5		Acreditar	cantar	5	
Achatar	cantar	5		Acribillar	cantar	5	
Achicar	atacar	7		Acrisolar	cantar	5	
Achicharrar	cantar	5		Acristalar	cantar	5	
Achinar	cantar	5		Activar	cantar	5	
Achispar	cantar	5		Actualizar	cruzar	8	
Achuchar	cantar	5		Actuar		10	
Achularse	cantar	5		Acuartelar	cantar	5	
Acicalarse	cantar	5		Acuchillar	cantar	5	
Acidificar	atacar	7		Acuciar	cantar	5	
Acidular	cantar	5		Acuclillarse	cantar	5	
Aclamar	cantar	5		Acudir	vivir	51	
Aclarar	cantar	5		Acumular	cantar	5	
Aclimatar	cantar	5		Acunar	cantar	5	
Acobardar	cantar	5		Acuñar	cantar	5	
Acodar	cantar	5		Acurrucarse	atacar	7	
Acoger	coger	25		Acusar	cantar	5	
Acogotar	cantar	5		Adaptar	cantar	5	
Acojonar	cantar	5		Adecentar	cantar	5	
Acolchar	cantar	5		Adecuar	cantar	5	Nota 7, pág. 169
Acometer	beber	24		Adelantar	cantar	5	
Acomodar	cantar	5		Adelgazar	cruzar	8	
Acompañar	cantar	5		Adentrarse	cantar	5	
Acompasar	cantar	5		Aderezar	cruzar	8	
Acomplejar	cantar	5		Adeudar	cantar	5	
Acondicionar	cantar	5		* Adherir	sentir	65	
Acongojar	cantar	5		Adicionar	cantar	5	
Aconsejar	cantar	5		Adiestrar	cantar	5	
* Acontecer	obedecer	33	Nota 6, pág. 169	Adinerarse	cantar	5	
Acoplar	cantar	5		Adivinar	cantar	5	
Acoquinar	cantar	5		Adjetivar	cantar	5	
Acorazar	cruzar	8		Adjudicar	atacar	7	
Acorcharse	cantar	5		Adjuntar	cantar	5	

Conjugar es fácil

verbo	modelo	tabla	nota	verbo	modelo	tabla	nota
Adjurar	cantar	5		* Afluir	concluir	59	
Administrar	cantar	5		Afofarse	cantar	5	
Admirar	cantar	5		Afrancesarse	cantar	5	
Admitir	vivir	51	.	Afrentar	cantar	5	
Adobar	cantar	5		Africanizar	cruzar	8	
Adocenar	cantar	5		Afrontar	cantar	5	
Adoctrinar	cantar	5		Agachar	cantar	5	
* Adolecer	obedecer	33		Agarrar	cantar	5	
Adoptar	cantar	5		Agarrotar	cantar	5	
Adoquinar	cantar	5		Agasajar	cantar	5	
Adorar	cantar	5		Agavillar	cantar	5	
* Adormecer	obedecer	33		Agazaparse	cantar	5	
Adormilarse	cantar	5		Agenciar	cantar	5	
Adornar	cantar	5		Agigantar	cantar	5	
Adosar	cantar	5		Agilizar	cruzar	8	
* Adquirir		67		Agitanar	cantar	5	
* Adscribir	vivir	51	Nota 8, pág. 169	Agitar	cantar	5	
* Aducir	traducir	69		Aglomerar	cantar	5	
Adueñarse	cantar	5		Aglutinar	cantar	5	
Adular	cantar	5		Agobiar	cantar	5	
Adulterar	cantar	5		Agolparse	cantar	5	
Adverbializar	cruzar	8		Agonizar	cruzar	8	
* Advertir	sentir	65		Agostarse	cantar	5	
Aerotransportar	cantar	5		Agotar	cantar	5	
Afanarse	cantar	5		Agraciar	cantar	5	
Afear	cantar	5		Agradar	cantar	5	
Afectar	cantar	5		* Agradecer	obedecer	33	
Afeitar	cantar	5		Agrandar	cantar	5	
Afelpar	cantar	5		Agravar	cantar	5	
Afeminar	cantar	5		Agraviar	cantar	5	
Aferrar	cantar	5		Agredir	abolir	71	Nota 9, pág. 169
Afianzar	cruzar	8		Agregar	pagar	6	
Aficionar	cantar	5		Agremiar	cantar	5	
Afilar	cantar	5		Agriar	desviar	9	Nota 10, pág. 169
Afiliar	cantar	5		Agrietar	cantar	5	
Afinar	cantar	5		Agrisar	cantar	5	
Afincar	atacar	7		Agrupar	cantar	5	
Afirmar	cantar	5		Aguantar	cantar	5	
Aflautar	cantar	5		Aguar	averiguar	11	
Afligir	dirigir	52		Aguardar	cantar	5	
Aflojar	cantar	5		Agudizar	cruzar	8	
Aflorar	cantar	5		Aguijonear	cantar	5	

Conjugar es fácil

verbo	modelo	tabla	nota	verbo	modelo	tabla	nota
Agujerear	cantar	5		Alegrar	cantar	5	
Agusanarse	cantar	5		Alejar	cantar	5	
Aguzar	cruzar	8		Alelar	cantar	5	
Aherrojar	cantar	5		* Alentar	pensar	13	
Ahogar	pagar	6		Alertar	cantar	5	
Ahondar	cantar	5		Aletargar	pagar	6	
Ahorcar	atacar	7		Aletear	cantar	5	
Ahormar	cantar	5		Alfabetizar	cruzar	8	
Ahorrar	cantar	5		Alfombrar	cantar	5	
Ahuecar	atacar	7		Algodonar	cantar	5	
Ahuevar	cantar	5		Alhajar	cantar	5	
Ahumar	maullar	12		Aliarse	desviar	9	
Ahuyentar	cantar	5		Alicatar	cantar	5	
Aindiarse	cantar	5		Alicortar	cantar	5	
Airear	cantar	5		Alienar	cantar	5	
Aislar	cantar	5	Nota 11, pág. 169	Aligerar	cantar	5	
Ajamonarse	cantar	5		Alimentar	cantar	5	
Ajar	cantar	5		Alinear	cantar	5	
Ajardinar	cantar	5		Aliñar	cantar	5	
Ajetrear	cantar	5		Alisar	cantar	5	
Ajuntar	cantar	5		Alistar	cantar	5	
Ajustar	cantar	5		Aliviar	cantar	5	
Ajusticiar	cantar	5		Allanar	cantar	5	
Alabar	cantar	5		Allegar	pagar	6	
Alabear	cantar	5		Almacenar	cantar	5	
Alambicar	atacar	7		Almendrar	cantar	5	
Alambrar	cantar	5		Almibarar	cantar	5	
Alardear	cantar	5		Almidonar	cantar	5	
Alargar	pagar	6		Almohadillar	cantar	5	
Alarmar	cantar	5		Almohazar	cruzar	8	
Albardar	cantar	5		* Almorzar	forzar	19	
Albergar	pagar	6		Alocarse	atacar	7	
Alborear	cantar	5	Nota 12, pág. 169	Alojar	cantar	5	
Alborotar	cantar	5		Alquilar	cantar	5	
Alborozar	cruzar	8		Alterar	cantar	5	
Alcahuetear	cantar	5		Alternar	cantar	5	
Alcalinizar	cruzar	8		Alucinar	cantar	5	
Alcantarillar	cantar	5		Aludir	vivir	51	
Alcanzar	cruzar	8		Alumbrar	cantar	5	
Alcoholizar	cruzar	8		Alunizar	cruzar	8	
Aleccionar	cantar	5		Alzar	cruzar	8	
Alegar	pagar	6		Amadrinar	cantar	5	

V

verbo	modelo	tabla	nota	verbo	modelo	tabla	nota
Amaestrar	cantar	5		Amostazar	cruzar	8	
Amagar	pagar	6		Amotinar	cantar	5	
Amainar	cantar	5		Amparar	cantar	5	
Amalgamar	cantar	5		Ampliar	desviar	9	
Amamantar	cantar	5		Amplificar	atacar	7	
Amancebarse	cantar	5		Amputar	cantar	5	
* Amanecer	obedecer	33	Nota 12, pág. 169	Amueblar	cantar	5	
Amanerarse	cantar	5		Amuermar	cantar	5	
Amansar	cantar	5		Amurallar	cantar	5	
Amañar	cantar	5		Analizar	cruzar	8	
Amar	cantar	5		Anarquizar	cruzar	8	
Amarar	cantar	5		Anatematizar	cruzar	8	
Amargar	pagar	6		Anatomizar	cruzar	8	
Amarillear	cantar	5		Anclar	cantar	5	
Amarrar	cantar	5		* Andar		22	
Amartelar	cantar	5		Anegar	pagar	6	
Amartillar	cantar	5		Anestesiar	cantar	5	
Amasar	cantar	5		Anexionar	cantar	5	
Ambicionar	cantar	5		Angostar	cantar	5	
Ambientar	cantar	5		Angustiar	cantar	5	
Amedrentar	cantar	5		Anhelar	cantar	5	
Amenazar	cruzar	8		Anidar	cantar	5	
Amenizar	cruzar	8		Anillar	cantar	5	
Americanizar	cruzar	8		Animalizar	cruzar	8	
Amerizar	cruzar	8		Animar	cantar	5	
Ametrallar	cantar	5		Aniñarse	cantar	5	
Amigar	pagar	6		Aniquilar	cantar	5	
Amilanar	cantar	5		Anisar	cantar	5	
Aminorar	cantar	5		* Anochecer	obedecer	33	Nota 12, pág. 169
Amnistiar	desviar	9		Anonadar	cantar	5	
Amodorrarse	cantar	5		Anotar	cantar	5	
Amojamar	cantar	5		Anquilosar	cantar	5	
Amoldar	cantar	5		Ansiar	desviar	9	
Amonarse	cantar	5		Anteceder	beber	24	
Amonestar	cantar	5		* Anteponer	poner	41	
Amontonar	cantar	5		Anticipar	cantar	5	
Amoratarse	cantar	5		Antojarse	cantar	5	
Amordazar	cruzar	8		Anudar	cantar	5	
Amorriñarse	cantar	5		Anular	cantar	5	
Amortajar	cantar	5		Anunciar	cantar	5	
Amortiguar	averiguar	11		Añadir	vivir	51	
Amortizar	cruzar	8		Añorar	cantar	5	

Conjugar es fácil

verbo	modelo	tabla	nota	verbo	modelo	tabla	nota
Apabullar	cantar	5		Apocar	atacar	7	
* Apacentar	pensar	13		Apocopar	cantar	5	
Apaciguar	averiguar	11		Apodar	cantar	5	
Apadrinar	cantar	5		Apoderar	cantar	5	
Apagar	pagar	6		Apolillarse	cantar	5	
Apalabrar	cantar	5		Apologizar	cruzar	8	
Apalancar	atacar	7		Apoltronarse	cantar	5	
Apalear	cantar	5		Apoquinar	cantar	5	
Apañar	cantar	5		Aporrear	cantar	5	
Aparcar	atacar	7		Aportar	cantar	5	
Aparear	cantar	5		Aposentar	cantar	5	
* Aparecer	obedecer	33		* Apostar	contar	16	Nota 13, pág. 169
Aparejar	cantar	5		Apostatar	cantar	5	
Aparentar	cantar	5		Apostillar	cantar	5	
Apartar	cantar	5		Apostrofar	cantar	5	
Apasionar	cantar	5		Apoyar	cantar	5	
Apear	cantar	5		Apreciar	cantar	5	
Apechar	cantar	5		Aprehender	beber	24	
Apechugar	pagar	6		Apremiar	cantar	5	
Apedrear	cantar	5		Aprender	beber	24	
Apegarse	pagar	6		Apresar	cantar	5	
Apelar	cantar	5		Aprestarse	cantar	5	
Apellidar	cantar	5		Apresurar	cantar	5	
Apelmazar	cruzar	8		* Apretar	pensar	13	
Apelotonar	cantar	5		Apretujar	cantar	5	
Apenar	cantar	5		Aprisionar	cantar	5	
Apercibir	vivir	51		* Aprobar	contar	16	
Apergaminarse	cantar	5		Apropiar	cantar	5	
Apesadumbrar	cantar	5		Aprovechar	cantar	5	
Apestar	cantar	5		Aprovisionar	cantar	5	
* Apetecer	obedecer	33		Aproximar	cantar	5	
Apiadar	cantar	5		Apuntalar	cantar	5	
Apilar	cantar	5		Apuntar	cantar	5	
Apiñar	cantar	5		Apuntillar	cantar	5	
Apisonar	cantar	5		Apuñalar	cantar	5	
Aplacar	atacar	7		Apurar	cantar	5	
Aplanar	cantar	5		Aquejar	cantar	5	
Aplastar	cantar	5		Aquietar	cantar	5	
Aplatanar	cantar	5		Aquilatar	cantar	5	
Aplaudir	vivir	51		Arañar	cantar	5	
Aplazar	cruzar	8		Arar	cantar	5	
Aplicar	atacar	7		Arbitrar	cantar	5	

Conjugar es fácil

verbo	modelo	tabla	nota	verbo	modelo	tabla	nota
Arbolar	*cantar*	5		Arrostrar	*cantar*	5	
Archivar	*cantar*	5		Arrugar	*pagar*	6	
Arder	*beber*	24		Arruinar	*cantar*	5	
* Argüir	*concluir*	59	Nota 14, pág. 169	Arrullar	*cantar*	5	
Argumentar	*cantar*	5		Arrumbar	*cantar*	5	
Armar	*cantar*	5		Articular	*cantar*	5	
Armonizar	*cruzar*	8		Asaetear	*cantar*	5	
Aromatizar	*cruzar*	8		Asalariar	*cantar*	5	
Arponear	*cantar*	5		Asaltar	*cantar*	5	
Arquear	*cantar*	5		Asar	*cantar*	5	
Arracimarse	*cantar*	5		* Ascender	*perder*	29	
Arraigar	*pagar*	6		Asear	*cantar*	5	
Arramblar	*cantar*	5		Asediar	*cantar*	5	
Arramplar	*cantar*	5		Asegurar	*cantar*	5	
Arrancar	*atacar*	7		Asemejarse	*cantar*	5	
Arrasar	*cantar*	5		* Asentar	*pensar*	13	
Arrastrar	*cantar*	5		* Asentir	*sentir*	65	
Arrear	*cantar*	5		* Aserrar	*pensar*	13	
Arrebatar	*cantar*	5		Asesinar	*cantar*	5	
Arrebolarse	*cantar*	5		Asesorar	*cantar*	5	
Arrebujar	*cantar*	5		Asestar	*pensar*	13	
Arreciar	*cantar*	5		Aseverar	*cantar*	5	
Arredrar	*cantar*	5		Asfaltar	*cantar*	5	
Arreglar	*cantar*	5		Asfixiar	*cantar*	5	
Arrellanarse	*cantar*	5		Asignar	*cantar*	5	
Arremangar	*pagar*	6		Asilar	*cantar*	5	
Arremeter	*beber*	24		Asimilar	*cantar*	5	
Arremolinarse	*cantar*	5		* Asir		72	
* Arrendar	*pensar*	13		Asistir	*vivir*	51	
* Arrepentirse	*sentir*	65		Asociar	*cantar*	5	
Arrestar	*cantar*	5		Asolar	*cantar*	5	Nota 15, pág. 169
Arriar	*desviar*	9		Asomar	*cantar*	5	
Arribar	*cantar*	5		Asombrar	*cantar*	5	
Arriesgar	*pagar*	6		Aspar	*cantar*	5	
Arrimar	*cantar*	5		Asperjar	*cantar*	5	
Arrinconar	*cantar*	5		Aspirar	*cantar*	5	
Arrobar	*cantar*	5		Asquear	*cantar*	5	
Arrodillar	*cantar*	5		Astillar	*cantar*	5	
Arrogarse	*pagar*	6		Asumir	*vivir*	51	
Arrojar	*cantar*	5		Asustar	*cantar*	5	
Arrollar	*cantar*	5		*Atacar*		7	
Arropar	*cantar*	5		Atajar	*cantar*	5	

verbo	modelo	tabla	nota	verbo	modelo	tabla	nota
Atañer	tañer	27	Nota 6, pág. 169	Atreverse	beber	24	
Atar	cantar	5		* Atribuir	concluir	59	
* Atardecer	obedecer	33	Nota 12, pág. 169	Atribular	cantar	5	
Atarugar	pagar	6		Atrincherar	cantar	5	
Atascar	atacar	7		Atrofiar	cantar	5	
Ataviar	desviar	9		* Atronar	contar	16	Nota 12, pág. 169
Atemorizar	cruzar	8		Atropellar	cantar	5	
Atemperar	cantar	5		Atufar	cantar	5	
Atenazar	cruzar	8		Aturdir	vivir	51	
* Atender	perder	29	Nota 16, pág. 169	Aturullar	cantar	5	
* Atenerse	tener	2		Atusar	cantar	5	
Atentar	cantar	5		Auditar	cantar	5	
Atenuar	actuar	10		Augurar	cantar	5	
Aterrar	cantar	5		Aullar	maullar	12	
Aterrizar	cruzar	8		Aumentar	cantar	5	
Aterrorizar	cruzar	8		Aunar	maullar	12	
Atesorar	cantar	5		Aupar	maullar	12	
Atestar	cantar	5		Aureolar	cantar	5	
Atestiguar	averiguar	11		Auscultar	cantar	5	
Atiborrar	cantar	5		Ausentar	cantar	5	
Atildar	cantar	5		Auspiciar	cantar	5	
Atinar	cantar	5		Autenticar	atacar	7	
Atiplar	cantar	5		Autentificar	atacar	7	
Atirantar	cantar	5		Autoasignarse	cantar	5	
Atisbar	cantar	5		Autocalificarse	atacar	7	
Atizar	cruzar	8		Autocensurarse	cantar	5	
Atocinar	cantar	5		* Autocorregir	corregir	61	
Atolondrar	cantar	5		* Autodestruirse	concluir	59	
Atomizar	cruzar	8		Automatizar	cruzar	8	
Atontar	cantar	5		Autopresentarse	cantar	5	
Atontolinar	cantar	5		Autorizar	cruzar	8	
Atorarse	cantar	5		Autorregularse	cantar	5	
Atormentar	cantar	5		Autosugestionarse	cantar	5	
Atornillar	cantar	5		Auxiliar	cantar	5	
Atosigar	pagar	6		Avalar	cantar	5	
Atracar	atacar	7		Avanzar	cruzar	8	
* Atraer	traer	47		Avasallar	cantar	5	
Atragantar	cantar	5		Avecinarse	cantar	5	
Atrancar	atacar	7		Avecindar	cantar	5	
Atrapar	cantar	5		Avejentar	cantar	5	
Atrasar	cantar	5		* Avenir	venir	80	
* Atravesar	pensar	13		Aventajar	cantar	5	

V

Conjugar es fácil

verbo	modelo	tabla	nota	verbo	modelo	tabla	nota
* Aventar	*pensar*	13		Bandear	*cantar*	5	
Aventurar	*cantar*	5		Banderillear	*cantar*	5	
* *Avergonzar*		20		Bañar	*cantar*	5	
Averiar	*desviar*	9		Baquetear	*cantar*	5	
Averiguar		11		Barajar	*cantar*	5	
Avezar	*cruzar*	8		Barnizar	*cruzar*	8	
Aviar	*desviar*	9		Barrar	*cantar*	5	
Aviejar	*cantar*	5		Barrenar	*cantar*	5	
Avinagrar	*cantar*	5		Barrer	*beber*	24	
Avisar	*cantar*	5		Barritar	*cantar*	5	
Avisparse	*cantar*	5		Barruntar	*cantar*	5	
Avistar	*cantar*	5		Basar	*cantar*	5	
Avituallar	*cantar*	5		Bascular	*cantar*	5	
Avivar	*cantar*	5		Bastar	*cantar*	5	
Avizorar	*cantar*	5		Batallar	*cantar*	5	
Ayudar	*cantar*	5		Batear	*cantar*	5	
Ayunar	*cantar*	5		Batir	*vivir*	51	
Azarar	*cantar*	5		Bautizar	*cruzar*	8	
Azogar	*pagar*	6		Beatificar	*atacar*	7	
Azorar	*cantar*	5		Becar	*atacar*	7	
Azotar	*cantar*	5		*Beber*		24	
Azucarar	*cantar*	5		Becar	*atacar*	7	
Azufrar	*cantar*	5		* Bendecir		73	Nota 18, pág. 169
Azulear	*cantar*	5		Beneficiar	*cantar*	5	
Azuzar	*cruzar*	8		Berrear	*cantar*	5	
				Besar	*cantar*	5	
				Bestializarse	*cruzar*	8	

b

verbo	modelo	tabla	nota	verbo	modelo	tabla	nota
				Besuquear	*cantar*	5	
				Bifurcarse	*atacar*	7	
				Biografiar	*desviar*	9	
				Birlar	*cantar*	5	
Babear	*cantar*	5		Bisar	*cantar*	5	
Babosear	*cantar*	5		Bisbisear	*cantar*	5	
Bailar	*cantar*	5		Biselar	*cantar*	5	
Bailotear	*cantar*	5		Bizquear	*cantar*	5	
Bajar	*cantar*	5		Blandir	*abolir*	71	
Balancear	*cantar*	5		Blanquear	*cantar*	5	
Balar	*cantar*	5		Blasfemar	*cantar*	5	
Balbucear	*cantar*	5		Blasonar	*cantar*	5	
Balbucir	*abolir*	71	Nota 17, pág. 169	Blindar	*cantar*	5	
Baldar	*cantar*	5		Bloquear	*cantar*	5	
Baldear	*cantar*	5		Bobear	*cantar*	5	
Bambolear	*cantar*	5		Bogar	*pagar*	6	

Conjugar es fácil

verbo	modelo	tabla	nota	verbo	modelo	tabla	nota
Boicotear	cantar	5		* Caber		35	
Bombardear	cantar	5		Cablear	cantar	5	
Bombear	cantar	5		Cablegrafiar	desviar	9	
Bonificar	atacar	7		Cabrear	cantar	5	
Bordar	cantar	5		Cabrillear	cantar	5	
Bordear	cantar	5		Cacarear	cantar	5	
Borrar	cantar	5		Cachear	cantar	5	
Bosquejar	cantar	5		Cachondearse	cantar	5	
Bostezar	cruzar	8		Caducar	atacar	7	
Botar	cantar	5		* Caer		36	
Boxear	cantar	5		Cagar	pagar	6	
Bracear	cantar	5		Calafetear	cantar	5	
Bramar	cantar	5	·	Calar	cantar	5	
Brasear	cantar	5		Calcar	atacar	7	
Brear	cantar	5		Calcetar	cantar	5	
Bregar	pagar	6		Calcificar	atacar	7	
Bribonear	cantar	5		Calcinar	cantar	5	
Bricolar	cantar	5		Calcografiar	desviar	9	
Brillar	cantar	5		Calcular	cantar	5	
Brincar	atacar	7		Caldear	cantar	5	
Brindar	cantar	5		* Calentar	pensar	13	
Bromear	cantar	5		Calibrar	cantar	5	
Broncear	cantar	5		Calificar	atacar	7	
Brotar	cantar	5		Caligrafiar	desviar	9	
Brujulear	cantar	5		Calmar	cantar	5	
Bruñir		58		Calumniar	cantar	5	
Brutalizarse	cruzar	8		Calzar	cruzar	8	
Bucear	cantar	5		Callar	cantar	5	
Bufar	cantar	5		Callejear	cantar	5	
Bullir	mullir	57		Cambiar	cantar	5	
Burbujear	cantar	5		Camelar	cantar	5	
Burilar	cantar	5		Caminar	cantar	5	
Burlar	cantar	5		Campar	cantar	5	
Buscar	atacar	7		Campear	cantar	5	
Buzonear	cantar	5		Camuflar	cantar	5	
				Canalizar	cruzar	8	
				Cancelar	cantar	5	

C

				Canjear	cantar	5	
				Canonizar	cruzar	8	
				Cansar	cantar	5	
Cabalgar	pagar	6		Cantar		5	
Cabecear	cantar	5		Canturrear	cantar	5	

Conjugar es fácil

verbo	modelo	tabla	nota	verbo	modelo	tabla	nota
Cañonear	cantar	5		Cauterizar	cruzar	8	
Capacitar	cantar	5		Cautivar	cantar	5	
Capar	cantar	5		Cavar	cantar	5	
Capear	cantar	5		Cavilar	cantar	5	
Capitalizar	cruzar	8		Cazar	cruzar	8	
Capitanear	cantar	5		Cebar	cantar	5	
Capitular	cantar	5		Cecear	cantar	5	
Capotar	cantar	5		Ceder	beber	24	
Capotear	cantar	5		* Cegar	negar	14	
Captar	cantar	5		Cejar	cantar	5	
Capturar	cantar	5		Celar	cantar	5	
Caracolear	cantar	5		Celebrar	cantar	5	
Caracterizar	cruzar	8		Cenar	cantar	5	
Caramelizar	cruzar	8		Censar	cantar	5	
Carbonatar	cantar	5		Censurar	cantar	5	
Carbonizar	cruzar	8		Centellear	cantar	5	Nota 12, pág. 169
Carburar	cantar	5		Centralizar	cruzar	8	
Carcajear	cantar	5		Centrar	cantar	5	
Carcomer	beber	24		Centrifugar	pagar	6	
Cardar	cantar	5		Centuplicar	atacar	7	
Carear	cantar	5		* Ceñir	teñir	64	
* Carecer	obedecer	33		Cepillar	cantar	5	
Cargar	pagar	6		Cercar	atacar	7	
Cariarse	cantar	5		Cercenar	cantar	5	
Caricaturizar	cruzar	8		Cerciorar	cantar	5	
Carraspear	cantar	5		* Cernir	discernir	65	Nota 6, pág. 169
Cartearse	cantar	5		* Cerrar	pensar	13	
Cartografiar	desviar	9		Certificar	atacar	7	
Casarse	cantar	5		Cesar	cantar	5	
Cascabelear	cantar	5		Chafar	cantar	5	
Cascar	atacar	7		Chalar	cantar	5	
Castañetear	cantar	5		Chamullar	cantar	5	
Castellanizar	cruzar	8		Chamuscar	atacar	7	
Castigar	pagar	6		Chancear	cantar	5	
Castrar	cantar	5		Chancletear	cantar	5	
Catalizar	cruzar	8		Chantajear	cantar	5	
Catalogar	pagar	6		Chapar	cantar	5	
Catapultar	cantar	5		Chapotear	cantar	5	
Catar	cantar	5		Chapucear	cantar	5	
Catear	cantar	5		Chapurrear	cantar	5	
Catequizar	cruzar	8		Chapuzar	cruzar	8	
Causar	cantar	5		Chaquetear	cantar	5	

V

Conjugar es fácil

verbo	modelo	tabla	nota	verbo	modelo	tabla	nota
Charlar	cantar	5		Circunvalar	cantar	5	
Charlatanear	cantar	5		Ciscar	atacar	7	
Charlotear	cantar	5		Citar	cantar	5	
Charolar	cantar	5		Civilizar	cruzar	8	
Chascar	atacar	7		Cizañar	cantar	5	
Chasquear	cantar	5		Clamar	cantar	5	
Chatear	cantar	5		Clamorear	cantar	5	
Chequear	cantar	5		Clarear	cantar	5	Nota 12, pág. 169
Chicolear	cantar	5		Clarificar	atacar	7	
Chiflar	cantar	5		Clasificar	atacar	7	
Chillar	cantar	5		Claudicar	atacar	7	
Chinchar	cantar	5		Clausurar	cantar	5	
Chinchorrear	cantar	5		Clavar	cantar	5	
Chingar	pagar	6		Clavetear	cantar	5	
Chirigotear	cantar	5		Climatizar	cruzar	8	
Chirriar	desviar	9		Clonar	cantar	5	
Chismear	cantar	5		Cloquear	cantar	5	
Chismorrear	cantar	5		Cloroformizar	cruzar	8	
Chispear	cantar	5	Nota 12, pág. 169	Coaccionar	cantar	5	
Chisporrotear	cantar	5		Coadyuvar	cantar	5	
Chistar	cantar	5		Coagular	cantar	5	
Chivarse	cantar	5		Coaligarse	pagar	6	
Chocar	atacar	7		Coartar	cantar	5	
Chochear	cantar	5		Cobijar	cantar	5	
Choricear	cantar	5		Cobrar	cantar	5	
Chorrear	cantar	5		Cocear	cantar	5	
Chotearse	cantar	5		* Cocer		34	
Chulear	cantar	5		Cocinar	cantar	5	
Chupar	cantar	5		Codear	cantar	5	
Chupetear	cantar	5		Codiciar	cantar	5	
Churruscar	atacar	7		Codificar	atacar	7	
Chutar	cantar	5		Coexistir	vivir	51	
Cicatear	cantar	5		Coger		25	
Cicatrizar	cruzar	8		Cohabitar	cantar	5	
Cifrar	cantar	5		Coheredar	cantar	5	
Cimbrear	cantar	5		Cohibir	prohibir	55	
Cimentar	cantar	5		Coincidir	vivir	51	
Cincelar	cantar	5		Cojear	cantar	5	
Cinematografiar	desviar	9		Colaborar	cantar	5	
Circuncidar	cantar	5	Nota 19, pág. 169	Colacionar	cantar	5	
Circunnavegar	pagar	6		Colapsar	cantar	5	
* Circunscribir	vivir	51	Nota 20, pág. 169	* Colar	contar	16	

121
---

verbo	modelo	tabla	nota	verbo	modelo	tabla	nota
Colear	cantar	5		Complementar	cantar	5	
Coleccionar	cantar	5		Completar	cantar	5	
Colectar	cantar	5		Complicar	atacar	7	
Colectivizar	cruzar	8		* Componer	poner	41	
Colegiarse	cantar	5		Comportar	cantar	5	
* Colegir	corregir	61		Comprar	cantar	5	
* Colgar	rogar	18		Comprender	beber	24	
Colindar	cantar	5		Comprimir	vivir	51	
Colisionar	cantar	5		* Comprobar	contar	16	
Colmar	cantar	5		Comprometer	beber	24	
Colocar	atacar	7		Compulsar	cantar	5	
Colonizar	cruzar	8		Computar	cantar	5	
Colorear	cantar	5		Computarizar	cruzar	8	
Columbrar	cantar	5		Comulgar	pagar	6	
Columpiar	cantar	5		Comunicar	atacar	7	
Comadrear	cantar	5		Concatenar	cantar	5	
Comandar	cantar	5		* Concebir	pedir	60	
Combar	cantar	5		Conceder	beber	24	
Combatir	vivir	51		Concelebrar	cantar	5	
Combinar	cantar	5		Concentrar	cantar	5	
Comentar	cantar	5		Conceptuar	actuar	10	
* Comenzar	empezar	15		* Concernir	discernir	66	Nota 6, pág. 169
Comer	beber	24		* Concertar	pensar	13	
Comercializar	cruzar	8		Conchabar	cantar	5	
Comerciar	cantar	5		Concienciar	cantar	5	
Cometer	beber	24		Conciliar	cantar	5	
Comisionar	cantar	5		Concitar	cantar	5	
* Compadecer	obedecer	33		* Concluir		59	
Compaginar	cantar	5		* Concordar	contar	16	
Comparar	cantar	5		Concretar	cantar	5	
* Comparecer	obedecer	33		Concretizar	cruzar	8	
Compartimentar	cantar	5		Conculcar	atacar	7	
Compartir	vivir	51		Concurrir	vivir	51	
Compatibilizar	cruzar	8		Concursar	cantar	5	
Compeler	beber	24		Condecorar	cantar	5	
Compendiar	cantar	5		Condenar	cantar	5	
Compenetrarse	cantar	5		Condensar	cantar	5	
Compensar	cantar	5		* Condescender	perder	29	
Competer	beber	24	Nota 6, pág. 169	Condicionar	cantar	5	
* Competir	pedir	60		Condimentar	cantar	5	
Compilar	cantar	5		* Condolerse	mover	30	
* Complacer	placer	39		Condonar	cantar	5	

verbo	modelo	tabla	nota	verbo	modelo	tabla	nota
* Conducir	traducir	69		Conquistar	cantar	5	
Conectar	cantar	5		Consagrar	cantar	5	
Conexionarse	cantar	5		* Conseguir	seguir	62	
Confabular	cantar	5		Consensuar	actuar	10	
Confeccionar	cantar	5		* Consentir	sentir	65	
Confederar	cantar	5		Conservar	cantar	5	
Conferenciar	cantar	5		Considerar	cantar	5	
* Conferir	sentir	65		Consignar	cantar	5	
* Confesar	pensar	13		Consistir	vivir	51	
Confiar	desviar	9		* Consolar	contar	16	
Configurar	cantar	5		Consolidar	cantar	5	
Confinar	cantar	5		Consonantizar	cruzar	8	
Confirmar	cantar	5		Conspirar	cantar	5	
Confiscar	atacar	7		Constar	cantar	5	
Confitar	cantar	5		Constatar	cantar	5	
Conflagrar	cantar	5		Consternar	cantar	5	
* Confluir	concluir	59		Constipar	cantar	5	
Conformar	cantar	5		Constitucionalizar	cruzar	8	
Confortar	cantar	5		* Constituir	concluir	59	
Confraternizar	cruzar	8		* Constreñir	teñir	64	
Confrontar	cantar	5		* Construir	concluir	59	
Confundir	vivir	51	Nota 21, pág. 169	Consultar	cantar	5	
Congelar	cantar	5		Consumar	cantar	5	
Congeniar	cantar	5		Consumir	vivir	51	
Congestionar	cantar	5		Contabilizar	cruzar	8	
Conglomerar	cantar	5		Contactar	cantar	5	
Congraciar	cantar	5		Contagiar	cantar	5	
Congratular	cantar	5		Contaminar	cantar	5	
Congregar	pagar	6		* Contar		16	
Conjeturar	cantar	5		Contemplar	cantar	5	
Conjugar	pagar	6		Contemporizar	cruzar	8	
Conjuntar	cantar	5		* Contender	perder	29	
Conjurar	cantar	5		* Contener	tener	2	
Conllevar	cantar	5		Contentar	cantar	5	
Conmemorar	cantar	5		Contestar	cantar	5	
Conmensurar	cantar	5		Contextualizar	cruzar	8	
Conminar	cantar	5		Continuar	actuar	10	
Conmocionar	cantar	5		Contonearse	cantar	5	
* Conmover	mover	30		Contornear	cantar	5	
Conmutar	cantar	5		Contorsionarse	cantar	5	
Connotar	cantar	5		Contraatacar	atacar	7	
* Conocer		32		* Contradecir	decir	74	

123

verbo	modelo	tabla	nota	verbo	modelo	tabla	nota
* Contraer	traer	47		Corroborar	cantar	5	
Contraindicar	atacar	7		* Corroer	roer	43	
Contrapear	cantar	5		Corromper	beber	24	Nota 23, pág. 169
Contrapesar	cantar	5		Cortar	cantar	5	
* Contraponer	poner	41		Cortejar	cantar	5	
Contrariar	desviar	9		Coscarse	atacar	7	
Contrarrestar	cantar	5		Cosechar	cantar	5	
Contrastar	cantar	5		Coser	beber	24	
Contratar	cantar	5		Cosquillear	cantar	5	
* Contravenir	venir	80		* Costar	contar	16	
* Contribuir	concluir	59		Costear	cantar	5	
Contristar	cantar	5		Cotejar	cantar	5	
Controlar	cantar	5		Cotillear	cantar	5	
Conturbar	cantar	5		Cotizar	cruzar	8	
Contusionar	cantar	5		Cotorrear	cantar	5	
* Convalecer	obedecer	33		Crear	cantar	5	
Convalidar	cantar	5		* Crecer	obedecer	33	
Convencer	vencer	26		* Creer	leer	28	
* Convenir	venir	80		Crepitar	cantar	5	
Converger	coger	25		Criar	desviar	9	
Conversar	cantar	5		Cribar	cantar	5	
* Convertir	sentir	65		Crispar	cantar	5	
Convidar	cantar	5		Cristalizar	cruzar	8	
Convivir	vivir	51		Cristianar	cantar	5	
Convocar	atacar	7		Cristianizar	cruzar	8	
Convulsionar	cantar	5		Criticar	atacar	7	
Coñearse	cantar	5		Croar	cantar	5	
Cooperar	cantar	5		Cromar	cantar	5	
Coordinar	cantar	5		Cronometrar	cantar	5	
Copar	cantar	5		Crucificar	atacar	7	
Copear	cantar	5		Crujir	vivir	51	
Copiar	cantar	5		Cruzar		8	
Copular	cantar	5		Cuadrar	cantar	5	
Coquetear	cantar	5		Cuadricular	cantar	5	
Corear	cantar	5		Cuadruplicar	atacar	7	
Coreografiar	desviar	9		Cuajar	cantar	5	
Cornear	cantar	5		Cualificar	atacar	7	
Coronar	cantar	5		Cuantificar	atacar	7	
* Corregir		61	Nota 22, pág. 169	Cuartear	cantar	5	
Correr	beber	24		* Cubrir	vivir	51	Nota 24, pág. 169
Corresponder	beber	24		Cuchichear	cantar	5	
Corretear	cantar	5		Cuestionar	cantar	5	

Conjugar es fácil

verbo	modelo	tabla	nota
Cuidar	cantar	5	
Culminar	cantar	5	
Culpabilizar	cruzar	8	
Culpar	cantar	5	
Cultivar	cantar	5	
Culturizar	cruzar	8	
Cumplimentar	cantar	5	
Cumplir	vivir	51	
Cundir	vivir	51	
Curar	cantar	5	
Curiosear	cantar	5	
Currar	cantar	5	
Cursar	cantar	5	
Curtir	vivir	51	
Curvar	cantar	5	
Custodiar	cantar	5	

d

verbo	modelo	tabla	nota
Damnificar	atacar	7	
Danzar	cruzar	8	
Dañar	cantar	5	
* Dar		23	
Datar	cantar	5	
Deambular	cantar	5	
Debatir	vivir	51	
Deber	beber	24	
Debilitar	cantar	5	
Debutar	cantar	5	
* Decaer	caer	36	
Decantar	cantar	5	
Decapitar	cantar	5	
Decepcionar	cantar	5	
Decidir	vivir	51	
* Decir		74	
Declamar	cantar	5	
Declarar	cantar	5	
Declinar	cantar	5	
Decodificar	atacar	7	
Decolorar	cantar	5	

verbo	modelo	tabla	nota
Decomisar	cantar	5	
Decorar	cantar	5	
Decorticar	atacar	7	
* Decrecer	obedecer	33	
Decretar	cantar	5	
Dedicar	atacar	7	
* Deducir	traducir	69	
Defecar	atacar	7	
* Defender	perder	29	
Defenestrar	cantar	5	
Definir	vivir	51	
Deforestar	cantar	5	
Deformar	cantar	5	
Defraudar	cantar	5	
Degenerar	cantar	5	
Deglutir	vivir	51	
* Degollar	contar	16	
Degradar	cantar	5	
Degustar	cantar	5	
Deificar	atacar	7	
Dejar	cantar	5	
Delatar	cantar	5	
Delegar	pagar	6	
Deleitar	cantar	5	
Deletrear	cantar	5	
Deliberar	cantar	5	
Delimitar	cantar	5	
Delinear	cantar	5	
* Delinquir		75	
Delirar	cantar	5	
Demacrarse	cantar	5	
Demandar	cantar	5	
Demarcar	atacar	7	
Democratizar	cruzar	8	
* Demoler	mover	30	
Demorar	cantar	5	
* Demostrar	contar	16	
Demudarse	cantar	5	
* Denegar	negar	14	
Denigrar	cantar	5	
Denominar	cantar	5	
* Denostar	contar	16	

Conjugar es fácil

verbo	modelo	tabla	nota	verbo	modelo	tabla	nota
Denotar	cantar	5		Desacuartelar	cantar	5	
Denunciar	cantar	5		Desafiar	desviar	9	
Deparar	cantar	5		Desafinar	cantar	5	
Departir	vivir	51		Desagradar	cantar	5	
Depauperar	cantar	5		Desagraviar	cantar	5	
Depender	beber	24		Desaguar	averiguar	11	
Depilar	cantar	5		Desahogar	pagar	6	
Deplorar	cantar	5		Desahuciar	cantar	5	Nota 25, pág. 169
* Deponer	poner	41		Desairar	cantar	5	Nota 11, pág. 169
Deportar	cantar	5		Desajustar	cantar	5	
Depositar	cantar	5		Desalar	cantar	5	
Depravar	cantar	5		* Desalentar	pensar	13	
Depreciar	cantar	5		Desalinear	cantar	5	
Depredar	cantar	5		Desaliñar	cantar	5	
Deprimir	vivir	51		Desalojar	cantar	5	
Depurar	cantar	5		Desalquilar	cantar	5	
Derivar	cantar	5		Desamortizar	cruzar	8	
Derogar	pagar	6		Desamparar	cantar	5	
Derramar	cantar	5		Desamueblar	cantar	5	
Derrapar	cantar	5		Desanclar	cantar	5	
Derrengar	pagar	6		* Desandar	andar	22	
* Derretir	pedir	60		Desangrar	cantar	5	
Derribar	cantar	5		Desanimar	cantar	5	
Derrocar	atacar	7		Desanudar	cantar	5	
Derrochar	cantar	5		* Desaparecer	obedecer	33	
Derrotar	cantar	5		Desaparcar	atacar	7	
* Derruir	concluir	59		Desapasionarse	cantar	5	
Derrumbar	cantar	5		Desapegar	pagar	6	
* Desabastecer	obedecer	33		* Desapretar	pensar	13	
Desabollar	cantar	5		* Desaprobar	contar	16	
Desabotonar	cantar	5		Desaprovechar	cantar	5	
Desabrigar	pagar	6		Desarbolar	cantar	5	
Desabrochar	cantar	5		Desarmar	cantar	5	
Desacatar	cantar	5		Desarraigar	pagar	6	
Desacelerar	cantar	5		Desarreglar	cantar	5	
* Desacertar	pensar	13		* Desarrendar	pensar	13	
Desacomodar	cantar	5		Desarrimar	cantar	5	
Desaconsejar	cantar	5		Desarrollar	cantar	5	
Desacoplar	cantar	5		Desarropar	cantar	5	
Desacostumbrar	cantar	5		Desarrugar	pagar	6	
Desacreditar	cantar	5		Desarticular	cantar	5	
Desactivar	cantar	5		* Desasir	asir	72	

Conjugar es fácil

verbo	modelo	tabla	nota	verbo	modelo	tabla	nota
Desasistir	vivir	51		Descartar	cantar	5	
Desasnar	cantar	5		Descasar	cantar	5	
* Desasosegar	negar	14		Descascarillar	cantar	5	
Desatar	cantar	5		Descastar	cantar	5	
Desatascar	atacar	7		* Descender	perder	29	
* Desatender	perder	29		Descentralizar	cruzar	8	
Desatinar	cantar	5		Descentrar	cantar	5	
Desatornillar	cantar	5		Descerebrar	cantar	5	
Desatrancar	atacar	7		Descerrajar	cantar	5	
Desautorizar	cruzar	8		Descifrar	cantar	5	
Desayunar	cantar	5		Desclasificar	atacar	7	
Desazonar	cantar	5		Desclavar	cantar	5	
Desbancar	atacar	7		Descocarse	atacar	7	
Desbarajustar	cantar	5		Descodificar	atacar	7	
Desbaratar	cantar	5		* Descolgar	rogar	18	
Desbarbar	cantar	5		* Descollar	contar	16	
Desbarrar	cantar	5		Descolocar	atacar	7	
Desbastar	cantar	5		Descolonizar	cruzar	8	
Desbloquear	cantar	5		Descompensar	cantar	5	
Desbocar	atacar	7		* Descomponer	poner	41	
Desbordar	cantar	5		Descomprimir	vivir	51	
Desbravar	cantar	5		* Desconcertar	pensar	13	
Desbrozar	cruzar	8		Desconchar	cantar	5	
Descabalar	cantar	5		Desconectar	cantar	5	
Descabalgar	pagar	6		Desconfiar	desviar	9	
Descabellar	cantar	5		Descongelar	cantar	5	
Descabezar	cruzar	8		Descongestionar	cantar	5	
Descacharrar	cantar	5		* Desconocer	conocer	32	
Descafeinar	cantar	5		Desconsiderar	cantar	5	
Descalabrar	cantar	5		Descontaminar	cantar	5	
Descalcificar	atacar	7		* Descontar	contar	16	
Descalificar	atacar	7		Descontentar	cantar	5	
Descalzar	cruzar	8		Descontrolar	cantar	5	
Descamar	cantar	5		Desconvocar	atacar	7	
Descambiar	cantar	5		Descorazonar	cantar	5	
Descansar	cantar	5		Descorchar	cantar	5	
Descaperuzar	cruzar	8		Descorrer	beber	24	
Descapotar	cantar	5		Descoser	beber	24	
Descargar	pagar	6		Descoyuntar	cantar	5	
Descarnar	cantar	5		Descremar	cantar	5	
Descarriar	desviar	9		* Describir	vivir	51	Nota 26, pág. 169
Descarrilar	cantar	5		Descuadrar	cantar	5	

Conjugar es fácil

verbo	modelo	tabla	nota	verbo	modelo	tabla	nota
Descuajar	cantar	5		Desencapotar	cantar	5	
Descuajeringar	pagar	6		Desencarcelar	cantar	5	
Descuartizar	cruzar	8		Desenchufar	cantar	5	
* Descubrir	vivir	51	Nota 27, pág. 169	Desenclavar	cantar	5	
Descuidar	cantar	5		Desencolar	cantar	5	
* Desdecir	decir	74		Desencorvar	cantar	5	
Desdeñar	cantar	5		Desencuadernar	cantar	5	
Desdibujar	cantar	5		Desenfadar	cantar	5	
Desdoblar	cantar	5		Desenfocar	atacar	7	
Desdramatizar	cruzar	8		Desenfrenar	cantar	5	
Desear	cantar	5		Desenfundar	cantar	5	
Desecar	atacar	7		Desenfurruñar	cantar	5	
Desechar	cantar	5		Desenganchar	cantar	5	
Desembalar	cantar	5		Desengañar	cantar	5	
Desembarazar	cruzar	8		Desengrasar	cantar	5	
Desembarcar	atacar	7		Desenhebrar	cantar	5	
Desembargar	pagar	6		Desenjaular	cantar	5	
Desembarrancar	atacar	7		Desenladrillar	cantar	5	
Desembarrar	cantar	5		Desenlatar	cantar	5	
Desembocar	atacar	7		Desenlazar	cruzar	8	
Desembolsar	cantar	5		Desenmarañar	cantar	5	
Desembragar	pagar	6		Desenmascarar	cantar	5	
Desembrollar	cantar	5		Desenraizar	cruzar	8	Nota 11, pág. 169
Desembrujar	cantar	5		Desenredar	cantar	5	
Desembuchar	cantar	5		Desenrollar	cantar	5	
Desempacar	atacar	7		Desenroscar	atacar	7	
Desempañar	cantar	5		Desensillar	cantar	5	
Desempapelar	cantar	5		* Desentenderse	perder	29	
Desempaquetar	cantar	5		* Desenterrar	pensar	13	
Desemparejar	cantar	5		Desentoldar	cantar	5	
Desempatar	cantar	5		Desentonar	cantar	5	
* Desempedrar	pensar	13		Desentrañar	cantar	5	
Desempeñar	cantar	5		Desentrenar	cantar	5	
Desempolvar	cantar	5		* Desentumecer	obedecer	33	
Desempotrar	cantar	5		Desenvainar	cantar	5	
Desenamorar	cantar	5		* Desenvolver	mover	30	Nota 28, pág. 169
Desencadenar	cantar	5		Desequilibrar	cantar	5	
Desencajar	cantar	5		Desertar	cantar	5	
Desencajonar	cantar	5		Desertizar	cruzar	8	
Desencallar	cantar	5		Desescombrar	cantar	5	
Desencaminar	cantar	5		Desesperar	cantar	5	
Desencantar	cantar	5		Desestabilizar	cruzar	8	

Conjugar es fácil

verbo	modelo	tabla	nota	verbo	modelo	tabla	nota
Desestimar	cantar	5		Desinhibir	vivir	51	
Desfalcar	atacar	7		Desinsectar	cantar	5	
* Desfallecer	obedecer	33		Desintegrar	cantar	5	
Desfasar	cantar	5		Desinteresarse	cantar	5	
* Desfavorecer	obedecer	33		Desintoxicar	atacar	7	
Desfigurar	cantar	5		Desistir	vivir	51	
Desfilar	cantar	5		Deslavazar	cruzar	8	
Desflecar	atacar	7		Deslegalizar	cruzar	8	
Desflorar	cantar	5		* Desleír	reír	63	
Desfogar	pagar	6		Desliar	desviar	9	
Desfondar	cantar	5		Desligar	pagar	6	
Desgajar	cantar	5		Deslindar	cantar	5	
Desgañitarse	cantar	5		Deslizar	cruzar	8	
Desgarrar	cantar	5		Deslomar	cantar	5	
Desgastar	cantar	5		* Deslucir	lucir	70	
Desglosar	cantar	5		Deslumbrar	cantar	5	
Desgraciar	cantar	5		Desmadejarse	cantar	5	
Desgranar	cantar	5		Desmadrar	cantar	5	
Desgravar	cantar	5		Desmandar	cantar	5	
* Desguarnecer	obedecer	33		Desmantelar	cantar	5	
Desguazar	cruzar	8		Desmaquillar	cantar	5	
Deshabitar	cantar	5		Desmarcarse	atacar	7	
* Deshacer	hacer	37		Desmayar	cantar	5	
* Deshelar	pensar	13	Nota 12, pág. 169	Desmejorar	cantar	5	
Desheredar	cantar	5		Desmelenar	cantar	5	
Deshidratar	cantar	5		* Desmembrar	pensar	13	
Deshilachar	cantar	5		* Desmentir	sentir	65	
Deshilvanar	cantar	5		Desmenuzar	cruzar	8	
Deshinchar	cantar	5		* Desmerecer	obedecer	33	
Deshojar	cantar	5		Desmigajar	cantar	5	
Deshollinar	cantar	5		Desmigar	pagar	6	
Deshonrar	cantar	5		Desmilitarizar	cruzar	8	
Deshuesar	cantar	5		Desmitificar	atacar	7	
Deshumanizar	cruzar	8		Desmochar	cantar	5	
Designar	cantar	5		Desmontar	cantar	5	
Desigualar	cantar	5		Desmoralizar	cruzar	8	
Desilusionar	cantar	5		Desmoronar	cantar	5	
Desimantar	cantar	5		Desmotivar	cantar	5	
Desincrustar	cantar	5		Desmovilizar	cruzar	8	
Desinfectar	cantar	5		Desnacionalizar	cruzar	8	
Desinflar	cantar	5		Desnatar	cantar	5	
Desinformar	cantar	5		Desnaturalizar	cruzar	8	

Conjugar es fácil

verbo	modelo	tabla	nota	verbo	modelo	tabla	nota
Desnivelar	cantar	5		Desperdiciar	cantar	5	
Desnortarse	cantar	5		Desperdigar	pagar	6	
Desnucar	atacar	7		Desperezarse	cruzar	8	
Desnuclearizar	cruzar	8		Despersonalizar	cruzar	8	
Desnudar	cantar	5		* Despertar	pensar	13	Nota 30, pág. 169
Desnutrirse	vivir	51		Despiezar	cruzar	8	
* Desobedecer	obedecer	33		Despilfarrar	cantar	5	
* Desobstruir	concluir	59		Despintar	cantar	5	
Desocupar	cantar	5		Despiojar	cantar	5	
Desodorizar	cruzar	8		Despistar	cantar	5	
* Desoír	oír	78		Desplanchar	cantar	5	
Desojar	cantar	5		Desplantar	cantar	5	
* Desollar	contar	16		Desplazar	cruzar	8	
Desorbitar	cantar	5		* Desplegar	negar	14	
Desordenar	cantar	5		Desplomar	cantar	5	
Desorejar	cantar	5		Desplumar	cantar	5	
Desorganizar	cruzar	8		* Despoblar	contar	16	
Desorientar	cantar	5		Despojar	cantar	5	
* Desosar	contar	16	Nota 29, pág. 169	Despolitizar	cruzar	8	
Desovar	cantar	5		Desportillar	cantar	5	
Desovillar	cantar	5		Desposar	cantar	5	
Desoxidar	cantar	5		* Desposeer	leer	28	
Despabilar	cantar	5		Despotricar	atacar	7	
Despachar	cantar	5		Despreciar	cantar	5	
Despachurrar	cantar	5		Desprender	beber	24	
Despampanar	cantar	5		Despreocuparse	cantar	5	
Despanzurrar	cantar	5		Desprestigiar	cantar	5	
Desparejar	cantar	5		Despresurizar	cruzar	8	
Desparramar	cantar	5		Desprivatizar	cruzar	8	
Despatarrarse	cantar	5		* Desproveer	leer	28	Nota 31, pág. 169
Despechugar	pagar	6		Despuntar	cantar	5	
Despedazar	cruzar	8		Desquiciar	cantar	5	
* Despedir	pedir	60		Desquitar	cantar	5	
Despegar	pagar	6		Desratizar	cruzar	8	
Despeinar	cantar	5		Desriñonar	cantar	5	
Despejar	cantar	5		Desrizar	cruzar	8	
Despellejar	cantar	5		Destacar	atacar	7	
Despelotarse	cantar	5		Destapar	cantar	5	
Despenalizar	cruzar	8		Destaponar	cantar	5	
Despendolarse	cantar	5		Destejer	beber	24	
Despeñar	cantar	5		Destellar	cantar	5	
Despepitarse	cantar	5		Destemplar	cantar	5	

Conjugar es fácil

verbo	modelo	tabla	nota	verbo	modelo	tabla	nota
Destensar	cantar	5		* Devolver	mover	30	Nota 32, pág. 169
* Desteñir	teñir	64		Devorar	cantar	5	
Desternillarse	cantar	5		Diagnosticar	atacar	7	
* Desterrar	pensar	13		Dializar	cruzar	8	
Destetar	cantar	5		Dialogar	pagar	6	
Destilar	cantar	5		Dibujar	cantar	5	
Destinar	cantar	5		Dictaminar	cantar	5	
* Destituir	concluir	59		Dictar	cantar	5	
Destornillar	cantar	5		Diezmar	cantar	5	
Destrenzar	cruzar	8		Difamar	cantar	5	
Destripar	cantar	5		Diferenciar	cantar	5	
Destronar	cantar	5		* Diferir	sentir	65	
Destrozar	cruzar	8		Dificultar	cantar	5	
* Destruir	concluir	59		Difuminar	cantar	5	
Desubicar	atacar	7		Difundir	vivir	51	Nota 33, pág. 169
Desunir	vivir	51		* Digerir	sentir	65	
Desusar	cantar	5		Digitalizar	cruzar	8	
Desvalijar	cantar	5		Dignarse	cantar	5	
Desvalorizar	cruzar	8		Dignificar	atacar	7	
* Desvanecer	obedecer	33		Dilapidar	cantar	5	
Desvariar	desviar	9		Dilatar	cantar	5	
Desvelar	cantar	5		Diligenciar	cantar	5	
Desvencijar	cantar	5		Dilucidar	cantar	5	
Desvendar	cantar	5		* Diluir	concluir	59	
* Desvestir	pedir	60		Diluviar	cantar	5	Nota 12, pág. 169
Desviar		9		Dimanar	cantar	5	
Desvincular	cantar	5		Dimitir	vivir	51	
Desvirgar	pagar	6		Dinamitar	cantar	5	
Desvirtuar	actuar	10		Dinamizar	cruzar	8	
Desvivirse	vivir	51		Diplomar	cantar	5	
Detallar	cantar	5		Diptongar	pagar	6	
Detectar	cantar	5		Dirigir		52	
* Detener	tener	2		Dirimir	vivir	51	
Detentar	cantar	5		* Discernir		66	
Deteriorar	cantar	5		Disciplinar	cantar	5	
Determinar	cantar	5		* Discordar	contar	16	
Detestar	cantar	5		Discrepar	cantar	5	
Devaluar	actuar	10		Discriminar	cantar	5	
Devanar	cantar	5		Disculpar	cantar	5	
Devastar	cantar	5		Discurrir	vivir	51	
Devengar	pagar	6		Discutir	vivir	51	
* Devenir	venir	80		Disecar	atacar	7	

Conjugar es fácil

verbo	modelo	tabla	nota	verbo	modelo	tabla	nota
Diseccionar	cantar	5		Documentar	cantar	5	
Diseminar	cantar	5		Dogmatizar	cruzar	8	
* Disentir	sentir	65		* Doler	mover	30	
Diseñar	cantar	5		Domar	cantar	5	
Disertar	cantar	5		Domeñar	cantar	5	
Disfrazar	cruzar	8		Domesticar	atacar	7	
Disfrutar	cantar	5		Domiciliar	cantar	5	
Disgregar	pagar	6		Dominar	cantar	5	
Disgustar	cantar	5		Donar	cantar	5	
Disimilar	cantar	5		Doparse	cantar	5	
Disimular	cantar	5		Dorar	cantar	5	
Disipar	cantar	5		* Dormir		68	
Dislocar	atacar	7		Dormitar	cantar	5	
* Disminuir	concluir	59		Dosificar	atacar	7	
Disociar	cantar	5		Dotar	cantar	5	
* Disolver	mover	30	Nota 34, pág. 169	Dragar	pagar	6	
Disparar	cantar	5		Dramatizar	cruzar	8	
Disparatar	cantar	5		Drenar	cantar	5	
Dispensar	cantar	5		Driblar	cantar	5	
Dispersar	cantar	5		Drogar	pagar	6	
* Disponer	poner	41		Duchar	cantar	5	
Disputar	cantar	5		Dudar	cantar	5	
Distanciarse	cantar	5		Dulcificar	atacar	7	
Distar	cantar	5		Duplicar	atacar	7	
* Distender	perder	29		Durar	cantar	5	
Distinguir		53					
Distorsionar	cantar	5					
* Distraer	traer	47					
* Distribuir	concluir	59					
Disuadir	vivir	51		Echar	cantar	5	
Divagar	pagar	6		Eclipsar	cantar	5	
Divergir	dirigir	52		Economizar	cruzar	8	
Diversificar	atacar	7		Edificar	atacar	7	
* Divertir	sentir	65		Editar	cantar	5	
Dividir	vivir	51		Educar	atacar	7	
Divinizar	cruzar	8		Edulcorar	cantar	5	
Divisar	cantar	5		Efectuar	actuar	10	
Divorciarse	cantar	5		Ejecutar	cantar	5	
Divulgar	pagar	6		Ejemplarizar	cruzar	8	
Doblar	cantar	5		Ejemplificar	atacar	7	
Doblegar	pagar	6		Ejercer	vencer	26	
Doctorar	cantar	5					

e

Conjugar es fácil

verbo	modelo	tabla	nota	verbo	modelo	tabla	nota
Ejercitar	cantar	5		Embotar	cantar	5	
Elaborar	cantar	5		Embotellar	cantar	5	
Electrificar	atacar	7		Embotijar	cantar	5	
Electrizar	cruzar	8		Embozar	cruzar	8	
Electrocutar	cantar	5		Embragar	pagar	6	
Electrolizar	cruzar	8		* Embravecer	obedecer	33	
* Elegir	corregir	61	Nota 35, pág. 169	Embrear	cantar	5	
Elevar	cantar	5		Embriagar	pagar	6	
Elidir	vivir	51		Embridar	cantar	5	
Eliminar	cantar	5		Embrollar	cantar	5	
Elogiar	cantar	5		Embromar	cantar	5	
Elucidar	cantar	5		Embrujar	cantar	5	
Elucubrar	cantar	5		* Embrutecer	obedecer	33	
Eludir	vivir	51		Embuchar	cantar	5	
Emanar	cantar	5		Embutir	vivir	51	
Emancipar	cantar	5		Emerger	coger	25	
Emascular	cantar	5		Emigrar	cantar	5	
Embadurnar	cantar	5		Emitir	vivir	51	
Embalar	cantar	5		Emocionar	cantar	5	
Embaldosar	cantar	5		Empacar	atacar	7	
Embalsamar	cantar	5		Empachar	cantar	5	
Embalsar	cantar	5		Empadronar	cantar	5	
Embarazar	cruzar	8		Empalagar	pagar	6	
Embarcar	atacar	7		Empalar	cantar	5	
Embargar	pagar	6		* Empalidecer	obedecer	33	
Embarrancar	atacar	7		Empalmar	cantar	5	
Embarrar	cantar	5		Empanar	cantar	5	
Embarullar	cantar	5		Empantanar	cantar	5	
Embaucar	atacar	7		Empañar	cantar	5	
Embazarse	cruzar	8		Empapar	cantar	5	
Embeber	beber	24		Empapelar	cantar	5	
Embelesar	cantar	5		Empapuzar	cruzar	8	
* Embellecer	obedecer	33		Empaquetar	cantar	5	
* Embestir	pedir	60		Emparedar	cantar	5	
Embetunar	cantar	5		Emparejar	cantar	5	
* Emblanquecer	obedecer	33		Emparentar	cantar	5	
Embobar	cantar	5		Empastar	cantar	5	
Embolsar	cantar	5		Empatar	cantar	5	
Emborrachar	cantar	5		Empavonar	cantar	5	
Emborrascarse	atacar	7		* Empecer	obedecer	33	
Emborronar	cantar	5		Empecinarse	cantar	5	
Emboscar	atacar	7		* Empedrar	pensar	13	

Conjugar es fácil

verbo	modelo	tabla	nota	verbo	modelo	tabla	nota
Empeñar	cantar	5		Encalar	cantar	5	
Empeorar	cantar	5		Encallar	cantar	5	
* Empequeñecer	obedecer	33		Encallarse	cantar	5	
Emperejilar	cantar	5		* Encallecer	obedecer	33	
Emperifollar	cantar	5		Encallejonar	cantar	5	
Emperrarse	cantar	5		Encamar	cantar	5	
* Empezar		15		Encaminar	cantar	5	
Empinar	cantar	5		Encanarse	cantar	5	
Empitonar	cantar	5		Encandilar	cantar	5	
* Emplastecer	obedecer	33		* Encanecer	obedecer	33	
Emplazar	cruzar	8		Encanijar	cantar	5	
Emplear	cantar	5		Encantar	cantar	5	
Emplomar	cantar	5		Encanutar	cantar	5	
Emplumar	cantar	5		Encañonar	cantar	5	
* Empobrecer	obedecer	33		Encapotar	cantar	5	
Empollar	cantar	5		Encapricharse	cantar	5	
Empolvar	cantar	5		Encapsular	cantar	5	
Emponzoñar	cantar	5		Encapuchar	cantar	5	
* Emporcar	trocar	17		Encaramar	cantar	5	
Empotrar	cantar	5		Encarar	cantar	5	
Emprender	beber	24		Encarcelar	cantar	5	
Empujar	cantar	5		* Encarecer	obedecer	33	
Empuñar	cantar	5		Encargar	pagar	6	
Emular	cantar	5		Encariñar	cantar	5	
Emulsionar	cantar	5		Encarnar	cantar	5	
Enajenar	cantar	5		Encarnizar	cruzar	8	
* Enaltecer	obedecer	33		Encarpetar	cantar	5	
Enamorar	cantar	5		Encarrilar	cantar	5	
Enamoriscarse	atacar	7		Encartar	cantar	5	
Enarbolar	cantar	5		Encartonar	cantar	5	
Enarcar	atacar	7		Encasillar	cantar	5	
* Enardecer	obedecer	33		Encasquetar	cantar	5	
Enarenar	cantar	5		Encasquillar	cantar	5	
Encabalgar	pagar	6		Encastrar	cantar	5	
Encabestrar	cantar	5		Encausar	cantar	5	
Encabezar	cruzar	8		Encauzar	cruzar	8	
Encabezonarse	cantar	5		Encebollar	cantar	5	
Encabritarse	cantar	5		Encelar	cantar	5	
Encabronar	cantar	5		Enceldar	cantar	5	
Encadenar	cantar	5		Encenagarse	pagar	6	
Encajar	cantar	5		* Encender	perder	29	
Encajonar	cantar	5		Encerar	cantar	5	

Conjugar es fácil

verbo	modelo	tabla	nota	verbo	modelo	tabla	nota
* Encerrar	pensar	13		Enfadar	cantar	5	
Encestar	cantar	5		Enfajar	cantar	5	
Encharcar	atacar	7		Enfangar	pagar	6	
Enchufar	cantar	5		Enfatizar	cruzar	8	
Encintar	cantar	5		Enfermar	cantar	5	
Encizañar	cantar	5		Enfervorizar	cruzar	8	
Enclaustrar	cantar	5		Enfilar	cantar	5	
Enclavar	cantar	5		* Enflaquecer	obedecer	33	
Encocorar	cantar	5		Enfocar	atacar	7	
Encofrar	cantar	5		Enfoscar	atacar	7	
Encoger	coger	25		Enfrascarse	atacar	7	
Encolar	cantar	5		Enfrentar	cantar	5	
Encolerizar	cruzar	8		Enfriar	desviar	9	
* Encomendar	pensar	13		Enfundar	cantar	5	
Encomiar	cantar	5		* Enfurecer	obedecer	33	
Enconar	cantar	5		Enfurruñarse	cantar	5	
* Encontrar	contar	16		Engalanar	cantar	5	
Encopetar	cantar	5		Enganchar	cantar	5	
Encorajinar	cantar	5		Engañar	cantar	5	
* Encordar	contar	16		Engarabitar	cantar	5	
Encorsetar	cantar	5		Engarzar	cruzar	8	
Encorvar	cantar	5		Engastar	cantar	5	
Encrespar	cantar	5		Engatusar	cantar	5	
Encuadernar	cantar	5		Engendrar	cantar	5	
Encuadrar	cantar	5		Englobar	cantar	5	
* Encubrir	vivir	51	Nota 36, pág. 169	Englutir	vivir	51	
Encuestar	cantar	5		Engolar	cantar	5	
Encumbrar	cantar	5		Engolfarse	cantar	5	
Encurdarse	cantar	5		Engolosinar	cantar	5	
Encurtir	vivir	51		Engomar	cantar	5	
Endemoniar	cantar	5		Engominarse	cantar	5	
Enderezar	cruzar	8		Engordar	cantar	5	
Endeudarse	cantar	5		Engranar	cantar	5	
Endilgar	pagar	6		* Engrandecer	obedecer	33	
Endiñar	cantar	5		Engrasar	cantar	5	
Endiosar	cantar	5		* Engreírse	reír	63	
Endomingarse	pagar	6		Engrescar	atacar	7	
Endosar	cantar	5		Engrosar	cantar	5	
Endulzar	cruzar	8		Enguachinar	cantar	5	
* Endurecer	obedecer	33		Enguantar	cantar	5	
Enemistar	cantar	5		Engullir	mullir	57	
Enervar	cantar	5		Engurruñar	cantar	5	

Conjugar es fácil

verbo	modelo	tabla	nota	verbo	modelo	tabla	nota
Enharinar	cantar	5		* Enronquecer	obedecer	33	
Enhebrar	cantar	5		Enroscar	atacar	7	
Enjabonar	cantar	5		Ensalzar	cruzar	8	
Enjaezar	cruzar	8		Ensamblar	cantar	5	
Enjalbegar	pagar	6		Ensanchar	cantar	5	
Enjaretar	cantar	5		* Ensangrentar	pensar	13	
Enjaular	cantar	5		Ensañar	cantar	5	
Enjoyar	cantar	5		Ensartar	cantar	5	
Enjuagar	pagar	6		Ensayar	cantar	5	
Enjugar	pagar	6		Enseñar	cantar	5	
Enjuiciar	cantar	5		Enseñorearse	cantar	5	
Enladrillar	cantar	5		Ensillar	cantar	5	
Enlatar	cantar	5		Ensimismarse	cantar	5	
Enlazar	cruzar	8		* Ensoberbecer	obedecer	33	
Enlodar	cantar	5		* Ensombrecer	obedecer	33	
* Enloquecer	obedecer	33		* Ensordecer	obedecer	33	
Enlosar	cantar	5		Ensortijar	cantar	5	
* Enlucir	lucir	70		Ensuciar	cantar	5	
Enlutar	cantar	5		Entablar	cantar	5	
Enmadrarse	cantar	5		Entablillar	cantar	5	
Enmarañar	cantar	5		Entallar	cantar	5	
Enmarcar	atacar	7		Entarimar	cantar	5	
Enmascarar	cantar	5		Entelar	cantar	5	
* Enmendar	pensar	13		* Entender	perder	29	
* Enmohecer	obedecer	33		* Entenebrecer	obedecer	33	
Enmoquetar	cantar	5		Enterar	cantar	5	
* Enmudecer	obedecer	33		* Enternecer	obedecer	33	
* Ennegrecer	obedecer	33		* Enterrar	pensar	13	
* Ennoblecer	obedecer	33		Entibiar	cantar	5	
Enojar	cantar	5		Entintar	cantar	5	
* Enorgullecer	obedecer	33		Entoldar	cantar	5	
Enquistar	cantar	5		Entonar	cantar	5	
Enrabietar	cantar	5		* Entontecer	obedecer	33	
Enraizar	cruzar	8	Nota 11, pág. 169	Entornar	cantar	5	
* Enrarecerse	obedecer	33		* Entorpecer	obedecer	33	
Enredar	cantar	5		Entrampar	cantar	5	
Enrejar	cantar	5		Entrañar	cantar	5	
* Enriquecer	obedecer	33		Entrar	cantar	5	
Enrocar	atacar	7		* Entreabrir	vivir	51	Nota 37, pág. 169
* Enrojecer	obedecer	33		Entrechocar	atacar	7	
Enrolar	cantar	5		Entrecomillar	cantar	5	
Enrollar	cantar	5		Entrecortar	cantar	5	

Conjugar es fácil

verbo	modelo	tabla	nota	verbo	modelo	tabla	nota
Entrecruzar	cruzar	8		Equiparar	cantar	5	
Entregar	pagar	6		* Equivaler	valer	48	
Entrelazar	cruzar	8		Equivocar	atacar	7	
Entremeter	beber	24		* Erguir		76	
Entremezclar	cantar	5		Erigir	dirigir	52	
Entrenar	cantar	5		Erisipelar	cantar	5	
Entresacar	atacar	7		Erizar	cruzar	8	
Entretejer	beber	24		Erosionar	cantar	5	
* Entretener	tener	2		Erradicar	atacar	7	
* Entrever	ver	49		* Errar	pensar	13	Nota 39, pág. 169
Entrevistar	cantar	5		Eructar	cantar	5	
* Entristecer	obedecer	33		Esbozar	cruzar	8	
Entrometer	beber	24		Escabechar	cantar	5	
Entroncar	atacar	7		Escabullir	mullir	57	
Entronizar	cruzar	8		Escacharrar	cantar	5	
Entubar	cantar	5		Escachifollar	cantar	5	
* Entumecer	obedecer	33		Escalar	cantar	5	
Enturbiar	cantar	5		Escaldar	cantar	5	
Entusiasmar	cantar	5		Escalfar	cantar	5	
Enumerar	cantar	5		Escalonar	cantar	5	
Enunciar	cantar	5		Escamar	cantar	5	
Envainar	cantar	5		Escamotear	cantar	5	
Envalentonar	cantar	5		Escampar	cantar	5	Nota 6, pág. 169
* Envanecer	obedecer	33		Escanciar	cantar	5	
Envarar	cantar	5		Escandalizar	cruzar	8	
Envasar	cantar	5		Escapar	cantar	5	
* Envejecer	obedecer	33		Escaquearse	cantar	5	
Envenenar	cantar	5		Escarbar	cantar	5	
Enviar	desviar	9		Escardar	cantar	5	
Enviciar	cantar	5		Escarchar	cantar	5	Nota 12, pág. 169
Envidar	cantar	5		Escarificar	atacar	7	
Envidiar	cantar	5		* Escarmentar	pensar	13	
* Envilecer	obedecer	33		* Escarnecer	obedecer	33	
Enviudar	cantar	5		Escasear	cantar	5	
* Envolver	mover	30	Nota 38, pág. 169	Escatimar	cantar	5	
Enyesar	cantar	5		Escayolar	cantar	5	
Enzarzar	cruzar	8		Escenificar	atacar	7	
Epatar	cantar	5		Escindir	vivir	51	
Epilogar	pagar	6		* Esclarecer	obedecer	33	
Equidistar	cantar	5		Esclavizar	cruzar	8	
Equilibrar	cantar	5		Esclerosar	cantar	5	
Equipar	cantar	5		Escobar	cantar	5	

Conjugar es fácil

verbo	modelo	tabla	nota	verbo	modelo	tabla	nota
* Escocer	cocer	34		Espigar	pagar	6	
Escoger	coger	25		Espirar	cantar	5	
Escolarizar	cruzar	8		Espiritualizar	cruzar	8	
Escoltar	cantar	5		Espolear	cantar	5	
Esconder	beber	24		Espoliar	cantar	5	
Escorar	cantar	5		Espolvorear	cantar	5	
Escotar	cantar	5		Esponjar	cantar	5	
* Escribir	vivir	51	Nota 40, pág. 169	Esposar	cantar	5	
Escriturar	cantar	5		Espulgar	pagar	6	
Escrutar	cantar	5		Espumar	cantar	5	
Escuchar	cantar	5		Espurrear	cantar	5	
Escudarse	cantar	5		Esputar	cantar	5	
Escudriñar	cantar	5		Esquejar	cantar	5	
Esculpir	vivir	51		Esquematizar	cruzar	8	
Escupir	vivir	51		Esquiar	desviar	9	
Escurrir	vivir	51		Esquilar	cantar	5	
* Esforzarse	forzar	19		Esquilmar	cantar	5	
Esfumarse	cantar	5		Esquinar	cantar	5	
Esgrimir	vivir	51		Esquivar	cantar	5	
Eslabonar	cantar	5		Estabilizar	cruzar	8	
Esmaltar	cantar	5		* Establecer	obedecer	33	
Esmerarse	cantar	5		Estabular	cantar	5	
Esmerilar	cantar	5		Estacionar	cantar	5	
Esnifar	cantar	5		Estafar	cantar	5	
Espabilar	cantar	5		Estallar	cantar	5	
Espachurrar	cantar	5		Estampar	cantar	5	
Espaciar	cantar	5		Estampillar	cantar	5	
Espantar	cantar	5		Estancar	atacar	7	
Españolear	cantar	5		Estandarizar	cruzar	8	
Españolizar	cruzar	8		* Estar		4	
Esparcir		54		Estatalizar	cruzar	8	
Especializar	cruzar	8		* Estatuir	concluir	59	
Especificar	atacar	7		Estenografiar	desviar	9	
Especular	cantar	5		Estercolar	cantar	5	
Espejear	cantar	5		Estereotipar	cantar	5	
Espeluznar	cantar	5		Esterilizar	cruzar	8	
Esperanzar	cruzar	8		Estibar	cantar	5	
Esperar	cantar	5		Estigmatizar	cruzar	8	
Espesar	cantar	5		Estilarse	cantar	5	
Espetar	cantar	5		Estilizar	cruzar	8	
Espiar	desviar	9		Estimar	cantar	5	
Espichar	cantar	5		Estimular	cantar	5	

V

verbo	modelo	tabla	nota	verbo	modelo	tabla	nota
Estipular	cantar	5		Exagerar	cantar	5	
Estirajar	cantar	5		Exaltar	cantar	5	
Estirar	cantar	5		Examinar	cantar	5	
Estocar	atacar	7		Exasperar	cantar	5	
Estofar	cantar	5		Excarcelar	cantar	5	
Estomagar	pagar	6		Excavar	cantar	5	
Estoquear	cantar	5		Exceder	beber	24	
Estorbar	cantar	5		Exceptuar	actuar	10	
Estornudar	cantar	5		Excitar	cantar	5	
Estragar	pagar	6		Exclamar	cantar	5	
Estrangular	cantar	5		Exclaustrar	cantar	5	
Estraperlear	cantar	5		* Excluir	concluir	59	
Estratificar	atacar	7		Excomulgar	pagar	6	
Estrechar	cantar	5		Excretar	cantar	5	
Estrellar	cantar	5		Exculpar	cantar	5	
* Estremecer	obedecer	33		Excusar	cantar	5	
Estrenar	cantar	5		Execrar	cantar	5	
* Estreñir	teñir	64		Exfoliar	cantar	5	
Estresar	cantar	5		Exhalar	cantar	5	
Estriar	desviar	9		Exhibir	vivir	51	
Estribar	cantar	5		Exhortar	cantar	5	
Estropear	cantar	5		Exhumar	cantar	5	
Estructurar	cantar	5		Exigir	dirigir	52	
Estrujar	cantar	5		Exiliar	cantar	5	
Estucar	atacar	7		Eximir	vivir	51	Nota 41, pág. 169
Estuchar	cantar	5		Existir	vivir	51	
Estudiar	cantar	5		Exonerar	cantar	5	
Estuprar	cantar	5		Exorcizar	cruzar	8	
Eternizar	cruzar	8		Expandir	vivir	51	
Etimologizar	cruzar	8		Expansionar	cantar	5	
Etiquetar	cantar	5		Expatriar	desviar	9	
Europeizar	cruzar	8	Nota 11, pág. 169	Expectorar	cantar	5	
Evacuar	cantar	5		Expedientar	cantar	5	
Evadir	vivir	51		* Expedir	pedir	60	
Evaluar	actuar	10		Expeler	beber	24	
Evangelizar	cruzar	8		Expender	beber	24	
Evaporar	cantar	5		Experimentar	cantar	5	
Evidenciar	cantar	5		Expiar	desviar	9	
Evitar	cantar	5		Expirar	cantar	5	
Evocar	atacar	7		Explayar	cantar	5	
Evolucionar	cantar	5		Explicar	atacar	7	
Exacerbar	cantar	5		Explicitar	cantar	5	

verbo	modelo	tabla	nota	verbo	modelo	tabla	nota
Explicotearse	cantar	5		Facultar	cantar	5	
Explorar	cantar	5		Faenar	cantar	5	
Explosionar	cantar	5		Fagocitar	cantar	5	
Explotar	cantar	5		Fajar	cantar	5	
Expoliar	cantar	5		Faldear	cantar	5	
* Exponer	poner	41		Fallar	cantar	5	
Exportar	cantar	5		* Fallecer	obedecer	33	
Expresar	cantar	5	Nota 42, pág. 169	Falsear	cantar	5	
Exprimir	vivir	51		Falsificar	atacar	7	
Expropiar	cantar	5		Faltar	cantar	5	
Expugnar	cantar	5		Familiarizar	cruzar	8	
Expulsar	cantar	5		Fanatizar	cruzar	8	
Expurgar	pagar	6		Fanfarronear	cantar	5	
Extasiar	desviar	9		Fantasear	cantar	5	
* Extender	perder	29	Nota 43, pág. 169	Fardar	cantar	5	
Extenuar	actuar	10		Farfullar	cantar	5	
Exteriorizar	cruzar	8		Farolear	cantar	5	
Exterminar	cantar	5		Fascinar	cantar	5	
Extinguir	distinguir	53	Nota 44, pág. 169	Fastidiar	cantar	5	
Extirpar	cantar	5		Fatigar	pagar	6	
Extorsionar	cantar	5		* Favorecer	obedecer	33	
Extractar	cantar	5		Fechar	cantar	5	
Extraditar	cantar	5		Fecundar	cantar	5	
* Extraer	traer	47		Federar	cantar	5	
Extralimitarse	cantar	5		Felicitar	cantar	5	
Extranjerizar	cruzar	8		* Fenecer	obedecer	33	
Extrañar	cantar	5		Feriar	cantar	5	
Extrapolar	cantar	5		Fermentar	cantar	5	
Extraviar	desviar	9		Fertilizar	cruzar	8	
Extremar	cantar	5		Festejar	cantar	5	
Exudar	cantar	5		Festonear	cantar	5	
Exultar	cantar	5		Fiar	desviar	9	
Eyacular	cantar	5		Fichar	cantar	5	
				Figurar	cantar	5	
				Fijar	cantar	5	Nota 45, pág. 170
				Filetear	cantar	5	
				Filiar	cantar	5	
				Filmar	cantar	5	
				Filosofar	cantar	5	
Fabricar	atacar	7		Filtrar	cantar	5	
Fabular	cantar	5		Finalizar	cruzar	8	
Facilitar	cantar	5		Financiar	cantar	5	
Facturar	cantar	5					

f °

Conjugar es fácil

verbo	modelo	tabla	nota	verbo	modelo	tabla	nota
Fingir	*dirigir*	52		Fotocopiar	*cantar*	5	
Finiquitar	*cantar*	5		Fotografiar	*desviar*	9	
Firmar	*cantar*	5		Fracasar	*cantar*	5	
Fiscalizar	*cruzar*	8		Fraccionar	*cantar*	5	
Fisgar	*pagar*	6		Fracturar	*cantar*	5	
Fisgonear	*cantar*	5		Fragmentar	*cantar*	5	
Flagelar	*cantar*	5		Fraguar	*averiguar*	11	
Flamear	*cantar*	5		Franquear	*cantar*	5	
Flanquear	*cantar*	5		Frasear	*cantar*	5	
Flaquear	*cantar*	5		Fraternizar	*cruzar*	8	
Flechar	*cantar*	5		Frecuentar	*cantar*	5	
Fletar	*cantar*	5		* Fregar	*negar*	14	
Flexibilizar	*cruzar*	8		Fregotear	*cantar*	5	
Flexionar	*cantar*	5		* Freír	*reír*	63	Nota 46, pág. 170
Flirtear	*cantar*	5		Frenar	*cantar*	5	
Flojear	*cantar*	5		Fresar	*cantar*	5	
Florear	*cantar*	5		Friccionar	*cantar*	5	
* Florecer	*obedecer*	33		Frisar	*cantar*	5	
Flotar	*cantar*	5		Frivolizar	*cruzar*	8	
Fluctuar	*actuar*	10		Frotar	*cantar*	5	
Fluidificar	*atacar*	7		Fructificar	*atacar*	7	
* Fluir	*concluir*	59		Fruncir	*esparcir*	54	
Foguear	*cantar*	5		Frustrar	*cantar*	5	
Foliar	*cantar*	5		Fugarse	*pagar*	6	
Follar	*cantar*	5		Fulgurar	*cantar*	5	
Fomentar	*cantar*	5		Fulminar	*cantar*	5	
Fondear	*cantar*	5		Fumar	*cantar*	5	
Forcejear	*cantar*	5		Fumigar	*pagar*	6	
Forestar	*cantar*	5		Funcionar	*cantar*	5	
Forjar	*cantar*	5		Fundamentar	*cantar*	5	
Formalizar	*cruzar*	8		Fundar	*cantar*	5	
Formar	*cantar*	5		Fundir	*vivir*	51	
Formatear	*cantar*	5		Fusilar	*cantar*	5	
Formular	*cantar*	5		Fusionar	*cantar*	5	
Fornicar	*atacar*	7		Fustigar	*pagar*	6	
Forrajear	*cantar*	5					
Forrar	*cantar*	5					
* Fortalecer	*obedecer*	33					
Fortificar	*atacar*	7					
* Forzar		19		Gafar	*cantar*	5	
* Fosforescer	*obedecer*	33		Galantear	*cantar*	5	
Fosilizarse	*cruzar*	8		Galardonar	*cantar*	5	

g

Conjugar es fácil

verbo	modelo	tabla	nota	verbo	modelo	tabla	nota
Gallardear	cantar	5		Golpear	cantar	5	
Galopar	cantar	5		Golpetear	cantar	5	
Galvanizar	cruzar	8		Gorgoritear	cantar	5	
Gallear	cantar	5		Gorgotear	cantar	5	
Ganar	cantar	5		Gorjear	cantar	5	
Gandulear	cantar	5		Gorronear	cantar	5	
Gangrenarse	cantar	5		Gotear	cantar	5	
Gansear	cantar	5		Gozar	cruzar	8	
Gañir	bruñir	58		Grabar	cantar	5	
Garabatear	cantar	5		Graduar	actuar	10	
Garantizar	cruzar	8		Granar	cantar	5	
Gargajear	cantar	5		Granizar	cruzar	8	Nota 12, pág. 169
Gargarizar	cruzar	8		Granjearse	cantar	5	
Garrapatear	cantar	5		Granular	cantar	5	
Garrapiñar	cantar	5		Grapar	cantar	5	
Gasear	cantar	5		Gratificar	atacar	7	
Gasificar	atacar	7		Gratinar	cantar	5	
Gastar	cantar	5		Gravar	cantar	5	
Gatear	cantar	5		Gravitar	cantar	5	
* Gemir	pedir	60		Graznar	cantar	5	
Generalizar	cruzar	8		Grillarse	cantar	5	
Generar	cantar	5		Grisear	cantar	5	
Germanizar	cruzar	8		Gritar	cantar	5	
Germinar	cantar	5		Gruñir	bruñir	58	
Gestar	cantar	5		Guardar	cantar	5	
Gesticular	cantar	5		* Guarecer	obedecer	33	
Gestionar	cantar	5		* Guarnecer	obedecer	33	
Gibar	cantar	5		Guarnicionar	cantar	5	
Gimotear	cantar	5		Guarrear	cantar	5	
Girar	cantar	5		Guasearse	cantar	5	
Gitanear	cantar	5		Guerrear	cantar	5	
Glasear	cantar	5		Guerrillear	cantar	5	
Globalizar	cruzar	8		Guiar	desviar	9	
Gloriar	desviar	9		Guillotinar	cantar	5	
Glorificar	atacar	7		Guiñar	cantar	5	
Glosar	cantar	5		Guipar	cantar	5	
* Gobernar	pensar	13		Guisar	cantar	5	
Golear	cantar	5		Guisotear	cantar	5	
Golfear	cantar	5		Gulusmear	cantar	5	
Golosear	cantar	5		Gustar	cantar	5	

Conjugar es fácil

verbo	modelo	tabla	nota	verbo	modelo	tabla	nota
				Hipar	cantar	5	
	h			Hipertrofiarse	cantar	5	
				Hipnotizar	cruzar	8	
				Hipotecar	atacar	7	
* Haber		1		Hispanizar	cruzar	8	
Habilitar	cantar	5		Historiar	cantar	5	Nota 50, pág. 170
Habitar	cantar	5		Hocicar	atacar	7	
Habituar	actuar	10		Hojaldrar	cantar	5	
Hablar	cantar	5		Hojear	cantar	5	
* Hacer		37		* Holgar	rogar	18	
Hacinar	cantar	5		Holgazanear	cantar	5	
Halagar	pagar	6		* Hollar	contar	16	
Hallar	cantar	5		Homenajear	cantar	5	
Haraganear	cantar	5		Homogeneizar	cruzar	8	Nota 11, pág. 169
Hartar	cantar	5	Nota 47, pág. 170	Homologar	pagar	6	
Hastiar	desviar	9		Hondear	cantar	5	
Hebraizar	cruzar	8	Nota 11, pág. 169	Honorificar	atacar	7	
Hechizar	cruzar	8		Honrar	cantar	5	
* Heder	perder	29		Horadar	cantar	5	
* Helar	pensar	13	Nota 12, pág. 169	Hormiguear	cantar	5	
Helenizar	cruzar	8		Hornear	cantar	5	
* Henchir	pedir	60	Nota 48, pág. 170	Horripilar	cantar	5	
* Hendir	discernir	66	Nota 49, pág. 170	Horrorizar	cruzar	8	
* Heñir	teñir	64		Hospedar	cantar	5	
Heredar	cantar	5		Hospitalizar	cruzar	8	
* Herir	sentir	65		Hostigar	pagar	6	
Hermanar	cantar	5		Hostilizar	cruzar	8	
Hermosear	cantar	5		Hozar	cruzar	8	
Herniarse	cantar	5		* Huir	concluir	59	
* Herrar	pensar	13		Humanizar	cruzar	8	
Herrumbrar	cantar	5		Humar	cantar	5	
* Hervir	sentir	65		Humear	cantar	5	
Hibernar	cantar	5		* Humedecer	obedecer	33	
Hidratar	cantar	5		Humidificar	atacar	7	
Higienizar	cruzar	8		Humillar	cantar	5	
Hilar	cantar	5		Hundir	vivir	51	
Hilvanar	cantar	5		Hurgar	pagar	6	
Himplar	cantar	5		Huronear	cantar	5	
Hincar	atacar	7		Hurtar	cantar	5	
Hinchar	cantar	5		Husmear	cantar	5	

Conjugar es fácil

verbo	modelo	tabla	nota
Idealizar	cruzar	8	
Idear	cantar	5	
Identificar	atacar	7	
Idiotizar	cruzar	8	
Idolatrar	cantar	5	
Ignorar	cantar	5	
Igualar	cantar	5	
Ilegitimar	cantar	5	
Iluminar	cantar	5	
Ilusionar	cantar	5	
Ilustrar	cantar	5	
Imaginar	cantar	5	
Imantar	cantar	5	
Imbricar	atacar	7	
* Imbuir	concluir	59	
Imitar	cantar	5	
Impacientar	cantar	5	
Impactar	cantar	5	
Impartir	vivir	51	
* Impedir	pedir	60	
Impeler	beber	24	
Imperar	cantar	5	
Impermeabilizar	cruzar	8	
Impersonalizar	cruzar	8	
Implantar	cantar	5	
Implementar	cantar	5	
Implicar	atacar	7	
Implorar	cantar	5	
* Imponer	poner	41	
Importar	cantar	5	
Importunar	cantar	5	
Imposibilitar	cantar	5	
Impostar	cantar	5	
Imprecar	atacar	7	
Impregnar	cantar	5	
Impresionar	cantar	5	
Imprimir	vivir	51	Nota 51, pág. 170
Improvisar	cantar	5	

verbo	modelo	tabla	nota
Impugnar	cantar	5	
Impulsar	cantar	5	
Imputar	cantar	5	
Inaugurar	cantar	5	
Incapacitar	cantar	5	
Incardinar	cantar	5	
Incautarse	cantar	5	
Incendiar	cantar	5	
* Incensar	pensar	13	
Incentivar	cantar	5	
Incidir	vivir	51	
Incinerar	cantar	5	
Incitar	cantar	5	
Inclinar	cantar	5	
* Incluir	concluir	59	
Incoar	cantar	5	Nota 52, pág. 170
Incomodar	cantar	5	
Incomunicar	atacar	7	
Incordiar	cantar	5	
Incorporar	cantar	5	
Incursionar	cantar	5	
Incrementar	cantar	5	
Increpar	cantar	5	
Incriminar	cantar	5	
Incrustar	cantar	5	
Incubar	cantar	5	
Inculcar	atacar	7	
Inculpar	cantar	5	
Incumbir	vivir	51	Nota 6, pág. 169
Incumplir	vivir	51	
Incurrir	vivir	51	Nota 53, pág. 170
Incursionar	cantar	5	
Indagar	pagar	6	
Indemnizar	cruzar	8	
Independizar	cruzar	8	
Indicar	atacar	7	
Indigestarse	cantar	5	
Indignar	cantar	5	
Indisciplinarse	cantar	5	
* Indisponer	poner	41	
Individualizar	cruzar	8	
* Inducir	traducir	69	

Conjugar es fácil

verbo	modelo	tabla	nota	verbo	modelo	tabla	nota
Indultar	cantar	5		Insalivar	cantar	5	
Industrializar	cruzar	8		* Inscribir	vivir	51	Nota 55, pág. 170
Infamar	cantar	5		Inseminar	cantar	5	
Infartar	cantar	5		Insensibilizar	cruzar	8	
Infectar	cantar	5		Insertar	cantar	5	Nota 56, pág. 170
* Inferir	sentir	65		Insinuar	actuar	10	
Infestar	cantar	5		Insistir	vivir	51	
Infiltrar	cantar	5		Insolentar	cantar	5	
Inflamar	cantar	5		Insonorizar	cruzar	8	
Inflar	cantar	5		Inspeccionar	cantar	5	
Infligir	dirigir	52		Inspirar	cantar	5	
Influenciar	cantar	5		Instalar	cantar	5	
* Influir	concluir	59		Instar	cantar	5	
Informar	cantar	5		Instaurar	cantar	5	
Informatizar	cruzar	8		Instigar	pagar	6	
Infrautilizar	cruzar	8		Instilar	cantar	5	
Infravalorar	cantar	5		Institucionalizar	cruzar	8	
Infringir	dirigir	52		* Instituir	concluir	59	
Infundir	vivir	51		* Instruir	concluir	59	
Ingeniar	cantar	5		Instrumentar	cantar	5	
* Ingerir	sentir	65		Instrumentalizar	cruzar	8	
Ingresar	cantar	5		Insubordinar	cantar	5	
Inhabilitar	cantar	5		Insuflar	cantar	5	
Inhalar	cantar	5		Insultar	cantar	5	
Inhibir	vivir	51		Insurreccionarse	cantar	5	
Inhumar	cantar	5		Integrar	cantar	5	
Iniciar	cantar	5		Intelectualizar	cruzar	8	
Inicializar	cruzar	8		Intensificar	atacar	7	
* Injerir	sentir	65		Intentar	cantar	5	
Injertar	cantar	5	Nota 54, pág. 170	Interaccionar	cantar	5	
Injuriar	cantar	5		Intercalar	cantar	5	
Inmigrar	cantar	5		Intercambiar	cantar	5	
* Inmiscuir	concluir	59		Interceder	beber	24	
Inmolar	cantar	5		Interceptar	cantar	5	
Inmortalizar	cruzar	8		Interesar	cantar	5	
Inmovilizar	cruzar	8		* Interferir	sentir	65	
Inmunizar	cruzar	8		Interiorizar	cruzar	8	
Inmutar	cantar	5		Intermediar	cantar	5	
Innovar	cantar	5		Internacionalizar	cruzar	8	
Inocular	cantar	5		Internar	cantar	5	
Inquietar	cantar	5		Interpelar	cantar	5	
* Inquirir	adquirir	67		Interpolar	cantar	5	

V

verbo	modelo	tabla	nota	verbo	modelo	tabla	nota
* Interponer	poner	41		Iterar	cantar	5	
Interpretar	cantar	5		Izar	cruzar	8	
Interrogar	pagar	6					
Interrumpir	vivir	51					
* Intervenir	venir	80			**j**		
Interviuvar	cantar	5					
Intimar	cantar	5		Jabonar	cantar	5	
Intimidar	cantar	5		Jactarse	cantar	5	
Intitular	cantar	5		Jadear	cantar	5	
Intoxicar	atacar	7		Jalar	cantar	5	
Intranquilizar	cruzar	8		Jalear	cantar	5	
Intrigar	pagar	6		Jalonar	cantar	5	
Intrincar	atacar	7		Jamar	cantar	5	
* Introducir	traducir	69		Jaranear	cantar	5	
Intubar	cantar	5		Jarrear	cantar	5	
* Intuir	concluir	59		Jaspear	cantar	5	
Inundar	cantar	5		Jerarquizar	cruzar	8	
Inutilizar	cruzar	8		Jeringar	pagar	6	
Invadir	vivir	51		Joder	beber	24	
Invalidar	cantar	5		Jorobar	cantar	5	
Inventar	cantar	5		Jubilar	cantar	5	
Inventariar	desviar	9		Judaizar	cruzar	8	Nota 11, pág. 169
Invernar	cantar	5		Juerguearse	cantar	5	
* Invertir	sentir	65		* Jugar		21	
Investigar	pagar	6		Juguetear	cantar	5	
* Investir	pedir	60		Juntar	cantar	5	Nota 57, pág. 170
Invitar	cantar	5		Juramentar	cantar	5	
Invocar	atacar	7		Jurar	cantar	5	
Involucionar	cantar	5		Justificar	atacar	7	
Involucrar	cantar	5		Justipreciar	cantar	5	
Inyectar	cantar	5		Juzgar	pagar	6	
Ionizar	cruzar	8					
* Ir		77			**l**		
Irisar	cantar	5					
Ironizar	cruzar	8					
Irradiar	cantar	5		Labializar	cruzar	8	
Irrigar	pagar	6		Laborar	cantar	5	
Irritar	cantar	5		Labrar	cantar	5	
Irrumpir	vivir	51		Lacerar	cantar	5	
Islamizar	cruzar	8		Lacrar	cantar	5	
Italianizar	cruzar	8		Lactar	cantar	5	

Conjugar es fácil

verbo	modelo	tabla	nota	verbo	modelo	tabla	nota
Ladear	cantar	5		Licitar	cantar	5	
Ladrar	cantar	5		Licuar	cantar	5	Nota 7, pág. 169
Ladrillar	cantar	5		Liderar	cantar	5	
Lagrimear	cantar	5		Lidiar	cantar	5	
Laicizar	cruzar	8		Ligar	pagar	6	
Lamentar	cantar	5		Lijar	cantar	5	
Lamer	beber	24		Limar	cantar	5	
Laminar	cantar	5		Limitar	cantar	5	
Lampar	cantar	5		Limosnear	cantar	5	
Lancear	cantar	5		Limpiar	cantar	5	
* Languidecer	obedecer	33		Linchar	cantar	5	
Lanzar	cruzar	8		Lindar	cantar	5	
Lapidar	cantar	5		Liofilizar	cruzar	8	
Laquear	cantar	5		Liquidar	cantar	5	
Largar	pagar	6		Lisiar	cantar	5	
Lastimar	cantar	5		Lisonjear	cantar	5	
Lastrar	cantar	5		Listar	cantar	5	
Lateralizar	cruzar	8		Litigar	pagar	6	
Latinizar	cruzar	8		Litografiar	desviar	9	
Latir	vivir	51		Lizar	cruzar	8	
Laurear	cantar	5		Llagar	pagar	6	
Lavar	cantar	5		Llamar	cantar	5	
Lavotear	cantar	5		Llamear	cantar	5	
Laxar	cantar	5		Llanear	cantar	5	
* Leer		28		Llegar	pagar	6	
Legalizar	cruzar	8		Llenar	cantar	5	
Legar	pagar	6		Llevar	cantar	5	
Legislar	cantar	5		Llorar	cantar	5	
Legitimar	cantar	5		Lloriquear	cantar	5	
Legrar	cantar	5		* Llover	mover	30	Nota 12, pág. 169
Lesionar	cantar	5		Lloviznar	cantar	5	Nota 12, pág. 169
Levantar	cantar	5		Loar	cantar	5	
Levar	cantar	5		Localizar	cruzar	8	
Levitar	cantar	5		Lograr	cantar	5	
Lexicalizar	cruzar	8		Loquear	cantar	5	
Liar	desviar	9		Lubricar	atacar	7	
Libar	cantar	5		Lubrificar	atacar	7	
Liberalizar	cruzar	8		* Lucir		70	
Liberar	cantar	5		Lucrar	cantar	5	
Libertar	cantar	5		Lucubrar	cantar	5	
Librar	cantar	5		Luchar	cantar	5	
Licenciar	cantar	5					

Conjugar es fácil

verbo	modelo	tabla	nota	verbo	modelo	tabla	nota
Lustrar	cantar	5		Mangar	pagar	6	
Luxar	cantar	5		Mangonear	cantar	5	
				Maniatar	cantar	5	
				* Manifestar	pensar	13	Nota 59, pág. 170
m				Maniobrar	cantar	5	
				Manipular	cantar	5	
Macerar	cantar	5		Manosear	cantar	5	
Machacar	atacar	7		Manotear	cantar	5	
Madrugar	pagar	6		Mantear	cantar	5	
Madurar	cantar	5		* Mantener	tener	2	
Magnetizar	cruzar	8		Manufacturar	cantar	5	
Magnificar	atacar	7		Manumitir	vivir	51	
Magrear	cantar	5		* Manuscribir	vivir	51	Nota 60, pág. 170
Magullar	cantar	5		Maquilar	cantar	5	
Majar	cantar	5		Maquillar	cantar	5	
Malcasar	cantar	5		Maquinar	cantar	5	
Malcomer	beber	24		Maquinizar	cruzar	8	
Malcriar	desviar	9		Maravillar	cantar	5	
* Maldecir	bendecir	73	Nota 58, pág. 170	Marcar	atacar	7	
Malear	cantar	5		Marchar	cantar	5	
Maleducar	atacar	7		Marchitar	cantar	5	Nota 61, pág. 170
Malgastar	cantar	5		Marear	cantar	5	
* Malherir	sentir	65		Marginar	cantar	5	
Malhumorar	cantar	5		Maridar	cantar	5	
Maliciar	cantar	5		Marinar	cantar	5	
Malmeter	beber	24		Mariposear	cantar	5	
Malograr	cantar	5		Marrar	cantar	5	
Maltear	cantar	5		Marrullar	cantar	5	
* Maltraer	traer	47		Martillar	cantar	5	
Maltratar	cantar	5		Martillear	cantar	5	
Malvender	beber	24		Martirizar	cruzar	8	
Malversar	cantar	5		Masacrar	cantar	5	
Malvivir	vivir	51		Mascar	atacar	7	
Mamar	cantar	5		Masculinizar	cruzar	8	
Manar	cantar	5		Mascullar	cantar	5	
Manchar	cantar	5		Masificar	atacar	7	
Mancillar	cantar	5		Masticar	atacar	7	
Mancipar	cantar	5		Masturbar		5	
Mancomunar	cantar	5		Matar	cantar	5	
Mandar	cantar	5		Matasellar	cantar	5	
Manducar	atacar	7		Materializar	cruzar	8	
Manejar	cantar	5		Maternizar	cruzar	8	

Conjugar es fácil

verbo	modelo	tabla	nota	verbo	modelo	tabla	nota
Matizar	cruzar	8		Metalizar	cruzar	8	
Matricular	cantar	5		Metamorfosear	cantar	5	
Matrimoniar	cantar	5		Meteorizar	cruzar	8	
Maullar		12		Meter	beber	24	
Maximizar	cruzar	8		Metodizar	cruzar	8	
Mear	cantar	5		Mezclar	cantar	5	
Mecanizar	cruzar	8		Microfilmar	cantar	5	
Mecanografiar	desviar	9		Migar	pagar	6	
Mecer	vencer	26		Militar	cantar	5	
Mechar	cantar	5		Militarizar	cruzar	8	
Mediar	cantar	5		Mimar	cantar	5	
Mediatizar	cruzar	8		Minar	cantar	5	
Medicar	atacar	7		Mineralizar	cruzar	8	
Medicinar	cantar	5		Minimizar	cruzar	8	
* Medir	pedir	60		Ministrar	cantar	5	
Meditar	cantar	5		Minusvalorar	cantar	5	
Medrar	cantar	5		Mirar	cantar	5	
Mejorar	cantar	5		Mistificar	atacar	7	
Mellar	cantar	5		Mitificar	atacar	7	
Memorizar	cruzar	8		Mitigar	pagar	6	
Mencionar	cantar	5		Mixtificar	atacar	7	
Mendigar	pagar	6		Mocar	atacar	7	
Menear	cantar	5		Modelar	cantar	5	
Menguar	averiguar	11		Moderar	cantar	5	
Menoscabar	cantar	5		Modernizar	cruzar	8	
Menospreciar	cantar	5		Modificar	atacar	7	
Menstruar	actuar	10		Modular	cantar	5	
Mentalizar	cruzar	8		Mofar	cantar	5	
* Mentar	pensar	13		Mojar	cantar	5	
* Mentir	sentir	65		Moldar	cantar	5	
Menudear	cantar	5		Moldear	cantar	5	
Mercadear	cantar	5		* Moler	mover	30	
Mercantilizar	cruzar	8		Molestar	cantar	5	
Mercar	atacar	7		Momificar	atacar	7	
* Merecer	obedecer	33		Mondar	cantar	5	
* Merendar	pensar	13		Monologar	pagar	6	
Mermar	cantar	5		Monopolizar	cruzar	8	
Merodear	cantar	5		Monoptongar	pagar	6	
Mesar	cantar	5		Montar	cantar	5	
Mestizar	cruzar	8		Monumentalizar	cruzar	8	
Mesurar	cantar	5		Moquear	cantar	5	
Metaforizar	cruzar	8		Moralizar	cruzar	8	

Conjugar es fácil

verbo	modelo	tabla	nota	verbo	modelo	tabla	nota
Morar	cantar	5		Navegar	pagar	6	
* Morder	mover	30		Necesitar	cantar	5	
Mordisquear	cantar	5		* Negar		14	
Morigerar	cantar	5		Negociar	cantar	5	
* Morir	dormir	68	Nota 62, pág. 170	Negrear	cantar	5	
Mortificar	atacar	7		Neutralizar	cruzar	8	
Mosconear	cantar	5		* Nevar	pensar	13	Nota 12, pág. 169
Mosquear	cantar	5		Ningunear	cantar	5	
* Mostrar	contar	16		Niñear	cantar	5	
Motear	cantar	5		Niquelar	cantar	5	
Motejar	cantar	5		Nivelar	cantar	5	
Motivar	cantar	5		Nombrar	cantar	5	
Motorizar	cruzar	8		Nominar	cantar	5	
* Mover		30		Noquear	cantar	5	
Movilizar	cruzar	8		Normalizar	cruzar	8	
Mudar	cantar	5		Notar	cantar	5	
Mugir	dirigir	52		Notificar	atacar	7	
Mullir		57		Novelar	cantar	5	
Multar	cantar	5		Nublar	cantar	5	
Multicopiar	cantar	5		Numerar	cantar	5	
Multiplicar	atacar	7		Nutrir	vivir	51	
Municipalizar	cruzar	8					
Murar	cantar	5					
Murmurar	cantar	5					
Musitar	cantar	5					
Mustiar	cantar	5					
Mutar	cantar	5					
Mutilar	cantar	5					

n

* Nacer		31	
Nacionalizar	cruzar	8	
Nadar	cantar	5	
Narcotizar	cruzar	8	
Narcofinanciar	cantar	5	
Narrar	cantar	5	
Nasalizar	cruzar	8	
Naturalizar	cruzar	8	
Naufragar	pagar	6	

o

Obcecarse	atacar	7	
* Obedecer		33	
Objetar	cantar	5	
Objetivar	cantar	5	
Obligar	pagar	6	
Obliterar	cantar	5	
Obnubilar	cantar	5	
Obrar	cantar	5	
Obsequiar	cantar	5	
Observar	cantar	5	
Obsesionar	cantar	5	
Obstaculizar	cruzar	8	
Obstar	cantar	5	
Obstinarse	cantar	5	
* Obstruir	concluir	59	
* Obtener	tener	2	

verbo	modelo	tabla	nota	verbo	modelo	tabla	nota
Obturar	cantar	5		Orlar	cantar	5	
Obviar	cantar	5		Ornamentar	cantar	5	
Ocasionar	cantar	5		Ornar	cantar	5	
Ociar	cantar	5		Orquestar	cantar	5	
* Ocluir	concluir	59		Osar	cantar	5	
Ocultar	cantar	5		Oscilar	cantar	5	
Ocupar	cantar	5		* Oscurecer	obedecer	33	Nota 12, pág. 169
Ocurrir	vivir	51		Ostentar	cantar	5	
Odiar	cantar	5		Otear	cantar	5	
Ofender	beber	24		Otorgar	pagar	6	
Ofertar	cantar	5		Ovacionar	cantar	5	
Oficializar	cruzar	8		Ovalar	cantar	5	
Oficiar	cantar	5		Ovar	cantar	5	
* Ofrecer	obedecer	33		Ovillar	cantar	5	
Ofrendar	cantar	5		Ovular	cantar	5	
Ofuscar	atacar	7		Oxidarse	cantar	5	
* Oír		78		Oxigenar	cantar	5	
Ojear	cantar	5					
* Oler		38					

p

verbo	modelo	tabla	nota	verbo	modelo	tabla	nota
Olfatear	cantar	5					
Olisquear	cantar	5·					
Olvidar	cantar	5					
Omitir	vivir	51		* Pacer	nacer	31	
Ondear	cantar	5		Pacificar	atacar	7	
Ondular	cantar	5		Pactar	cantar	5	
Operar	cantar	5		* Padecer	obedecer	33	
Opinar	cantar	5		Pagar		6	
* Oponer	poner	41		Paginar	cantar	5	
Opositar	cantar	5		Paladear	cantar	5	
Oprimir	vivir	51		Palatalizar	cruzar	8	
Optar	cantar	5		Paliar	cantar	5	
Optimar	cantar	5		* Palidecer	obedecer	33	
Optimizar	cruzar	8		Palmar	cantar	5	
Orar	cantar	5		Palmear	cantar	5	
Ordenar	cantar	5		Palmotear	cantar	5	
Ordeñar	cantar	5		Palpar	cantar	5	
Orear	cantar	5		Palpitar	cantar	5	
Organizar	cruzar	8		Panificar	atacar	7	
Orientar	cantar	5		Papear	cantar	5	
Originar	cantar	5		Parabolizar	cruzar	8	
Orillar	cantar	5		Parafrasear	cantar	5	
Orinar	cantar	5		Paralizar	cruzar	8	

Conjugar es fácil

verbo	modelo	tabla	nota	verbo	modelo	tabla	nota
Parangonar	cantar	5		Peinar	cantar	5	
Parapetarse	cantar	5		Pelar	cantar	5	
Parar	cantar	5		Pelear	cantar	5	
Parcelar	cantar	5		Peligrar	cantar	5	
Parchear	cantar	5		Pellizcar	atacar	7	
Parcializar	cruzar	8		Pelotear	cantar	5	
* Parecer	obedecer	33		Penalizar	cruzar	8	
Parir	vivir	51		Penar	cantar	5	
Parlamentar	cantar	5		Pender	beber	24	
Parlar	cantar	5		Pendonear	cantar	5	
Parlotear	cantar	5		Penetrar	cantar	5	
Parodiar	cantar	5		* Pensar		13	
Parpadear	cantar	5		Pensionar	cantar	5	
Parrandear	cantar	5		Peraltar	cantar	5	
Participar	cantar	5		Percatarse	cantar	5	
Particularizar	cruzar	8		Percibir	vivir	51	
Partir	vivir	51		Percutir	vivir	51	
Pasar	cantar	5		* Perder		29	
Pasear	cantar	5		Perdonar	cantar	5	
Pasmar	cantar	5		Perdurar	cantar	5	
Pastar	cantar	5		* Perecer	obedecer	33	
Pasteurizar	cruzar	8		Peregrinar	cantar	5	
Pastorear	cantar	5		Perennizar	cruzar	8	
Patalear	cantar	5		Perfeccionar	cantar	5	
Patear	cantar	5		Perfilar	cantar	5	
Patentar	cantar	5		Perforar	cantar	5	
Patentizar	cruzar	8		Perfumar	cantar	5	
Patinar	cantar	5		Pergeñar	cantar	5	
Patrocinar	cantar	5		Periclitar	cantar	5	
Patrullar	cantar	5		Peritar	cantar	5	
Pausar	cantar	5		Perjudicar	atacar	7	
Pautar	cantar	5		Perjurar	cantar	5	
Pavimentar	cantar	5		Perlar	cantar	5	
Pavonear	cantar	5		* Permanecer	obedecer	33	
Peatonalizar	cruzar	8		Permitir	vivir	51	
Pecar	atacar	7		Permutar	cantar	5	
Pechar	cantar	5		Pernoctar	cantar	5	
Pedalear	cantar	5		Perorar	cantar	5	
* Pedir		60		Perpetrar	cantar	5	
Pedorrear	cantar	5		Perpetuar	actuar	10	
Pegar	pagar	6		* Perseguir	seguir	62	
Pegotear	cantar	5		Perseverar	cantar	5	

Conjugar es fácil

verbo	modelo	tabla	nota	verbo	modelo	tabla	nota
Persignar	cantar	5		Pivotar	cantar	5	
Persistir	vivir	51		* Placer		39	Nota 1, pág. 169
Personalizar	cruzar	8		Plagar	pagar	6	
Personarse	cantar	5		Plagiar	cantar	5	
Personificar	atacar	7		Planchar	cantar	5	
Persuadir	vivir	51		Planear	cantar	5	
* Pertenecer	obedecer	33		Planificar	atacar	7	
Pertrechar	cantar	5		Plantar	cantar	5	
Perturbar	cantar	5		Plantear	cantar	5	
* Pervertir	sentir	65		Plantificar	atacar	7	
Pervivir	vivir	51		Plañir	bruñir	58	
Pesar	cantar	5		Plasmar	cantar	5	
Pescar	atacar	7		Plastificar	atacar	7	
Pespuntear	cantar	5		Platear	cantar	5	
Pestañear	cantar	5		Platicar	atacar	7	
Petar	cantar	5		* Plegar	negar	14	
Petardear	cantar	5		Pleitear	cantar	5	
Peticionar	cantar	5		Plisar	cantar	5	
Petrificar	atacar	7		Pluralizar	cruzar	8	
Piafar	cantar	5		* Poblar	contar	16	
Piar	desviar	9		Podar	cantar	5	
Picar	atacar	7		* Poder		40	
Picotear	cantar	5		Poetizar	cruzar	8	
Pifiar	cantar	5		Polarizar	cruzar	8	
Pigmentar	cantar	5		Polemizar	cruzar	8	
Pillar	cantar	5		Policromar	cantar	5	
Pilotar	cantar	5		Polinizar	cruzar	8	
Pimplar	cantar	5		Politizar	cruzar	8	
Pincelar	cantar	5		Ponderar	cantar	5	
Pinchar	cantar	5		* Poner		41	
Pintar	cantar	5		Pontificar	atacar	7	
Pintarrajear	cantar	5		Popularizar	cruzar	8	
Pinzar	cruzar	8		Pordiosear	cantar	5	
Pirarse	cantar	5		Porfiar	desviar	9	
Piratear	cantar	5		Pormenorizar	cruzar	8	
Piropear	cantar	5		Portar	cantar	5	
Pirrarse	cantar	5		Portear	cantar	5	
Piruetear	cantar	5		Posar	cantar	5	
Pisar	cantar	5		* Poseer	leer	28	Nota 63, pág. 170
Pisotear	cantar	5		Posesionar	cantar	5	
Pitar	cantar	5		Posibilitar	cantar	5	
Pitorrearse	cantar	5		Posicionar	cantar	5	

Conjugar es fácil

verbo	modelo	tabla	nota	verbo	modelo	tabla	nota
Positivar	cantar	5		Presagiar	cantar	5	
* Posponer	poner	41		Prescindir	vivir	51	
Postergar	pagar	6		* Prescribir	vivir	51	Nota 66, pág. 170
Postinear	cantar	5		Preseleccionar	cantar	5	
Postrarse	cantar	5		Presenciar	cantar	5	
Postular	cantar	5		Presentar	cantar	5	
Potabilizar	cruzar	8		* Presentir	sentir	65	
Potar	cantar	5		Preservar	cantar	5	
Potenciar	cantar	5		Presidir	vivir	51	
Practicar	atacar	7		Presintonizar	cruzar	8	
Precaver	beber	24		Presionar	cantar	5	
Preceder	beber	24		Prestar	cantar	5	
Preciarse	cantar	5		Prestigiar	cantar	5	
Precintar	cantar	5		Presumir	vivir	51	
Precipitar	cantar	5		* Presuponer	poner	41	
Precisar	cantar	5		Presupuestar	cantar	5	
* Preconcebir	pedir	60		Presurizar	cruzar	8	
Preconizar	cruzar	8		Pretender	beber	24	
Predatar	cantar	5		Pretextar	cantar	5	
* Predecir	bendecir	73	Nota 64, pág. 170	* Prevalecer	obedecer	33	
Predestinar	cantar	5		Prevaricar	atacar	7	
Predeterminar	cantar	5		* Prevenir	venir	80	
Predicar	atacar	7		* Prever	ver	49	
* Predisponer	poner	41		Primar	cantar	5	
Predominar	cantar	5		Pringar	pagar	6	
Preexistir	vivir	51		Privar	cantar	5	
* Preferir	sentir	65		Privatizar	cruzar	8	
Prefigurar	cantar	5		Privilegiar	cantar	5	
Prefijar	cantar	5		* Probar	contar	16	
Pregonar	cantar	5		Proceder	beber	24	
Preguntar	cantar	5		Procesar	cantar	5	
Prejuzgar	pagar	6		Proclamar	cantar	5	
Preludiar	cantar	5		Procrear	cantar	5	
Premeditar	cantar	5		Procurar	cantar	5	
Premiar	cantar	5		Prodigar	pagar	6	
Prendar	cantar	5		* Producir	traducir	69	
Prender	beber	24	Nota 65, pág. 170	Profanar	cantar	5	
Prensar	cantar	5		* Proferir	sentir	65	
Preñar	cantar	5		Profesar	cantar	5	
Preocupar	cantar	5		Profesionalizar	cruzar	8	
Preparar	cantar	5		Profetizar	cruzar	8	
Preponderar	cantar	5		Profundizar	cruzar	8	

Conjugar es fácil

verbo	modelo	tabla	nota	verbo	modelo	tabla	nota
Programar	cantar	5		Publicitar	cantar	5	
Progresar	cantar	5		* Pudrir	vivir	51	Nota 70, pág. 170
Prohibir		55		Puentear	cantar	5	
Proliferar	cantar	5		Pugnar	cantar	5	
Prologar	pagar	6		Pujar	cantar	5	
Prolongar	pagar	6		Pulimentar	cantar	5	
Promediar	cantar	5		Pulir	abolir	71	
Prometer	beber	24		Pulsar	cantar	5	
Promocionar	cantar	5		Pulular	cantar	5	
* Promover	mover	30		Pulverizar	cruzar	8	
Promulgar	pagar	6		Puntear	cantar	5	
Pronosticar	atacar	7		Puntualizar	cruzar	8	
Pronunciar	cantar	5		Puntuar	actuar	10	
Propagar	pagar	6		Punzar	cruzar	8	
Propalar	cantar	5		Purgar	pagar	6	
Propasar	cantar	5		Purificar	atacar	7	
Propender	beber	24	Nota 67, pág. 170	Putear	cantar	5	
Propiciar	cantar	5					
Propinar	cantar	5					
* Proponer	poner	41			**q**		
Proporcionar	cantar	5					
Propugnar	cantar	5					
Propulsar	cantar	5		Quebrantar	cantar	5	
Prorratear	cantar	5		* Quebrar	pensar	13	
Prorrogar	pagar	6		Quedar	cantar	5	
Prorrumpir	vivir	51		Quejarse	cantar	5	
* Proscribir	vivir	51	Nota 68, pág. 170	Quemar	cantar	5	
* Proseguir	seguir	62		Querellarse	cantar	5	
Prosificar	atacar	7		* Querer		42	
Prosperar	cantar	5		Quintuplicar	atacar	7	
Prosternarse	cantar	5		Quitar	cantar	5	
* Prostituir	concluir	59					
Prostrar	cantar	5					
Protagonizar	cruzar	8			**r**		
Proteger	coger	25					
Protestar	cantar	5					
* Proveer	leer	28	Nota 69, pág. 170	Rabiar	cantar	5	
* Provenir	venir	80		Racanear	cantar	5	
Provocar	atacar	7		Racionalizar	cruzar	8	
Proyectar	cantar	5		Racionar	cantar	5	
Psicoanalizar	cruzar	8		Radiar	cantar	5	
Publicar	atacar	7		Radicalizar	cruzar	8	

Conjugar es fácil

verbo	modelo	tabla	nota	verbo	modelo	tabla	nota
Radicar	atacar	7		Reavivar	cantar	5	
Radiodifundir	vivir	51		Rebajar	cantar	5	
Radiografiar	desviar	9		Rebanar	cantar	5	
Radiotelegrafiar	desviar	9		Rebañar	cantar	5	
* Raer	caer	36	Nota 71, pág. 170	Rebasar	cantar	5	
Rajar	cantar	5		Rebatir	vivir	51	
Ralentizar	cruzar	8		Rebelarse	cantar	5	
Rallar	cantar	5		* Reblandecer	obedecer	33	
Ramificar	atacar	7		Rebobinar	cantar	5	
Ramonear	cantar	5		Rebordear	cantar	5	
Rapar	cantar	5		Rebosar	cantar	5	
Raptar	cantar	5		Rebotar	cantar	5	
Rarificar	atacar	7		Rebozar	cruzar	8	
Rasar	cantar	5		Rebrotar	cantar	5	
Rascar	atacar	7		Rebuscar	atacar	7	
Rasgar	pagar	6		Rebuznar	cantar	5	
Rasguear	cantar	5		Recabar	cantar	5	
Raspar	cantar	5		* Recaer	caer	36	
Rastrear	cantar	5		Recalar	cantar	5	
Rastrillar	cantar	5		Recalcar	atacar	7	
Rastrojar	cantar	5		* Recalentar	pensar	13	
Rasurar	cantar	5		Recamar	cantar	5	
Ratificar	atacar	7		Recambiar	cantar	5	
Rayar	cantar	5		Recapacitar	cantar	5	
Razonar	cantar	5		Recapitular	cantar	5	
* Reabrir	vivir	51	Nota 72, pág. 170	Recargar	pagar	6	
Reabsorber	beber	24		Recatarse	cantar	5	
Reaccionar	cantar	5		Recauchutar	cantar	5	
Reactivar	cantar	5		Recaudar	cantar	5	
Readaptar	cantar	5		Recelar	cantar	5	
Readmitir	vivir	51		Recetar	cantar	5	
Reafirmar	cantar	5		Rechazar	cruzar	8	
Reagrupar	cantar	5		Rechinar	cantar	5	
Reajustar	cantar	5		Rechistar	cantar	5	
Realistarse	cantar	5		Recibir	vivir	51	
Realizar	cruzar	8		Reciclar	cantar	5	
Realquilar	cantar	5		Recidivar	cantar	5	
Realzar	cruzar	8		Recitar	cantar	5	
Reanimar	cantar	5		Reclamar	cantar	5	
Reanudar	cantar	5		Reclinar	cantar	5	
* Reaparecer	obedecer	33		* Recluir	concluir	59	Nota 73, pág. 170
Rearmar	cantar	5		Reclutar	cantar	5	

156

verbo	modelo	tabla	nota	verbo	modelo	tabla	nota
Recobrar	cantar	5		* Redistribuir	concluir	59	
* Recocer	cocer	34		Redoblar	cantar	5	
Recochinearse	cantar	5		Redondear	cantar	5	
Recoger	coger	25		* Reducir	traducir	69	
Recolectar	cantar	5		Redundar	cantar	5	
* Recomendar	pensar	13		Reduplicar	atacar	7	
* Recomenzar	empezar	15		Reedificar	atacar	7	
Recomerse	beber	24		Reeditar	cantar	5	
Recompensar	cantar	5		Reeducar	atacar	7	
* Recomponer	poner	41		* Reelegir	corregir	61	
Reconcentrar	cantar	5		Reembarcar	atacar	7	
Reconciliar	cantar	5		Reembolsar	cantar	5	
Reconcomerse	beber	24		Reemplazar	cruzar	8	
* Reconducir	traducir	69		Reencarnar	cantar	5	
Reconfirmar	cantar	5		* Reencontrar	contar	16	
Reconfortar	cantar	5		Reencuadernar	cantar	5	
* Reconocer	conocer	32		Reenganchar	cantar	5	
Reconquistar	cantar	5		Reensayar	cantar	5	
Reconsiderar	cantar	5		Reenviar	desviar	9	
* Reconstituir	concluir	59		Reestrenar	cantar	5	
* Reconstruir	concluir	59		Reestructurar	cantar	5	
* Recontar	contar	16		Reexaminar	cantar	5	
* Reconvenir	venir	80		* Reexpedir	pedir	60	
* Reconvertir	sentir	65		Reexportar	cantar	5	
Recopilar	cantar	5		* Referir	sentir	65	
* Recordar	contar	16		Refinar	cantar	5	
Recorrer	beber	24		Reflejar	cantar	5	
Recortar	cantar	5		Reflexionar	cantar	5	
Recoser	beber	24		* Reflorecer	obedecer	33	
* Recostar	contar	16		Reflotar	cantar	5	
Recrear	cantar	5		* Refluir	concluir	59	
Recriminar	cantar	5		Refocilarse	cantar	5	
* Recrudecer	obedecer	33		Reforestar	cantar	5	
Rectificar	atacar	7		Reformar	cantar	5	
Recuadrar	cantar	5		* Reforzar	forzar	19	
* Recubrir	vivir	51	Nota 74, pág. 170	Refractar	cantar	5	
Recular	cantar	5		* Refregar	negar	14	
Recuperar	cantar	5		* Refreír	reír	63	Nota 75, pág. 170
Recurrir	vivir	51		Refrenar	cantar	5	
Recusar	cantar	5		Refrendar	cantar	5	
Redactar	cantar	5		Refrescar	atacar	7	
Redimir	vivir	51		Refrigerar	cantar	5	

Conjugar es fácil

verbo	modelo	tabla	nota	verbo	modelo	tabla	nota
Refugiarse	*cantar*	5		Reivindicar	*atacar*	7	
Refulgir	*dirigir*	52		Rejonear	*cantar*	5	
Refundir	*vivir*	51		* Rejuvenecer	*obedecer*	33	
Refunfuñar	*cantar*	5		Relacionar	*cantar*	5	
Refutar	*cantar*	5		Relajarse	*cantar*	5	
Regalar	*cantar*	5		Relamer	*beber*	24	
Regañar	*cantar*	5		Relampaguear	*cantar*	5	Nota 12, pág. 169
* Regar	*negar*	14		Relanzar	*cruzar*	8	
Regatear	*cantar*	5		Relatar	*cantar*	5	
Regenerar	*cantar*	5		Relativizar	*cruzar*	8	
Regentar	*cantar*	5		* Releer	*leer*	28	
* Regir	*corregir*	61	Nota 76, pág. 170	Relegar	*pagar*	6	
Registrar	*cantar*	5		Relevar	*cantar*	5	
Reglamentar	*cantar*	5		Religar	*pagar*	6	
Reglar	*cantar*	5		Relinchar	*cantar*	5	
Regocijar	*cantar*	5		Rellenar	*cantar*	5	
Regodearse	*cantar*	5		* Relucir	*lucir*	70	
Regresar	*cantar*	5		Relumbrar	*cantar*	5	
Regular	*cantar*	5		Remachar	*cantar*	5	
Regularizar	*cruzar*	8		Remangar	*pagar*	6	
Regurgitar	*cantar*	5		Remansarse	*cantar*	5	
Rehabilitar	*cantar*	5		Remar	*cantar*	5	
* Rehacer	*hacer*	37		Remarcar	*atacar*	7	
Rehogar	*pagar*	6		Rematar	*cantar*	5	
* Rehuir	*concluir*	59		Rembolsar	*cantar*	5	
* Rehumedecer	*obedecer*	33		Remedar	*cantar*	5	
Rehundir	*reunir*	56		Remediar	*cantar*	5	
Rehusar	*maullar*	12		Rememorar	*cantar*	5	
Reimplantar	*cantar*	5		* Remendar	*pensar*	13	
Reimportar	*cantar*	5		Remeter	*beber*	24	
Reimprimir	*vivir*	51	Nota 77, pág. 170	Remitir	*vivir*	51	
Reinar	*cantar*	5		Remodelar	*cantar*	5	
Reinaugurar	*cantar*	5		Remojar	*cantar*	5	
Reincidir	*vivir*	51		Remolcar	*atacar*	7	
Reincorporar	*cantar*	5		Remolonear	*cantar*	5	
Reingresar	*cantar*	5		Remontar	*cantar*	5	
* Reinscribir	*vivir*	51	Nota 78, pág. 170	* Remorder	*mover*	30	
Reinsertar	*cantar*	5		* Remover	*mover*	30	
Reinstalar	*cantar*	5		Remozar	*cruzar*	8	
Reintegrar	*cantar*	5		Remplazar	*cruzar*	8	
* Reír		63		Remunerar	*cantar*	5	
Reiterar	*cantar*	5		* Renacer	*nacer*	31	

verbo	modelo	tabla	nota	verbo	modelo	tabla	nota
Renacionalizar	cruzar	8		Reptar	cantar	5	
* Rencontrar	contar	16		Repudiar	cantar	5	
* Rendir	pedir	60		Repugnar	cantar	5	
* Renegar	negar	14		Repujar	cantar	5	
Renegociar	cantar	5		Repulir	vivir	51	
Renombrar	cantar	5		Reputar	cantar	5	
* Renovar	contar	16		* Requebrar	pensar	13	
Renquear	cantar	5		* Requerir	sentir	65	
Renunciar	cantar	5		Requisar	cantar	5	
* Reñir	teñir	64		Resaltar	cantar	5	
Reorganizar	cruzar	8		Resarcir	esparcir	54	
Repanchingarse	pagar	6		Resbalar	cantar	5	
Reparar	cantar	5		Rescatar	cantar	5	
Repartir	vivir	51		Rescindir	vivir	51	
Repasar	cantar	5		* Rescribir	vivir	51	Nota 79, pág. 170
Repatear	cantar	5		Resecar	atacar	7	
Repatriar	desviar	9		* Resentirse	sentir	65	
Repeinar	cantar	5		Reseñar	cantar	5	
Repeler	beber	24		Reservar	cantar	5	
* Repensar	pensar	13		Resfriar	desviar	9	
Repercutir	vivir	51		Resguardar	cantar	5	
Repescar	atacar	7		Residir	vivir	51	
* Repetir	pedir	60		Resignar	cantar	5	
Repicar	atacar	7		Resinar	cantar	5	
Repintar	cantar	5		Resistir	vivir	51	
Repiquetear	cantar	5		* Resolver	mover	30	Nota 80, pág. 170
Replantar	cantar	5		* Resonar	contar	16	
Replantear	cantar	5		Resoplar	cantar	5	
* Replegar	negar	14		Respaldar	cantar	5	
Replicar	atacar	7		Respetar	cantar	5	
* Repoblar	contar	16		Respingar	pagar	6	
* Reponer	poner	41		Respirar	cantar	5	
Reportar	cantar	5		* Resplandecer	obedecer	33	
Reposar	cantar	5		Responder	beber	24	
Repostar	cantar	5		Responsabilizar	cruzar	8	
Reprender	beber	24		Resquebrajar	cantar	5	
Representar	cantar	5		* Restablecer	obedecer	33	
Reprimir	vivir	51		Restallar	cantar	5	
* Reprobar	contar	16		Restañar	cantar	5	
Reprocesar	cantar	5		Restar	cantar	5	
Reprochar	cantar	5		Restaurar	cantar	5	
* Reproducir	traducir	69		* Restituir	concluir	59	

V

Conjugar es fácil

verbo	modelo	tabla	nota	verbo	modelo	tabla	nota
* Restregar	negar	14		* Revestir	pedir	60	
Restringir	dirigir	52		Revindicar	atacar	7	
Restructurar	cantar	5		Revisar	cantar	5	
Resucitar	cantar	5		Revitalizar	cruzar	8	
Resultar	cantar	5		Revivir	vivir	51	
Resumir	vivir	51		Revocar	atacar	7	
Resurgir	dirigir	52		* Revolcar	trocar	17	
Retar	cantar	5		Revolotear	cantar	5	
Retardar	cantar	5		Revolucionar	cantar	5	
* Retener	tener	2		* Revolver	mover	30	Nota 81, pág. 170
* Retentar	pensar	13		Rezagarse	pagar	6	
* Reteñir	teñir	64		Rezar	cruzar	8	
Retirar	cantar	5		Rezongar	pagar	6	
Retocar	atacar	7		Rezumar	cantar	5	
Retomar	cantar	5		Ribetear	cantar	5	
Retoñar	cantar	5		Ridiculizar	cruzar	8	
* Retorcer	cocer	34		Rielar	cantar	5	Nota 6, pág. 169
Retornar	cantar	5		Rifar	cantar	5	
Retozar	cruzar	8		Rimar	cantar	5	
Retractarse	cantar	5		Ripiar	cantar	5	
* Retraer	traer	47		Rivalizar	cruzar	8	
Retransmitir	vivir	51		Rizar	cruzar	8	
Retrasar	cantar	5		Robar	cantar	5	
Retratar	cantar	5		* Robustecer	obedecer	33	
Retreparse	cantar	5		Rociar	desviar	9	
* Retribuir	concluir	59		* Rodar	contar	16	
Retroceder	beber	24		Rodear	cantar	5	
* Retrotraer	traer	47		* Roer		43	
Retumbar	cantar	5		* Rogar		18	
Reunificar	atacar	7		Romanizar	cruzar	8	
Reunir		56		* Romper	beber	24	Nota 82, pág. 170
Revacunar	cantar	5		Roncar	atacar	7	
Revalidar	cantar	5		Rondar	cantar	5	
Revalorizar	cruzar	8		Ronronear	cantar	5	
Revaluar	actuar	10		Ronzar	cruzar	8	
Revelar	cantar	5		Roscar	atacar	7	
Revender	beber	24		Rotar	cantar	5	
* Reventar	pensar	13		Rotular	cantar	5	
Reverberar	cantar	5		Roturar	cantar	5	
* Reverdecer	obedecer	33		Rozar	cruzar	8	
Reverenciar	cantar	5		Ruborizar	cruzar	8	
* Revertir	sentir	65		Rubricar	atacar	7	

Conjugar es fácil

verbo	modelo	tabla	nota	verbo	modelo	tabla	nota
Rugir	dirigir	52		Satirizar	cruzar	8	
Rular	cantar	5		* Satisfacer		45	
Rumiar	cantar	5		Saturar	cantar	5	
Rumorear	cantar	5		Sazonar	cantar	5	
Runrunear	cantar	5		Secar	atacar	7	
Rutilar	cantar	5	Nota 1, pág. 169	Seccionar	cantar	5	
				Secretar	cantar	5	
				Secretear	cantar	5	
	S			Secuenciar	cantar	5	
				Secuestrar	cantar	5	
				Secularizar	cruzar	8	
* Saber		44		Secundar	cantar	5	
Sablear	cantar	5		Sedar	cantar	5	
Saborear	cantar	5		Sedimentar	cantar	5	
Sabotear	cantar	5		* Seducir	traducir	69	
Sacar	atacar	7		* Segar	negar	14	
Saciar	cantar	5		Segmentar	cantar	5	
Sacralizar	cruzar	8		Segregar	pagar	6	
Sacramentar	cantar	5		* Seguir		62	
Sacrificar	atacar	7		Seleccionar	cantar	5	
Sacudir	vivir	51		Sellar	cantar	5	
Sajar	cantar	5		* Sembrar	pensar	13	
Salar	cantar	5		Semejar	cantar	5	
Saldar	cantar	5		Sensibilizar	cruzar	8	
* Salir		79		* Sentar	pensar	13	
Salivar	cantar	5		Sentenciar	cantar	5	
Salmodiar	cantar	5		* Sentir		65	
Salpicar	atacar	7		Señalar	cantar	5	
* Salpimentar	pensar	13		Señalizar	cruzar	8	
Saltar	cantar	5		Separar	cantar	5	
Saltear	cantar	5		Sepultar	cantar	5	
Saludar	cantar	5		* Ser		3	
Salvaguardar	cantar	5		Serenar	cantar	5	
Salvar	cantar	5	Nota 83, pág. 170	Seriar	cantar	5	
Sanar	cantar	5		Sermonear	cantar	5	
Sancionar	cantar	5		Serpentear	cantar	5	
Sanear	cantar	5		* Serrar	pensar	13	
Sangrar	cantar	5		* Servir	pedir	60	
Santificar	atacar	7		Sesear	cantar	5	
Santiguar	averiguar	11		Sesgar	pagar	6	
Saquear	cantar	5		Sestear	cantar	5	
Satinar	cantar	5		Sextuplicar	atacar	7	

Conjugar es fácil

verbo	modelo	tabla	nota	verbo	modelo	tabla	nota
Significar	atacar	7		* Sobrevolar	contar	16	
Silabear	cantar	5		Socarrar	cantar	5	
Silbar	cantar	5		Socavar	cantar	5	
Silenciar	cantar	5		Socializar	cruzar	8	
Siluetear	cantar	5		Socorrer	beber	24	
Simbolizar	cruzar	8		Sofisticar	atacar	7	
Simpatizar	cruzar	8		Soflamar	cantar	5	
Simplificar	atacar	7		Sofocar	atacar	7	
Simular	cantar	5		* Sofreír	reír	63	Nota 84, pág. 170
Simultanear	cantar	5		Sojuzgar	pagar	6	
Sincerarse	cantar	5		Solapar	cantar	5	
Sincopar	cantar	5		Solazar	cruzar	8	
Sincronizar	cruzar	8		* Soldar	contar	16	
Sindicarse	atacar	7		Solear	cantar	5	
Singularizar	cruzar	8		Solemnizar	cruzar	8	
Sintetizar	cruzar	8		* Soler		46	Nota 1, pág. 169
Sintonizar	cruzar	8		Solfear	cantar	5	
Sisar	cantar	5		Solicitar	cantar	5	
Sisear	cantar	5		Solidarizarse	cruzar	8	
Sistematizar	cruzar	8		Solidificar	atacar	7	
Sitiar	cantar	5		Soliloquiar	cantar	5	
Situar	actuar	10		Soliviantar	cantar	5	
Sobar	cantar	5		* Soltar	contar	16	Nota 85, pág. 170
Sobornar	cantar	5		Solucionar	cantar	5	
Sobrar	cantar	5		Solventar	cantar	5	
Sobrealimentar	cantar	5		Sollozar	cruzar	8	
Sobreañadir	vivir	51		Sombrear	cantar	5	
Sobrecargar	pagar	6		Someter	beber	24	
Sobrecoger	coger	25		* Sonar	contar	16	
Sobreexcitar	cantar	5		Sondar	cantar	5	
Sobrehilar	cantar	5		Sondear	cantar	5	
Sobrellevar	cantar	5		Sonorizar	cruzar	8	
* Sobrentender	perder	29		* Sonreír	reír	63	
Sobremedicar	atacar	7		Sonrojarse	cantar	5	
Sobrepasar	atacar	7		Sonsacar	atacar	7	
* Sobreponer	poner	41		* Soñar	contar	16	
* Sobresalir	salir	79		Sopapear	cantar	5	
Sobresaltar	cantar	5		Sopar	cantar	5	
* Sobreseer	leer	28		Sopesar	cantar	5	
Sobrestimar	cantar	5		Soplar	cantar	5	
* Sobrevenir	venir	80		Soportar	cantar	5	
Sobrevivir	vivir	51		Sorber	beber	24	

verbo	modelo	tabla	nota	verbo	modelo	tabla	nota
Sorprender	beber	24		Sulfatar	cantar	5	
Sortear	cantar	5		Sulfurar	cantar	5	
* Sosegar	negar	14		Sumar	cantar	5	
Soslayar	cantar	5		Sumariar	cantar	5	
Sospechar	cantar	5		Sumergir	dirigir	52	
* Sostener	tener	2		Suministrar	cantar	5	
* Soterrar	pensar	13		Sumir	vivir	51	
Sovietizar	cruzar	8		Supeditar	cantar	5	
Suavizar	cruzar	8		Superabundar	cantar	5	
Subalimentar	cantar	5		Superar	cantar	5	
Subalternar	cantar	5		* Superponer	poner	41	
* Subarrendar	pensar	13		Supervalorar	cantar	5	
Subastar	cantar	5		Supervisar	cantar	5	
Subdelegar	pagar	6		Suplantar	cantar	5	
Subdividir	vivir	51		Suplicar	atacar	7	
Subestimar	cantar	5		Suplir	vivir	51	
Subir	vivir	51		* Suponer	poner	41	
Subjetivar	cantar	5		Suprimir	vivir	51	
Sublevar	cantar	5		Supurar	cantar	5	
Sublimar	cantar	5		Surcar	atacar	7	
Subordinar	cantar	5		Surgir	dirigir	52	
Subrayar	cantar	5		Surtir	vivir	51	
Subrogar	pagar	6		Suscitar	cantar	5	
Subsanar	cantar	5		* Suscribir	vivir	51	Nota 87, pág. 170
Subsidiar	cantar	5		Suspender	beber	24	Nota 88, pág. 170
Subsistir	vivir	51		Suspirar	cantar	5	
Subsumir	vivir	51		Sustanciar	cantar	5	
Subtitular	cantar	5		Sustantivar	cantar	5	
Subvencionar	cantar	5		Sustentar	cantar	5	
* Subvenir	venir	80		* Sustituir	concluir	59	
* Subyacer	yacer	50		* Sustraer	traer	47	
Subyugar	pagar	6		Susurrar	cantar	5	
Succionar	cantar	5		Suturar	cantar	5	
Suceder	beber	24					
Sucumbir	vivir	51					
Sudar	cantar	5		**t**			
Sufragar	pagar	6					
Sufrir	vivir	51					
* Sugerir	sentir	65		Tabicar	atacar	7	
Sugestionarse	cantar	5		Tablear	cantar	5	
Suicidarse	cantar	5		Tabular	cantar	5	
Sujetar	cantar	5	Nota 86, pág. 170	Tachar	cantar	5	

Conjugar es fácil

verbo	modelo	tabla	nota	verbo	modelo	tabla	nota
Tachonar	cantar	5		* Tender	perder	29	
Taconear	cantar	5		* Tener		2	
Tajar	cantar	5		Tensar	cantar	5	
Taladrar	cantar	5		* Tentar	pensar	13	
Talar	cantar	5		* Teñir		64	
Tallar	cantar	5		Teologizar	cruzar	8	
Tambalear	cantar	5		Teorizar	cruzar	8	
Tamborilear	cantar	5		Terciar	cantar	5	
Tamizar	cruzar	8		Tergiversar	cantar	5	
Tantear	cantar	5		Terminar	cantar	5	
Tañer		27		Terraplenar	cantar	5	
Tapar	cantar	5		Tersar	cantar	5	
Tapiar	cantar	5		Testar	cantar	5	
Tapizar	cruzar	8		Testificar	atacar	7	
Taponar	cantar	5		Testimoniar	cantar	5	
Taquigrafiar	desviar	9		Tildar	cantar	5	
Tarar	cantar	5		Timar	cantar	5	
Taracear	cantar	5		Timbrar	cantar	5	
Tararear	cantar	5		Tintar	cantar	5	
Tardar	cantar	5		Tintinear	cantar	5	
Tarifar	cantar	5		Tipificar	atacar	7	
Tarjetearse	cantar	5		Tiranizar	cruzar	8	
Tartajear	cantar	5		Tirar	cantar	5	
Tartamudear	cantar	5		Tiritar	cantar	5	
Tasar	cantar	5		Tirotear	cantar	5	
Tatarear	cantar	5		Titilar	cantar	5	Nota 6, pág. 169
Tatuar	actuar	10		Titubear	cantar	5	
Teatralizar	cruzar	8		Titular	cantar	5	
Techar	cantar	5		Titularizar	cruzar	8	
Teclear	cantar	5		Tiznar	cantar	5	
Tecnificar	atacar	7		Tocar	atacar	7	
Teledirigir	dirigir	52		Toldar	cantar	5	
Tejer	beber	24		Tolerar	cantar	5	
Telefonear	cantar	5		Tomar	cantar	5	
Telegrafiar	desviar	9		Tonificar	atacar	7	
Televisar	cantar	5		Tonsurar	cantar	5	
* Temblar	pensar	13		Tontear	cantar	5	
Temblequear	cantar	5		Topar	cantar	5	
Temer	beber	24		Toquetear	cantar	5	
Temperar	cantar	5		* Torcer	cocer	34	Nota 89, pág. 170
Templar	cantar	5		Torear	cantar	5	
Temporizar	cruzar	8		Tornar	cantar	5	

Conjugar es fácil

verbo	modelo	tabla	nota	verbo	modelo	tabla	nota
Tornasolar	cantar	5		Traquetear	cantar	5	
Tornear	cantar	5		Trasbordar	cantar	5	
Torpedear	cantar	5		* Trascender	perder	29	
Torrarse	cantar	5		* Trasegar	negar	14	
Torrefactar	cantar	5		Trashumar	cantar	5	
Torturar	cantar	5		Trasladar	cantar	5	
Toser	beber	24		* Traslucirse	lucir	70	
* Tostar	contar	16		Trasmutar	cantar	5	
Totalizar	cruzar	8		Trasnochar	cantar	5	
Trabajar	cantar	5		Traspapelarse	cantar	5	
Trabar	cantar	5		Traspasar	cantar	5	
* Traducir		69		Trasplantar	cantar	5	
* Traer		47		* Trasponer	poner	41	
Traficar	atacar	7		Trasquilar	cantar	5	
Tragar	pagar	6		Trastabillar	cantar	5	
Traicionar	cantar	5		Trastear	cantar	5	
Trajearse	cantar	5		Trastocar	atacar	7	
Trajinar	cantar	5		Trastornar	cantar	5	
Tramar	cantar	5		Trasvasar	cantar	5	
Tramitar	cantar	5		Tratar	cantar	5	
Trampear	cantar	5		Traumatizar	cruzar	8	
Trancar	atacar	7		* Travestirse	pedir	60	
Tranquilizar	cruzar	8		Trazar	cruzar	8	
Transbordar	cantar	5		Tremolar	cantar	5	
* Transcribir	vivir	51	Nota 90, pág. 170	Trenzar	cruzar	8	
Transcurrir	vivir	51		Trepanar	cantar	5	
* Transferir	sentir	65		Trepar	cantar	5	
Transfigurar	cantar	5		Trepidar	cantar	5	
Transformar	cantar	5		Tributar	cantar	5	
Transfundir	vivir	51		Tricotar	cantar	5	
Transgredir	abolir	71	Nota 1, pág. 169	Trillar	cantar	5	
Transigir	dirigir	52		Trinar	cantar	5	
Transitar	cantar	5		Trincar	atacar	7	
Transliterar	cantar	5		Trinchar	cantar	5	
Transmigrar	cantar	5		Triplicar	atacar	7	
Transmitir	vivir	51		Triptongar	pagar	6	
Transmutar	cantar	5		Tripular	cantar	5	
Transparentar	cantar	5		Triturar	cantar	5	
Transpirar	cantar	5		Triunfar	cantar	5	
Transportar	cantar	5		Trivializar	cruzar	8	
Trapacear	cantar	5		Trizar	cruzar	8	
Trapichear	cantar	5		* Trocar		17	

Conjugar es fácil

verbo	modelo	tabla	nota	verbo	modelo	tabla	nota
Trocear	cantar	5		Usurar	cantar	5	
Trompetear	cantar	5		Usurpar	cantar	5	
* Tronar	contar	16	Nota 12, pág. 169	Utilizar	cruzar	8	
Tronchar	cantar	5					
* Tropezar	empezar	15					
Troquelar	cantar	5			**V**		
Trotar	cantar	5					
Trovar	cantar	5					
Trucar	atacar	7		Vacar	atacar	7	
Trufar	cantar	5		Vaciar	desviar	9	
Truncar	atacar	7		Vacilar	cantar	5	
Tullir	mullir	57		Vacunar	cantar	5	
Tumbar	cantar	5		Vadear	cantar	5	
Tundir	vivir	51		Vagabundear	cantar	5	
Tupir	vivir	51		Vagar	pagar	6	
Turbar	cantar	5		Vaguear	cantar	5	
Turnar	cantar	5		* Valer		48	
Tutear	cantar	5		Validar	cantar	5	
Tutelar	cantar	5		Vallar	cantar	5	
				Valorar	cantar	5	
				Valorizar	cruzar	8	
	u			Vanagloriarse	cantar	5	
				Vaporizar	cruzar	8	
				Vapulear	cantar	5	
Ubicar	atacar	7		Varar	cantar	5	
Ufanarse	cantar	5		Variar	desviar	9	
Ulcerar	cantar	5		Vaticinar	cantar	5	
Ultimar	cantar	5		Vedar	cantar	5	
Ultrajar	cantar	5		Vegetar	cantar	5	
Ulular	cantar	5		Vejar	cantar	5	
Uncir	esparcir	54		Velar	cantar	5	
Ungir	dirigir	52		Vencer		26	
Unificar	atacar	7		Vendar	cantar	5	
Uniformar	cantar	5		Vender	beber	24	
Unir	vivir	51		Vendimiar	cantar	5	
Universalizar	cruzar	8		Venerar	cantar	5	
Untar	cantar	5		Vengar	pagar	6	
Urbanizar	cruzar	8		* Venir		80	
Urdir	vivir	51		Ventajear	cantar	5	
Urgir	dirigir	52		Ventear	cantar	5	Nota 12, pág. 169
Usar	cantar	5		Ventilar	cantar	5	
Usufructuar	actuar	10		Ventisquear	cantar	5	Nota 12, pág. 169

Conjugar es fácil

verbo	modelo	tabla	nota	verbo	modelo	tabla	nota
Ventosear	cantar	5		* Volar	contar	16	
* Ver		49		Volatilizar	cruzar	8	
Veranear	cantar	5		* Volcar	trocar	17	
Verdear	cantar	5		Volear	cantar	5	
Verificar	atacar	7		Voltear	cantar	5	
Versar	cantar	5		* Volver	mover	30	Nota 91, pág. 170
Versificar	atacar	7		Vomitar	cantar	5	
Vertebrar	cantar	5		Vosear	cantar	5	
* Verter	perder	29		Votar	cantar	5	
* Vestir	pedir	60		Vulcanizar	cruzar	8	
Vetar	cantar	5		Vulgarizar	cruzar	8	
Vetear	cantar	5		Vulnerar	cantar	5	
Viabilizar	cruzar	8					
Viajar	cantar	5					
Vibrar	cantar	5		**X**			
Viciar	cantar	5					
Victorear	cantar	5					
Vidriar	cantar	5		Xerocopiar	cantar	5	
Vigilar	cantar	5		Xerografiar	desviar	9	
Vigorizar	cruzar	8		Xilografiar	cantar	5	
Vilipendiar	cantar	5					
Vincular	cantar	5					
Vindicar	atacar	7		**y**			
Violar	cantar	5					
Violentar	cantar	5					
Virar	cantar	5		* Yacer		50	Nota 1, pág. 169
Virilizarse	cruzar	8		Yantar	cantar	5	
Visar	cantar	5		Yermar	cantar	5	
Visibilizar	cruzar	8		Yodurar	cantar	5	
Visionar	cantar	5		Yugular	cantar	5	
Visitar	cantar	5		Yuntar	cantar	5	
Vislumbrar	cantar	5		* Yuxtaponer	poner	41	
Visualizar	cruzar	8					
Vitorear	cantar	5					
Vitrificar	atacar	7		**Z**			
Vituperar	cantar	5					
Vivaquear	cantar	5					
Vivificar	atacar	7		Zafarse	cantar	5	
Vivir		51		* Zaherir	sentir	65	
Vocalizar	cruzar	8		Zamarrear	cantar	5	
Vocear	cantar	5		Zambullir	mullir	57	
Vociferar	cantar	5		Zampar	cantar	5	

Conjugar es fácil

verbo	modelo	tabla	nota	verbo	modelo	tabla	nota
Zanganear	cantar	5		Zigzaguear	cantar	5	
Zanjar	cantar	5		Zonificar	atacar	7	
Zapar	cantar	5		Zorrear	cantar	5	
Zapatear	cantar	5		Zozobrar	cantar	5	
Zarandear	cantar	5		Zumbar	cantar	5	
Zarpar	cantar	5		Zurcir	esparcir	54	
Zascandilear	cantar	5		Zurrar	cantar	5	

V

Conjugar es fácil

verbos

NOTAS

(1) Verbo defectivo.

(2) Part. irr.: **Abierto**.

(3) Part. irr.: **Absuelto**.

(4) 2 part.: **Absorbido** y *absorto*.

(5) 2 part.: **Abstraído** y *abstracto*.

(6) Defectivo terciopersonal.

(7) Se acentúa como *averiguar* (*Tabla 11*, pág. 35) y es incorrecta la acentuación *adecúa, adecúe,* etc. Lo mismo para *licuar*.

(8) Part. irr.: **Adscrito**.

(9) Como *abolir*, pero se está extendiendo el uso de otras formas, p. ej.: *agrede, agreda, agredan,* etc.

(10) La acentuación de este verbo varía: coincide con *desviar*, pero también encontramos *agrio, agrias,* etc.

(11) Cuando el radical lleva acento en los presentes, tiene un acento escrito sobre la -*i* (pres. ind.: *aíslo, aíslas, aísla, aíslan;* pres. subj.: *aísle, aísles, aísle, aíslen;* imperativo: *aísla, aísle, aíslen*). Lo mismo para *desairar, desenraizar, enraizar, europeizar, hebraizar, homogeneizar, judaizar*.

(12) Defectivo terciopersonal atmosférico.

(13) El verbo *apostar*, en el sentido de colocar a alguien vigilando en un sitio, es regular, como *cantar* (*Tabla 5*, pág. 29).

(14) El verbo *argüir* suprime la diéresis cuando se intercala la -*y* entre el radical y la terminación; p. ej.: *arguyó*.

(15) Existen dos verbos *asolar:* su significado es diferente y uno es regular y otro irregular (como *contar, Tabla 16*, pág. 40). Ahora se tiende a conjugar los dos como regulares.

(16) 2 part.: **Atendido** y *atento*.

(17) Verbo defectivo. Sólo se conjugan las formas que tienen -*i* en la terminación. Las demás se sustituyen por *balbucear*.

(18) 2 part.: **Bendecido** y *bendito*.

(19) 2 part.: **Circuncidado** y *circunciso*.

(20) Part. irr.: **Circunscrito**.

(21) 2 part.: **Confundido** y *confuso*.

(22) 2 part.: **Corregido** y *correcto*.

(23) 2 part.: **Corrompido** y *corrupto*.

(24) Part. irr.: **Cubierto**.

(25) La tendencia actual es la de pronunciar -*au* como diptongo: *desahucio*.

(26) Part. irr.: **Descrito**.

(27) Part. irr.: **Descubierto**.

(28) Part. irr.: **Desenvuelto**.

(29) Añade una *h* delante del diptongo -*ue*. Pero se emplea mucho más el verbo regular *deshuesar*.

(30) 2 part.: **Despertado** y *despierto*.

(31) 2 part.: **Desproveído** y *desprovisto*.

(32) Part. irr.: **Devuelto**.

(33) 2 part.: **Difundido** y *difuso*.

(34) Part. irr.: **Disuelto**.

(35) 2 part.: **Elegido** y *electo*.

(36) Part. irr.: **Encubierto**.

(37) Part. irr.: **Entreabierto**.

(38) Part. irr.: **Envuelto**.

(39) Tiene además modificación ortográfica: sustituye la -*i* del diptongo -*ie* por -*y* (*yerro, yerras,* etc.).

(40) Part. irr.: **Escrito**.

(41) 2 part.: **Eximido** y *exento*.

(42) 2 part.: **Expresado** y *expreso*.

(43) 2 part.: **Extendido** y *extenso*.

(44) 2 part.: **Extinguido** y *extinto*.

verbos

(45) 2 part.: **Fijado** y *fijo*.

(46) 2 part.: **Freído** y *frito*.

(47) 2 part.: **Hartado** y *harto*.

(48) La supresión de la *-i* de la 3ª persona del pret. indef. se produce a veces, y entonces se relaciona con *teñir* (*Tabla 64*, pág. 90).

(49) Actualmente más empleado que *hender*.

(50) Existe también, pero es menos aceptada, la acentuación *historío*, como *desviar* (*Tabla 9*, pág. 33).

(51) 2 part.: **Imprimido** e *impreso*.

(52) Verbo defectivo. Se conjuga como *abolir* (*Tabla 71*, pág. 97).

(53) 2 part.: **Incurrido** e *incurso*.

(54) 2 part.: **Injertado** e *injerto*.

(55) Part. irr.: **Inscrito**.

(56) 2 part.: **Insertado** e *inserto*.

(57) 2 part.: **Juntado** y *junto*.

(58) 2 part.: **Maldecido** y *maldito*.

(59) 2 part.: **Manifestado** y *manifiesto*.

(60) Part. irr.: **Manuscrito**.

(61) 2 part.: **Marchitado** y *marchito*.

(62) Part. irr.: **Muerto**.

(63) 2 part.: **Poseído** y *poseso*.

(64) 2 part.: **Predecido** y *predicho*.

(65) 2 part.: **Prendido** y *preso*.

(66) Part. irr.: **Prescrito**.

(67) 2 part.: **Propendido** y *propenso*.

(68) Part. irr.: **Proscrito**.

(69) 2 part.: **Proveído** y *provisto*.

(70) Part. irr.: **Podrido**.

(71) 2 part.: **Raído** y *raso*.

(72) Part. irr.: **Reabierto**.

(73) 2 part.: **Recluido** y *recluso*.

(74) Part. irr.: **Recubierto**.

(75) 2 part.: **Refreído** y *refrito*.

(76) 2 part.: **Regido** y *recto*.

(77) 2 part.: **Reimprimido** y *reimpreso*.

(78) Part. irr.: **Reinscrito**.

(79) Part. irr.: **Rescrito**.

(80) Part. irr.: **Resuelto**.

(81) Part. irr.: **Revuelto**.

(82) Part. irr.: **Roto**.

(83) 2 part.: **Salvado** y *salvo*.

(84) 2 part.: **Sofreído** y *sofrito*.

(85) 2 part.: **Soltado** y *suelto*.

(86) 2 part.: **Sujetado** y *sujeto*.

(87) Part. irr.: **Suscrito**.

(88) 2 part.: **Suspendido** y *suspenso*.

(89) 2 part.: **Torcido** y *tuerto*.

(90) Part. irr.: **Transcrito**.

(91) Part. irr.: **Vuelto**.

régimen
preposicional

régimen preposicional

Abalanzarse
contra *un árbol*; **hacia** *la salida*; **sobre** *alguien*.
Abandonarse
a *la mala vida*; **en manos de** *la doctora*.
Abastecer(se) con/de *alimentos*.
Abatirse con/por *las dificultades*.
Abdicar
de *los poderes*; **en** *la primogénita*; **en contra de** *su voluntad*.
Abismarse en *la lectura*.
Abjurar de *la religión*.
Abocar al *fracaso*.
Abochornarse de/por *algo*.
Abogar
a favor de/en favor de/por *su hermana*; **ante** *el juez*.
Abominar del *crimen*.
Abonarse a *la ópera*.
Aborrecer
con *todas las fuerzas*; **de** *muerte*.
Abrasarse
de *calor*; **en** *deseos*.
Abrazarse
a *un amigo*; **con** *la rival*.
Abrevar
con *agua*; **en** *la alberca*.
Abrigarse
bajo *techo*; **con** *una manta*; **contra** *la lluvia*; **del** *chaparrón*; **para** *dormir*; **por** *precaución*.
Abrir
al *público*; **de** *par en par*; **en** *canal*; **hacia** *dentro*.
Abrirse
a *la gente*; **de** *piernas*; **hacia** *dentro*.
Abrumar
con *halagos*; **de** *regalos*.
Absolver
al *culpable*; **del** *delito*.
Abstenerse de *fumar*.
Abstraerse
ante *la belleza del cuadro*; **con** *la música*; **del** *entorno*.
Abundar en *lo dicho*.

Aburrirse
con *los niños*; **de** *no hacer nada*; **en** *el fútbol*; **por** *todo*; **sin** *motivo*.
Abusar
de *la confianza*; **en** *el precio*.
Acabar
a *tiempo*; **con** *la paciencia*; **de** *llegar*; **en** *la miseria*; **entre** *rejas*; **por** *hacerlo*.
Acaecer
(algo) **a** *alguien*; **bajo** *Felipe II*; **en** *el siglo* XVI.
Acalorarse
con *la política*; **de** *hacer ejercicio*; **en** *público*; **por** *nada*; **sin** *razón*.
Acarrear
a *hombros*; **con** *grúas*; **desde** *el almacén*; **en** *carros*; **entre** *varios*; **hasta** *la oficina*; **sin** *descanso*.
Acceder a *los deseos*.
Acelerarse por *la prisa*.
Aceptar
(algo) **de** *alguien*; **por** *compañero*; **sin** *vacilar*.
Acercarse
a *un lugar*; **hacia** *la costa*; **hasta** *la frontera*; **por** *otro camino*.
Acertar
a *la lotería*; **con** *la decisión*; **en** *la elección*.
Achicarse ante *el hermano mayor*.
Achicharrarse
a/bajo *el sol*; **de/por** *el calor*.
Achuchar a *alguien*
Aclamar
al *jefe*; **con** *vítores*.
Aclimatarse
a *otra ciudad*; **entre** *extraños*.
Acobardarse
ante *la gente*; **con** *el frío*; **frente a** *los extraños*; **por** *las circunstancias*.
Acodarse
a *la verja*; **en** *la ventana*; **sobre** *la mesa*.
Acoger
bajo *techo*; **en** *el país*; **entre** *los suyos*.
Acogerse
al *texto*; **bajo** *techo*; **en** *el refugio*.
Acometer a/contra *alguien*
Acomodarse
a *los tiempos*; **en** *la butaca*.
Acompañar

p

Conjugar es fácil

al *cine*; **con** *ejemplos*; **de** *pruebas*; **en** *el sentimiento*; **hasta** *el aeropuerto*.

Acompañarse
al *piano* ; **de** *expertos*.

Acondicionar
con *buena calefacción*; **en** *cajas*; **para** *el traslado*; **según** *indicaciones*.

Aconsejar
en *un tema*; **sobre** *la decisión*.

Aconsejarse
de *personas serias*; **en** *el tema*.

Acontecer
a *cualquiera*; **bajo** *la tiranía*; **según** *lo previsto*.

Acoplar
al *televisor*; **en** *el cajón*; **entre** *los dos*.

Acorazarse
contra *el dolor*; **de** *indiferencia*; **para** *la batalla*.

Acordar **entre** *varios*.

Acordarse **de** *lo sucedido*.

Acortar **con/por** *el atajo*.

Acostarse
con *alguien*; **de** *noche*; **en** *la cama*; **por** *la noche*.

Acostumbrarse al *trabajo*.

Acreditarse
con *informes*; **en** *la profesión*.

Acribillar **a** *balazos*.

Actuar
bajo *presión*; **con** *prisas*; **contra** *lo dispuesto*; **para** *los espectadores*; **por** *lo legal*; **según** *las normas*.

Acudir
a *la cita*; **ante** *el jurado*; **desde** *otro pueblo*; **en** *su ayuda*; **sin** *dudarlo*.

Acumular *(datos)* **sobre** *datos*.

Acusar
ante *el profesor*; **con** *mala intención*; **de** *una falta*.

Acusarse **de** *una falta*.

Adaptarse **a** *la realidad*.

Adelantar
en *los estudios*; **por** *el centro*. *(No adelantar nada)* **con** *gritar*.

Adelantarse
a *la mayoría*; **en** *los estudios*; **por** *el lateral*.

Adentrarse **en** *el bosque*.

Adherirse **a** *una opinión*.

Adiestrarse
con *las armas*; **en** *los idiomas*; **para** *la competición*.

Admirarse
ante *lo ocurrido*; **de** *seguir vivo*; **en** *el espejo*; **por** *la gran acogida*.

Admitir **en** *el club*.

Adolecer **de** *una enfermedad*.

Adoptar
a *alguien*; **por** *hijo*.

Adorar
(a alguien) **con** *el alma*; **de** *todo corazón*.

Adornar
con *luces*; **de** *flores*.

Adueñarse **de** *la voluntad*.

Advertir
(a alguien) **del** *peligro*; **en** *secreto*.

Afanarse
en *las tareas*; **por** *el premio*.

Aferrarse
a *la vida*; **con** *esfuerzo*.

Afianzarse
ante *el director*; **con** *una recomendación*; **en** *las creencias*; **para** *el salto*; **sobre** *una mesa*.

Aficionarse **a** *un deporte*.

Afilar
con *una navaja*; **en** *la piedra*.

Afiliarse **a** *un partido*.

Afirmarse **en** *una postura*.

Afligirse **por** *una mala noticia*.

Aflojar **en** *los esfuerzos*.

Aflorar **a** *la superficie*.

Afrentar **con** *insultos*.

Afrontar **con** *valor*.

Agarrar
de *la mano*; **por** *la cintura*.

Agarrarse **a/de** *la barandilla*.

Agazaparse
bajo *una escalera*; **tras** *los arbustos*.

Agobiarse **con/de/por** *el trabajo*.

Agraciar **con** *una medalla*.

Agradar **a** *alguien*.

Agraviarse **por** *una broma pesada*.

Agregar *(algo)* **a** *algo*.

Agregarse al *grupo*.

Aguantarse **con** *el chaparrón*.

Aguardar
a *mejores tiempos*; **en** *el bar*.

Ahogarse
de *calor*; **en** *un vaso de agua*.

p

régimen preposicional

Ahondar
con *una pala;* en *la herida.*
Ahorcarse
con *una cuerda;* de/en *un árbol.*
Ahorrarse *(explicaciones)* con *alguien.*
Aislarse de *los demás.*
Ajetrearse de *un sitio* a/para *otro.*
Ajustar(se)
(los gastos) a *un presupuesto; (un encargo)* en *cinco mil pesetas; (cuentas)* con *alguien.*
Alabar
a *un amigo;* por *su habilidad.*
Alargarse
en *la charla;* hasta *la ciudad.*
Alcanzar
al *techo;* hasta *el verano.*
Aleccionar en *el comportamiento.*
Alegar
con *documentos;* de *prueba;* en *defensa.*
Alegrarse con/de/por *la buena noticia.*
Alejarse
de *la familia;* en *el mar;* por *el aire.*
Alentar con *palabras amables.*
Aliarse *(unos)* a/con/contra/ *otros.*
Alimentarse
a base de *proteínas;* de *frutas;* con *pan.*
Alinear(se)
bajo *la bandera;* con *las tablas;* de *portero;* en *el equipo.*
Alistarse en *la marina.*
Aliviar
de *la carga;* en *el trabajo.*
Alquilar en/por *cincuenta mil pesetas.*
Alternar
con *las amigas;* en *discotecas.*
Alternarse en *el trabajo.*
Alucinar(se)
con/por *lo visto;* en *el espectáculo.*
Aludir a *un tema.*
Alumbrarse
con *una vela;* en *la oscuridad.*
Alzar
(la vista) a *lo alto;* del *suelo.*
Alzarse
con *la victoria;* del *suelo;* en *armas.*
Amagar con *un gesto.*
Amanecer
con *frío;* en *Berlin;* entre *los arbustos;* por *las montañas.*

Amañarse
con *otros;* para *hacer algo.*
Amar de *verdad.*
Amargar con *hiel.*
Amarrar
a *un árbol;* con *cuerdas.*
Amenazar
a *la garganta;* con *un cuchillo;* de *muerte.*
Amparar del *peligro.*
Ampararse
bajo *un árbol;* con *una manta;* contra *el viento;* de *la lluvia;* en *el portal.*
Amueblar con *gusto.*
Andar
a *tientas;* con *cuidado;* de *puntillas;* detrás de *alguien;* en *pleitos;* entre *amigos;* por *lograr algo;* tras *un asunto;* sobre *la nieve.*
Andarse por *las ramas.*
Anegar en/de *agua.*
Anegar(se) en *llanto.*
Anhelar
a *más;* por *mayor fortuna.*
Animar
al *examen;* con *elogios.*
Anteponer *(algo)* a *algo.*
Anticipar *(dinero)* sobre *el sueldo.*
Anticiparse a *los acontecimientos.*
Anunciar(se)
en *el periódico;* por *la radio.*
Añadir a *lo dicho.*
Apañarse con *cualquier cosa.*
Aparecer
en *pantalla;* entre *las flores;* por *el horizonte.*
Aparecerse
a/ante *una persona;* en *casa;* entre *sueños.*
Apartar(se)
a *un lado;* de *la ocasión.*
Apasionarse con/de/por *la música.*
Apearse
a/para *comprar algo;* del *tren;* en *marcha;* por *la puerta trasera.*
Apechugar con *las consecuencias.*
Apegarse a *un cargo.*
Apelar
a/ante *la justicia;* contra *la sentencia.*
Apelotonarse a *la entrada.*

Apencar   con *las consecuencias.*
Apesadumbrarse   **con/por**   *la noticia.*
Apestar   **a** *ajo.*
Apiadarse   **de** *los enfermos.*
Aplicar(se)
a *los estudios;* **en** *clase.*
Apoderarse   **de** *todo.*
Aportar
(algo) **a** *la comunidad;* **en** *dinero.*
Apostar
a/por *un caballo; (algo)* **con** *alguien.*
Apostatar   **de** *las creencias.*
Apoyar   **con** *documentos.*
Apoyarse
en *la pared;* **sobre** *la barandilla.*
Apreciar
en *mucho;* **por** *sus cualidades.*
Aprender
a *leer;* **con** *diccionario;* **de** *un hermano mayor;* **por** *obligación.*
Aprestarse   **a** *la lucha.*
Apresurarse
a *hacer algo;* **por** *llegar a tiempo.*
Apretar
a *llover;* **con** *las piernas;* **contra** *uno mismo;* **entre** *los brazos.*
Aprisionar
bajo *la escalera;* **con** *los brazos;* **en/entre** *la espada y la pared;* **tras** *la puerta.*
Aprobar
en *griego;* **por** *unanimidad.*
Apropiarse   **de** *lo ajeno.*
Aprovechar
en *el estudio;* **para** *escribir.*
Aprovecharse   **de** *la situación.*
Aprovisionar
con *alimentos;* **de** *víveres.*
Aproximar *(algo)* **a** *algo.*
Aproximarse   **a** *la ciudad.*
Apuntar
al *enemigo;* **con** *el rifle;* **en** *la cuenta;* **hacia** *la solución.*
Apurarse
con *algo;* **en** *las dificultades;* **por** *todo.*
Arder
con *llamas inmensas;* **en** *deseos.*
Argüir
a *favor* **del** *delincuente;* **con** *documentos;* **en contra/en favor del** *acusado;* **en apoyo de** *su postura.*

Armar
con *cuchillos;* **hasta** *los dientes.*
Armarse   **de** *paciencia.*
Armonizar   *(algo)* **con** *algo.*
Arraigar   **en** *el suelo.*
Arraigarse   **en** *la costa.*
Arrancar(se)
a *bailar;* **con** *cien pesetas;* **de** *raíz;* **por** *peteneras.*
Arrasarse   *(los ojos)* **de/en**   *lágrimas.*
Arrastrar
en *la caída;* **por** *tierra.*
Arrastrarse
a *los pies;* **por** *el suelo.*
Arrebatar   **de/de entre**   *las manos.*
Arreglarse
al *común acuerdo;* **con** *su ex-cónyuge.*
Arrellanarse   **en** *el sofá.*
Arremeter   **al/con/contra**   *el asaltante.*
Arremolinarse
a *la sombra* **del** *árbol;* **alrededor del** *escaparate;* **en** *el vestíbulo.*
Arrepentirse   **de** *su reacción.*
Arribar   **a** *la costa.*
Arriesgarse
a *entrar;* **en** *público.*
Arrimarse   **a** *la chimenea.*
Arrinconarse   **en** *una esquina.*
Arrojar
al/en   *el patio;* **de** *la mesa;* **desde** *la ventana;* **por** *la alcantarilla.*
Arrojarse
a *los brazos de alguien;* **contra** *el agresor;* **de** *cabeza;* **desde** *una ventana;* **en** *la laguna;* **por** *un puente;* **sobre** *el tren.*
Arroparse   **con/en**   *una manta.*
Asaetear   **a/con**   *preguntas.*
Asar
a *baja temperatura;* **en** *el horno.*
Asarse   **de** *calor.*
Ascender
a *directora;* **de** *rango;* **en** *su profesión;* **por** *una colina.*
Asegurar(se)
de *algo;* **contra** *todo riesgo.*
Asemejarse
a *alguien;* **en/por**   *algo.*
Asentarse
a *medio camino;* **en** *un sitio.*
Asentir   **a** *una propuesta.*

p

régimen preposicional

Asesorarse
con *buenos especialistas;* **en** *derecho laboral.*
Asimilar **a** *una desagradable experiencia.*
Asir
a *la perrita;* **con** *ambas manos;* **por** *el pescuezo.*
Asirse
a *su espalda;* **con** *dificultad;* **de** *la barra.*
Asistir
a *la función;* **de** *incógnito;* **en** *su domicilio.*
Asociarse
a *la compañía;* **con** *alguien.*
Asomarse **a/por** *la ventana.*
Asombrarse
de/por *algo;* **con** *su tenacidad.*
Aspirar **a** *algo mejor.*
Asquearse **de** *la hipocresía.*
Asustarse **de/por** *algo.*
Atacar **a** *alguien.*
Atar
a/de *la barandilla;* **con** *una cuerda;* **por** *un extremo.*
Atarse **a** *alguien.*
Atascarse **en** *un punto.*
Ataviarse **con** *esmero.*
Atemorizarse **por** *una tormenta.*
Atender **a** *la llamada.*
Atenerse **a** *lo acordado.*
Atentar **a/contra** *la verdad.*
Aterrorizarse **por** *algo.*
Atestiguar
con *su declaración;* **sobre** *su inocencia.*
Atinar
al *balón;* **con** *una piedra;* **desde** *la ventana.*
Atormentarse **con/por** *algo.*
Atraer
a *alguien;* **con** *mentiras.*
Atragantarse **con** *un caramelo.*
Atrancarse **en** *la redacción.*
Atreverse **a/con** *algo.*
Atravesar
con *una aguja;* **en** *barca;* **por** *el centro de la carretera.*
Atravesarse **en** *su vida.*
Atreverse **a/con** *todo.*
Atribuir **a** *los astros.*
Atribularse **en/con/por** *una situación.*

Atrincherarse **con** *los soldados;* **en/tras** *las barricadas.*
Atropellar
con *el coche;* **por** *una imprudencia.*
Atropellarse **en** *su declaración.*
Atufar(se) **con/por** *la basura.*
Aumentar **de/en** *tamaño.*
Aunarse **con** *las protestas.*
Ausentarse **de** *un sitio.*
Autorizar
a *alguien;* **para** *hacer algo;* **por** *escrito.*
Avanzar
a/hacia/hasta *la playa;* **por** *la arena;* **sobre** *las conchas.*
Avenirse
a *hacer algo;* **entre** *los dos.*
Aventajar **en** *sabiduría.*
Aventurarse **a** *explorar la isla.*
Avergonzar
a *alguien;* **con/por** *su conducta.*
Avergonzarse
de *uno mismo;* **por** *su pereza.*
Aviarse
con *esmero;* **para** *ir a la ópera.*
Avisar
a *alguien;* **de** *algo.*
Ayudar
a *hacer los deberes;* **con** *gusto;* **en** *la adversidad.*
Ayudarse **con/de** *las muletas.*
Azotar
con *el cinturón;* **en** *la espalda.*

Bailar
al *son que tocan;* **ante** *un público entendido;* **con** *alguien;* **por** *bulerías.*
Bajar
al *sótano;* **del** *avión;* **en** *ascensor;* **hacia** *el pueblo;* **por** *las escaleras.*
Balancear
a *la niña;* **en** *la mecedora.*
Balar **de** *hambre.*
Bambolearse **en** *el trapecio.*
Bañar(se)
con/en *agua caliente;* **por** *higiene.*

Basarse
en *sólidos argumentos*; **sobre** *lo aprendido*.
Bastar
a/para *su ambición*; **con** *lo dicho*.
Batallar
con/contra *la opinión generalizada*; **por** *sus derechos*.
Beber
a/por *la memoria de alguien*; **con** *ganas*; **de** *la botella*; **en** *el arroyo*.
Beneficiarse **con/de** *algo*.
Besar **en** *la mano*.
Blasfemar **contra/de/por** *algo*.
Bordar
a *mano*; **con** *máquina*; **en** *tapiz*.
Borrar
con *una goma*; **de** *la agenda*.
Bostezar **de** *sueño*.
Botar **de** *entusiasmo*.
Bramar **de** *cólera*.
Bregar
con *los problemas*; **contra** *los adversarios*; **en** *el trabajo*; **por** *su reconocimiento*.
Brillar
a *la luz*; **con** *luz propia*; **por** *su inteligencia*.
Brindar
a *los presentes*; **con** *vino*; **por** *los novios*.
Brindarse **a** *revisar el manuscrito*.
Brotar **de/en** *una flor*.
Bucear **en** *el mar*.
Bufar **de** *indignación*.
Bullir **en/por** *su estómago*.
Burilar **en** *estaño*.
Burlar **a** *los vigilantes*.
Burlarse **de** *alguien*.
Buscar
a *alguien*; **por** *todas partes*.

Cabalgar
a *pelo*; **en/sobre** *una yegua*; **por** *la sierra*; **sin** *montura*.
Caber

de *cuerpo entero*; **en** *el armario*; **entre** *las perchas*; **hasta** *dos personas más*.
Caer(se)
al *agua*; **con** *las piernas dobladas*; **de/desde** *lo alto*; **en** *un pozo*; **hacia/hasta** *el fondo*; **por** *el terraplén*; **sobre** *las rocas*.
Calar(se) **de** *agua*.
Calentar(se)
a *fuego lento*; **con** *su calor*; **junto a** *la chimenea*; **en** *la cama*.
Calificar
con *sobresaliente*; **de** *incompetente*.
Callar **por** *temor*.
Cambiar
(*una cosa*) **con/por** *otra*; **de** *idea*; **en** *el fondo*.
Cambiarse
a *otro colegio*; **de** *ropa*; **en** *los camerinos*.
Caminar
a *paso ligero*; **con** *elegancia*; **de** *lado*; **hacia/para** *la fuente*; **por** *lo más llano*.
Campar **por** *sus respetos*.
Canjear (*una cosa*) **por** *otra*.
Cansarse **con/de** *tanto ruido*.
Cantar
a *pleno pulmón*; **con** *toda su alma*; **de** *alegría*; **en** *un conjunto*; **por** *dinero*.
Capitular
con *los invasores*; **de** *puro agotamiento*.
Caracterizarse
de *bufón*; **por** *su gran talento*.
Carcajearse **de** *la pregunta*.
Carecer **de** *riquezas*.
Cargar
a *cuestas*; **con** *las maletas*; **sobre** *la espalda*.
Cargarse **con/de** *obligaciones*.
Casar **a** *los novios*.
Casarse
con *alguien*; **en** *una iglesia*; **por** *el juzgado*.
Castigar
a *alguien*; **con** *quedarse en casa*; **de** *modo irrevocable*; **por** *su conducta*; **sin** *salir*.
Catalogar (*a alguien*) **de** *inmaduro*.
Catequizar **para** *conseguir fieles*.
Cautivar **con/por** *su belleza*.
Cavar **en** *el huerto*.
Cavilar
para *obtener beneficios*; **sobre** *lo ocurrido*.
Cazar
al *vuelo*; **con** *tirachinas*.

Cebarse **con/en** *su enemigo.*
Ceder
a/ante *su petición;* **de** *sus derechos;* **en** *su favor.*
Cegarse
con *sus sentimientos;* **de** *dolor;* **por** *los celos.*
Cejar
ante *la adversidad;* **en** *el empeño.*
Censurar
a *alguien;* **por** *su conducta.*
Centrarse **en** *algo.*
Ceñir
a *la cintura;* **con** *un cinturón;* **de** *un extremo a otro.*
Ceñirse
a *un plan;* **en** *sus respuestas.*
Cerciorarse **de** *algo.*
Cernerse **sobre** *alguien.*
Cerrar
a *cal y canto;* **con** *llave;* **contra** *la voluntad;* **hacia** *media mañana;* **por** *vacaciones;* **tras** *de sí.*
Cerrarse
a *cualquier sugerencia;* **de** *golpe;* **en** *banda.*
Cesar
de *llover;* **en** *sus funciones.*
Chancearse
con *alguien;* **de/por** *algo/alguien.*
Chapar **con/de/en** *oro.*
Chapotear **en** *el agua.*
Chiflarse **por** *algo.*
Chivarse **al** *profesor.*
Chocar **con/contra** *algo.*
Cifrar *(su vida)* **en** *la poesía.*
Cifrarse **en** *dos millones.*
Cimentarse **en** *la conducta práctica.*
Circunscribirse **a** *los países de habla castellana.*
Clamar **al** *cielo;* **por** *su liberación.*
Clamorear
a *voz en grito;* **por** *su animosidad.*
Clasificar
de *la a a la zeta;* **en** *un fichero;* **por/según** *temas.*
Clavar **en** *la pared.*
Coadyuvar **a/en** *el trabajo.*
Cobijarse
bajo *techo;* **con** *una manta;* **de** *la lluvia;* **en** *un portal.*

Cobrar
con *regularidad;* **del** *banco;* **en** *metálico;* **por** *transferencia.*
Cocer
a *fuego lento;* **con** *sal;* **en** *agua salada.*
Codearse **con** *los intelectuales.*
Coexistir **con** *algo.*
Coger
a *manos llenas;* **con** *las manos en la masa;* **de** *buen humor;* **en** *su salsa;* **entre** *la espada y la pared;* **por** *casualidad.*
Cohibirse
ante *alguien;* **con** *los elogios;* **de** *volver a llamar.*
Coincidir
con *alguien;* **en** *algo.*
Cojear **de/por** *un dolor.*
Colaborar
con *alguien;* **en** *algo.*
Colarse
en *una fiesta;* **por** *un agujero.*
Colegir **de/por** *el aspecto de su casa.*
Colgar
de *la cuerda;* **en** *la pared.*
Coligarse **con** *todas las mujeres.*
Colindar **con** *la oficina de correos.*
Colmar **de** *bienes.*
Colocar
al *revés;* **con** *cuidado;* **en** *un cajón;* **entre** *los libros;* **por** *la base.*
Colocarse **de** *secretario.*
Colorear **de** *azul.*
Combatir
con *medicinas;* **contra** *la enfermedad;* **por** *la justicia .*
Combinar *(una cosa)* **con** *otra.*
Comenzar
a *estudiar;* **por** *el principio.*
Comer
a *dos carrillos;* **con** *un amigo;* **hasta** *reventar.*
Comerciar
con *un cliente;* **en** *especias.*
Compadecerse
de *alguien;* **por** *algo.*
Compaginar **con** *otros intereses.*
Comparar **con** *alguien.*
Compartir **con/entre** *todos.*
Compeler **a** *decir la verdad.*
Compensar

con *unas buenas vacaciones;* **de/por** *su dedicación.*
Competir
con *alguien;* **por** *algo.*
Complacer
a *todo el mundo;* **con** *su amabilidad.*
Complacerse **con/de/en** *su fortuna.*
Completar **con** *citas.*
Complicar **con** *demasiadas notas.*
Componer
a *marchas forzadas;* **con** *diferentes materiales.*
Componerse
de *varios elementos.*
Comprar
a *plazos;* **por** *piezas.*
Comprender
con *dificultad;* **de** *súbito.*
Comprimirse **en** *un caja.*
Comprobar
con *datos;* **en** *el laboratorio.*
Comprometer
a *alguien;* **en** *algo.*
Comprometerse
a *algo;* **con** *alguien;* **en/para** *un proyecto.*
Computar **en** *horas.*
Comulgar
con *alguien;* **en** *una idea.*
Comunicar
a *los asistentes;* **con** *la centralita;* **por** *escrito.*
Comunicarse
con *alguien;* **por** *teléfono.*
Concebir *(un sentimiento)* **hacia/ contra/por** *una persona.*
Concentrar **en** *un sitio.*
Concentrarse **en** *algo.*
Conceptuar **de** *bueno.*
Concernir *(algo)* **a** *alguien.*
Concertar
con *alguien;* **en** *la reunión;* **entre** *los representantes;* **por** *teléfono.*
Conciliar **con** *sus ideales.*
Concluir
con *un discurso;* **en medio de** *un general regocijo;* **por** *cese de contrato.*
Concordar *(el verbo)* **con** *el sujeto.*
Concretarse **con/en** *hechos.*
Concurrir **a/en** *el encuentro.*
Condenar **a** *tres años de cárcel.*

Condensar **en** *una síntesis.*
Condescender
a *hacer algo;* **con** *su actitud.*
Condicionar *(algo)* **a** *algo.*
Condolerse **de** *la desgracia.*
Conducir
a/hacia *algún sitio;* **en** *moto;* **por** *el centro.*
Conectar **con** *alguien.*
Confabular(se)
con/contra *alguien;* **para** *un fin.*
Confederarse **con** *otros.*
Conferir **con** *notables ganancias.*
Confesar
(algo) **a** *alguien;* **en** *privado;* **entre** *bastidores.*
Confesarse
a *sí mismo;* **con** *el corazón en la mano.*
Confiar **en** *la gente.*
Confiarse **a** *alguien.*
Confinar **a/en** *el campo.*
Confirmar **en** *dos horas.*
Confirmarse **en** *su deseo.*
Confluir **a/en** *la convocatoria.*
Conformarse
con *lo que haya;* **por** *necesidad.*
Confrontar
con *otras opiniones;* **entre** *todos.*
Confundir *(una cosa)* **con** *otra.*
Confundirse
con/en *la talla;* **de** *puerta.*
Congeniar **con** *los compañeros.*
Congraciarse **con** *los demás.*
Congratularse
con *los agraciados;* **del/por** *el premio obtenido.*
Conjugar *(el trabajo)* **con** *el placer.*
Conjurar(se)
con *los rebeldes;* **contra** *el régimen imperante.*
Conminar
(a alguien) **a** *hacer algo;* **con** *amenazas.*
Conmutar
(una pena) **con/por** *trabajos forzados.*
Conocer
de *oídas;* **en** *profundidad.*
Consagrarse **a** *la poesía.*
Conseguir *(algo)* **de** *alguien.*
Consentir **en** *hacerlo.*
Conservarse

p

con/en *buena forma física*; **hasta** *dos meses*.

Considerar

a *sus semejantes*; **de/en** *forma solidaria*; **por** *sí mismos*.

Consignar **a nombre de** *alguien*.

Consistir **en** *un resumen*.

Consolar

de/por *los malos resultados*; **en** *su tristeza*.

Consolarse

con *la bebida*; **de** *un disgusto*; **en** *soledad*.

Conspirar

con *otros*; **contra** *la dictadura*; **para** *dar un golpe*.

Constar

de *varios elementos*; **en** *la memoria*; **por medio de** *un contrato*.

Constituirse **en** *asociación*.

Constreñir **a** *hacer algo*.

Constreñirse **al** *presupuesto*.

Construir

con *paciencia*; **en** *el ático*; **entre** *varios*.

Consultar

a/con *alguien*; **en** *privado*; **para** *solicitar su conformidad*; **por/respecto a/sobre** *un tema*.

Consumirse

a causa de/por *algo*; **con/en** *la espera*; **de** *ansiedad*.

Contagiarse **con/de/por** *el virus*.

Contaminarse

con *el agua estancada*; **de** *un virus*; **en** *el hospital*.

Contar

(algo) **a** *alguien*; **con** *los dedos*; **de cabo a rabo**; **desde** *la letra g*; **entre** *los asistentes*; **hasta** *mil*.

Contemplar

al *niño*; **en** *silencio*.

Contemporizar **con** *alguien*.

Contender

con/contra *los detractores*; **en** *una discusión*; **por/sobre** *algo*.

Contenerse

en *su actitud*; **por** *educación*.

Contentarse **con** *un beso*.

Contestar

a *sus requerimientos*; **con** *una negativa*; **de modo** *tajante*; **por** *escrito*.

Continuar

con *la conversación*; **desde** *el punto anterior*; **en** *compañía*; **hacia** *el río*; **hasta** *el final*; **por** *inercia*.

Contradecirse **con** *el testimonio ajeno*.

Contraer *(un compromiso)* **con** *alguien*.

Contrapesar **con** *los nuevos gastos*.

Contraponer *(una cosa)* **a/con** *otra*.

Contrastar *(una cosa)* **a/con** *otra*.

Contratar

de/en *prueba*; **para** *un proyecto*; **por** *un año*.

Contravenir **a** *las órdenes*.

Contribuir **a/con/en/para** *algo*.

Convalecer **de** *una enfermedad*.

Convencer

a *alguien*; **de** *algo*.

Convencerse **de** *su valía*.

Convenir

(algo) **a** *alguien*; *(algo)* **con** *alguien*; **en** *hacer algo*.

Convenirse **a/con** *los planes*.

Converger

al *debate*; **en** *las últimas sesiones*.

Conversar

con *un amigo*; **en** *el parque*; **sobre** *los sucesos*.

Convertir

(a alguien) **a** *la fe*; *(algo)* **en** *ganancia*.

Convertirse

a *una religión*; **en** *una figura pública*.

Convidar

a/con *una buena comida*; **para** *la fiesta*.

Convivir

con *la pareja*; **en** *un piso pequeño*.

Convocar

a *una reunión*; **por** *una circular*.

Cooperar

con *los demás*; **en** *una misma tarea*.

Copiar

a *alguien*; **de** *una foto*; **en** *un papel*.

Coquetear **con** *alguien*.

Coronar

con *una corona de oro*; **de** *gloria*; **en** *la catedral*.

Corregir

con/en *rojo*; **de/por** *a iniciativa propia*.

Corregirse **de** *su error*.

Correr

D

a *gran velocidad;* **con/sin** *deportivas;* **de** *un lado* **para** *otro;* **en busca de** *ayuda;* **entre** *los árboles;* **por** *la arena;* **sobre** *la alfombra;* **tras** *el ladrón.*

Correrse **de** *bochorno.*

Corresponder
a *una invitación;* **con** *generosidad;* **de/en** *la manera adecuada.*

Cortar
con *las tijeras;* **de/desde** *(la) raíz;* **por** *la mitad.*

Coser
a *mano;* **con** *bastidor;* **por** *encargo;* **para** *alguien.*

Cotejar
con *la versión oficial;* **por** *partes.*

Crecer
a *ojos vistas;* **en** *consideración.*

Creer
a *alguien;* **en** *algo.*

Criar
a *sus pechos;* **con** *cariño.*

Criarse
en *buenas manos;* **para** *el arte.*

Cristalizar(se) **en** *una obra de perfecto acabado.*

Cruzar
de *una orilla* **a** *otra;* **por** *lo menos profundo.*

Cruzarse
con *alguien;* **en** *el ascensor;* **por** *la calle.*

Cuadrar **con** *su temperamento.*

Cubrir(se) **de/con** *una buena manta.*

Cuidar
con *esmero;* **de** *su jardín.*

Cuidarse **de** *los enemigos.*

Culminar
con *una obra maestra;* **en** *el momento justo.*

Culpar
de *un delito;* **por** *su desinterés.*

Cumplir **con** *sus responsabilidades.*

Curar
con *medicinas;* **de** *sus heridas.*

Curarse
con *un buen tratamiento;* **de** *la gripe.*

Curiosear
con *interés;* **en/por** *los cajones.*

Curtirse
a/con *el aire;* **del** *sol;* **en** *la montaña.*

Dañar
a *alguien;* **con** *la actitud;* **de** *palabra;* **en** *su orgullo.*

Dar
con *la fórmula apropiada;* **contra** *la pared;* **de** *bruces;* **por** *bueno.*

Darse
a *las habladurías;* **de** *listo;* **por** *vencido.*

Datar **de** *un siglo antes.*

Deambular **por** *la ciudad.*

Deberse **a** *sus obligaciones.*

Decantarse **por** *la mejor propuesta.*

Decidir
de *forma conjunta;* **en/sobre** *el asunto.*

Decidirse
a *cambiar;* **por** *un cambio de vida.*

Decir
(algo) **a/de** *alguien;* **en** *secreto;* **por** *carta.*

Declarar
a/ante *el juez;* **en** *el juzgado;* **sobre** *el particular.*

Declararse **a/a favor/en contra de** *alguien.*

Declinar
a/hacia *poniente;* **de** *una actitud.*

Dedicar(se) **a** *descansar.*

Deducir **de** *su salario.*

Defender
con *una ley;* **contra** *los ataques;* **de** *la especulación.*

Defraudar
al *electorado;* **con** *trampas;* **en** *sus expectativas.*

Degenerar **en** *sus costumbres.*

Dejar
a *la espera;* **de** *trabajar;* **en** *depósito;* **por** *imposible;* **sin** *terminar.*

Dejarse **de** *cuentos.*

Delatarse
a/ante *los presentes;* **con** *sus acciones.*

Delegar
de *sus funciones;* **en** *un representante.*

Deleitarse
con/en *el recital;* **de** *la brisa marina.*

# régimen preposicional

Deliberar
en *asamblea;* **entre** *sí;* **sobre** *la decisión.*
Delirar
en *sueños;* **por** *efecto del agotamiento.*
Demandar
a *alguien;* **ante** *las autoridades;* **de/por** *fraude;* **en** *un recurso judicial.*
Demorarse **en** *salir.*
Demostrar **con** *hechos contundentes.*
Departir
con *la gente;* **sobre** *la gestión.*
Depender **de** *una beca.*
Deponer **ante** *la concurrencia;* **de** *su actitud.*
Deportar
al *extranjero;* **de** *su país.*
Depositar
bajo *llave;* **en** *el banco;* **sobre** *la repisa.*
Derivar
de *tono;* **hacia** *otros temas.*
Derramar
a/en/encima de/por *el mantel;* **sobre** *su cabeza.*
Derretirse **de** *amor.*
Derribar
al *adversario;* **del** *pedestal;* **en/por** *el césped.*
Derrocar
al *dictador;* **del** *poder;* **por** *decisión popular.*
Desacostumbrarse
a *la ciudad;* **de** *comer demasiado.*
Desacreditar
a *los editores;* **ante/entre** *los demás;* **con** *rumores falsos;* **en** *su prestigio.*
Desafiar
a *una carrera;* **de** *palabra;* **con** *su actitud;* **en** *el juego.*
Desaguar
en *el pantano;* **por** *la tubería.*
Desahogarse
con *sus amigas;* **de** *su congoja;* **en** *sollozos.*
Desairar **con/en** *sus contestaciones.*
Desalojar **de** *la casa ocupada.*
Desaparecer
ante *sus ojos;* **de** *la vista.*
Desarraigar(se) **de** *su ciudad natal.*
Desasirse **de** *una atadura.*
Desatarse
de *una silla;* **en** *insultos.*

Desayunar(se) **con** *café y tostadas.*
Desbancar
a *alguien;* **de** *su puesto.*
Desbordarse
de *su cauce;* **por** *la lluvia torrencial.*
Descabalarse
en *sus cuentas;* **con/por** *el desorden.*
Descabalgar **del** *caballo.*
Descalabrar(se) **con** *una piedra.*
Descansar
del *viaje;* **en** *la paz del hogar;* **sobre** *el sofá.*
Descargar
contra *los empleados;* **de** *la furgoneta;* **en/sobre** *la acera.*
Descargarse **con/contra/en** *los responsables.*
Descarriarse **de** *la senda elegida.*
Descender
a/hacia *el piso de abajo;* **de/desde** *la terraza;* **en** *su estima;* **por** *una escalera.*
Desclavar **de** *la pared.*
Descolgarse
de/desde *el tejado;* **hasta** *el suelo;* **por** *las rocas.*
Descollar
en *el grupo;* **entre/sobre** *todos.*
Descomponerse
en *cuatro apartados;* **por** *el calor.*
Desconfiar
de *su cariño;* **hasta** *de su sombra.*
Descontar **del** *sueldo.*
Descubrir **al** *espía.*
Descubrirse
a/con *sus padres;* **ante** *su empeño.*
Descuidarse **de/en** *el trabajo.*
Desdecir **de** *su educación.*
Desdecirse **de** *lo afirmado.*
Desdoblarse **en** *dos personalidades.*
Desechar **de** *la cabeza (una idea).*
Desembarazarse **de** *alguien.*
Desembarcar
del *transatlántico;* **en** *el puerto.*
Desembocar **en** *el mar.*
Desempeñar **de** *forma eficaz.*
Desenfrenarse **en** *el beber.*
Desengañarse **de** *las falsas promesas.*
Desenredarse **de** *la cuerda.*
Desentenderse **de** *sus obligaciones.*

Desenterrar de la orilla del mar.

Desentonar con el resto.

Desertar
al otro bando; del ejército.

Desesperar de descubrirlo.

Desfallecer de sed.

Desfogarse
con su familia; en privado.

Desgajar(se) del tallo.

Deshacerse
a/en explicaciones; de los curiosos; por su familia.

Designar
con un mote; para la dirección de la revista; por méritos.

Desinteresarse de/por lo sucedido.

Desistir de la intención.

Desleír en un vaso de leche.

Desligarse de un grupo.

Deslizarse
al agua; en/entre/por/sobre la nieve.

Deslucirse
al aire; por el sol.

Desmentir
a alguien; (algo) de algo.

Desmerecer de su persona.

Desmontar del columpio.

Desnudarse
de los pies a la cabeza; desde/hasta la cintura; por completo.

Desorientarse en una ciudad desconocida.

Despacharse con/contra los empleados.

Desparramarse
en/por el suelo; entre los cubiertos.

Despedirse de las amigas.

Despegarse
de la familia; por una esquina.

Despeñarse
al barranco; por un precipicio.

Despepitarse por salir.

Desperdigarse
entre los árboles; por la playa.

Despertar
a sus hermanos; de súbito.

Despertarse con apetito.

Despoblarse de jóvenes.

Despojar(se) del jersey.

Desposarse

ante testigos; con el ser amado; por amor.

Desposeer de su parte de herencia.

Despotricar contra el tráfico.

Desprenderse de sus riquezas.

Despreocuparse de todo.

Despuntar
en ingenio; entre la media; por su originalidad.

Desquitarse de los malos ratos.

Destacar
de/entre los demás; en el conjunto; por su belleza.

Desternillarse de risa.

Desterrar
a una isla lejana; de su hogar; por traicionar a su pueblo.

Destinar
a/en Madrid; para el consumo.

Destituir
de su cargo; por malversación.

Desvelarse por los demás.

Desvestirse de la cintura para arriba.

Desviarse
de la carretera; hacia otro lado.

Desvivirse por ella.

Detenerse
a repostar gasolina; en la estación.

Determinarse
a concursar; a favor de/por un lugar tranquilo.

Detraer de su sueldo.

Devolver a su propietaria.

Dictaminar sobre la reclamación.

Diferenciarse
de sus hermanos; en/por el aspecto.

Diferir
a/hasta; para el próximo verano; de la opinión; en algún punto; entre sí.

Difundir
en/por la calle; entre la gente.

Dignarse a considerarlo.

Dilatar (la decisión) hasta/para más tarde.

Dilatarse en responder.

Diluir en agua fría.

Dimanar de una antigua creencia.

Dimitir de un alto cargo.

Diptongar (la o) en ue.

Dirigir
a/hacia *el albergue;* **en** *el proyecto;* **por** *el camino más corto.*
Dirigirse a/hacia *los presentes.*
Discernir
con *agudeza;* **entre** *las propuestas.*
Discordar de/en/sobre *el parecer del grupo.*
Discrepar de/en/con *el parecer del grupo.*
Disculpar
a *los responsables;* **con** *una buena defensa.*
Disculparse
ante *la reunión;* **con** *los componentes;* **de/por** *no asistir.*
Discurrir
de *acuerdo* **con/según** *el sentido común;* **en** *voz alta;* *(un río)* **entre/por** *el pinar;* **sobre** *los problemas.*
Discutir
(algo) **a** *alguien;* **con** *su padre;* **de/sobre** *filosofía;* **por** *todo.*
Diseminar en/entre/por/por entre *la espesura.*
Disentir del *acuerdo tomado.*
Disertar
con *sencillez;* **sobre** *ciencia.*
Disfrazar con *buenas palabras.*
Disfrazarse
bajo *un traje de pirata;* **de** *pirata.*
Disfrutar
con/de *su compañía;* **en** *su casa del campo.*
Disgregarse en *partes.*
Disgustarse con/de/por *su brusca contestación.*
Disimular
ante *los otros;* **con** *un pretexto.*
Disolver
con *aguarrás;* **en** *aceite.*
Disonar
de *manera estrepitosa;* **en medio de** *la actuación.*
Disparar contra *el techo;* **hacia** *ellos.*
Dispensar de *realizar su tarea.*
Dispersarse
en *muchas actividades;* **entre/por** *el viento.*
Disponer

a *su antojo;* **de** *un pequeño capital;* **en** *montones distintos;* **por** *colores.*
Disponerse a/para *venir.*
Disputar
con *los compañeros;* **de** *política;* **por** *todo;* **sobre** *la enseñanza.*
Distanciarse de *sus amigos.*
Distar del *mar dos kilómetros.*
Distinguir
con *su afecto;* **entre** *la multitud.*
Distinguirse
de/entre *los otros niños;* **en/por** *su actitud.*
Distraerse
con *el vuelo de una mosca;* **de** *sus preocupaciones;* **en** *clase.*
Distribuir a/en/entre/por *todas las librerías.*
Disuadir
a *alguien;* **de** *algo.*
Divagar de/sobre *algo.*
Divertirse
con *sus bromas;* **en** *hacerle una caricatura.*
Dividir
con/entre *sus seres queridos;* **de** *mutuo acuerdo;* **por** *cuatro.*
Dividirse en *distintos proyectos.*
Divorciarse de *su marido.*
Divulgar entre *sus conocidos.*
Doblar a/hacia *la izquierda.*
Doblarse
de/por *el dolor;* **por** *la mitad;* **hacia** *atrás;* **hasta** *romperse.*
Dolerse con/de *su rechazo.*
Domiciliarse en *Palma de Mallorca.*
Dominar en *todo.*
Dormir
al *raso;* **bajo** *las estrellas;* **con** *su madre;* **en** *el campo;* **hasta** *tarde;* **sobre** *la tierra.*
Dotar
con/de *una ayuda económica;* **en** *herencia.*
Dudar
acerca de/de/sobre *sus intenciones;* **en** *la elección;* **entre** *dos productos;* **hasta de** *ella misma.*
Durar
en *su decisión;* **por** *mucho tiempo;* **para** *toda la vida.*

E

Echar
a *la calle*; **del** *colegio*; **en** *falta*; **hacia/para** *adelante*; **por** *el suelo*; **sobre** *sí*.

Echarse
a *la calle*; **en** *la cama*; **entre** *sus brazos*; **hacia/para** *otro lado*; **por** *el suelo*.

Educar
en *una escuela*; **para** *abogado*.

Ejercer **de** *médico*.

Ejercitarse **en** *la danza*.

Elegir
de/entre *los primeros*; **por** *esposa*.

Elevarse
a/hasta *el techo*; **del** *suelo*; **por** *las nubes*; **sobre** *los otros*.

Eliminar
a un jugador; **del** *equipo*.

Emanar **de** *su autoridad*.

Emanciparse **de** *los padres*.

Embadurnar **con/de** *barro*.

Embarazarse
con *paquetes*; **de** *un niño*.

Embarcarse
con *un socio*; **de** *polizón*; **en** *un negocio*; **hacia/para** *América*.

Embeberse
con *la música*; **de** *sus palabras*; **en** *una novela*.

Embelesarse **con** *los bailarines*.

Embestir
a *traición*; **con** *el arma*; **contra** *el grupo*; **por** *la espalda*.

Embobarse
ante *el cuadro*; **con** *el niño*; **de/por** *cualquier cosa*.

Emborracharse **con/de** *vino*.

Emboscarse
en *la espesura*; **entre** *las matas*.

Embozarse
con *el manto*; **en** *el abrigo*; **hasta** *los ojos*.

Embravecerse
con/contra *los inferiores*.

Embriagarse
con *la bebida*; **de** *felicidad*.

Embutir
de *carne*; **en** *madera*.

Embutirse **de** *dulces*.

Emerger **del** *fondo*.

Emigrar
a *Uruguay*; **de** *Alemania*; **desde** *su patria*.

Emocionarse
con *la ópera*; **en** *el nacimiento* **del** *niño*; **por** *el suceso*.

Empacharse
con *la comida*; **de** *dulces*.

Empalagarse **con** *la tarta*; **de** *caramelos*.

Empalmar **con** *las vacaciones*.

Empapar
con *la toalla*; **de** *agua*; **en** *vino*.

Empaparse
bajo *la lluvia*; **de** *arte*; **en** *el lago*.

Empapuzarse **de** *pan*.

Emparejar(se) **con** *un extranjero*.

Emparentar **con** *otra familia*.

Empatar
a *un gol*; **con** *el otro equipo*.

Empedrar **con/de** *adoquines*.

Empeñarse
con *una tarea*; **en** *deudas*; **para/por** *conseguirlo*.

Emperrarse
con *una película*; **en** *ir al cine*.

Empezar
a *estudiar*; **con** *buen pie*; **desde** *el primer día*; **en** *buenas condiciones*; **por** *el final*.

Emplear (*el tiempo*) **en** (*hacer*) *algo útil*.

Emplearse
de *asistente*; **en** *un bar*.

Empotrar **en** *la pared*.

Emprender(la)
a *bofetadas*; **con** *alguien*.

Empujar
al *vacío*; **con** *las manos*; **contra** *el mueble*; **hacia** *el precipicio*; **hasta** *un barranco*.

Emular a *alguien*.

Emulsionar
con *plata*; **en** *oro*.

Enajenarse **por** *la locura*.

Enamorarse **de** *una actriz*.

Enamoriscarse **del** *profesor*.

Encajar
con *los gustos*; **en** *el marco*.

régimen preposicional

Encallar   en *la arena.*
Encaminarse   **a/hacia**   *el museo.*
Encanecer
de *miedo;* **por** *el susto.*
Encapricharse   **con/de**   *una persona.*
Encaramarse
a *la lámpara;* **en** *un pino;* **sobre** *la tapia.*
Encararse   **a/con**   *su padre.*
Encargar
a *alguien;* **de** *contestar al teléfono.*
Encargarse   **de** *la contabilidad.*
Encariñarse   **con** *el gato.*
Encarnizarse   **con/en**   *los derrotados.*
Encasillarse   **en** *un papel.*
Encastillarse   **en** *su mundo.*
Encauzar   **por** *la vía legal.*
Encauzarse   **en** *la vida profesional.*
Encenegarse   **en** *la corrupción.*
Encenderse   **de** *rabia.*
Encerrar
en *el sótano;* **entre** *rejas.*
Encerrarse
en *uno mismo;* **entre** *cuatro paredes.*
Encharcarse
de *agua;* **en** *el fango.*
Encoger(se)
con *el agua caliente;* **de** *hombros.*
Encomendar   **a** *su secretario.*
Encomendarse
al *diablo;* **en manos de**l *doctor.*
Enconarse
con *el compañero;* **en** *la batalla.*
Encontrar
bajo *la cama;* **en** *el suelo;* **sobre** *la mesa;* **tras** *el mueble.*
Encontrarse
con *una dificultad;* **en** *un buen momento;* **entre** *amigos.*
Encuadernar
a *mano;* **en** *piel.*
Encuadrar   **en** *un marco.*
Encuadrarse   **en** *un equipo.*
Encumbrarse
a/en *la cima;* **hasta** *lo alto;* **sobre** *los otros.*
Endurecerse
con/por   *el dolor;* **en** *la lucha.*
Enemistar   **a** *uno* **con** *otro.*
Enemistarse   **con** *un compañero.*
Enfadarse
con *el hermano;* **por** *nada.*

Enfermar
con/por   *el esfuerzo;* **del** *corazón.*
Enfilar   **hacia** *la cumbre.*
Enfocar
con *la linterna;* **desde** *otra perspectiva.*
Enfrascarse   **en** *la lectura.*
Enfrentarse   **a/con**   *un adversario.*
Enfurecerse
al *recordarlo;* **con** *los alumnos;* **contra** *el vendedor;* **por** *cualquier cosa.*
Engalanar(se)
con *cintas;* **de** *flores.*
Enganchar(se)   **con/en**   *un clavo.*
Engañar
a *alguien;* **con** *falsas promesas.*
Engañarse
a *sí mismo;* **con** *falsas esperanzas;* **en** *el planteamiento;* **por** *las apariencias.*
Engarzar
con *perlas;* **en** *platino.*
Engastar
con *piedras preciosas;* **en** *oro.*
Engendrar
con/por   *amor; (un hijo)* **de** *alguien.*
Englobar   **en** *una sola idea.*
Engolfarse
con *malas compañías;* **en** *vicios.*
Engolosinarse   **con** *las promesas.*
Engreírse   **con/por**   *su belleza.*
Enjuagarse   **con** *agua.*
Enjugar   **en** *el pañuelo.*
Enlazar   *(una cosa)* **con** *otra.*
Enloquecer   **de** *pena.*
Enmendarse
con *el castigo;* **de** *la falta;* **por** *la reprimenda.*
Enojarse
con/contra   *él;* **por** *el olvido.*
Enorgullecerse   **de** *sus logros.*
Enraizar
con *fuerza;* **en** *un país.*
Enredarse   **con/en/entre**   *las ramas.*
Enriquecer(se)
con *comisiones;* **en** *sabiduría.*
Enrolarse   **en** *la marina.*
Ensangrentarse   **con** *la operación.*
Ensañarse   **con/en**   *los débiles.*
Ensayar
con/en   *el piano;* **para** *actuar en público.*

Enseñar
a *hablar*; **con** *cintas de vídeo*.
Enseñorearse **de** *un lugar*.
Ensimismarse **en** *los pensamientos*.
Ensoberbecerse
con *su belleza*; **de** *su dinero*.
Ensuciarse
con *barro*; **de** *comida*; **en** *la fábrica*.
Entender
de *arte*; **en** *pintura*.
Entenderse
con *todo el mundo*; **en** *alemán*; **por** *gestos*.
Enterarse
de *las noticias*; **de boca/por boca** *de un vecino*; **en** *el trabajo*; **por** *la televisión*.
Enternecerse **con** *un bebé*.
Enterrar **en** *el cementerio*.
Enterrarse **en** *vida*.
Entonar *(un color)* **con** *otro*.
Entrar
a *comprar*; **con** *buen pie*; **de** *cartero*; **en** *la tienda*; **hacia** *las diez*; **hasta** *el almacén*; **por** *la puerta grande*.
Entregar *(algo)* **a** *alguien*.
Entregarse
a *la familia*; **en** *manos del destino*; **sin** *condiciones*.
Entremezclar(se)
con *agua*; **en** *el asunto*.
Entrenarse
con *el monitor*; **en** *el equipo*.
Entresacar *(datos)* **de** *una revista*.
Entretenerse
con *un juego*; **en** *mirar tiendas*.
Entrevistarse
con *la directora*; **en** *el despacho*.
Entristecerse **con/de/por** *la desgracia*.
Entrometerse
en *todo*; **entre** *una pareja*.
Entroncar **con** *algo*.
Entronizar **en** *el corazón*.
Entusiasmarse
con *un viaje*; **por** *una persona*.
Envanecerse **con/de/por** *el éxito*.
Envejecer
con *buen ánimo*; **de** *golpe*; **por** *la vida dura*.
Envenenar
a *la víctima*; **con** *cianuro*.

Envenenarse **de/por** *tomar setas*.
Enviar
a *casa*; **(a)** **por** *comida*; **con** *franqueo de urgencia*; **por** *correo*.
Enviciarse
con *el tabaco*; **en** *el casino*; **por** *las malas compañías*.
Envolver(se)
con *una bufanda*; **en** *un papel*; **entre** *las sábanas*.
Enzarzarse **en** *una pelea*.
Equidistar **de** *Segovia y Ávila*.
Equipar(se) **con/de** *ropa de verano*.
Equiparar **a/con** *un modelo*.
Equivaler **a** *diez marcos*.
Equivocar *(unas cosas)* **con** *otras*.
Equivocarse
al *escribir*; **de** *persona*; **en** *un número*.
Erigir(se) **en** *juez*.
Errar
en *todo*; **por** *el mundo*.
Escabullirse
de *los compromisos*; **de/de entre/por entre** *la gente*; **por** *la puerta*;
Escamarse **de/por** *algo*.
Escandalizarse **de/por** *lo ocurrido*.
Escapar(se)
a *la carrera*; **al** *extranjero*; **con** *vida*; **de** *las manos*; **en** *una avioneta*; **sobre** *un caballo*.
Escarbar **en** *el pasado*.
Escarmentar
con/de/por *lo ocurrido*; **en** *la propia carne*.
Escindirse **en** *partes*.
Escoger
del *grupo*; **entre** *varios*; **para** *el papel principal*; **por** *compañero*.
Esconderse
bajo/debajo de *la mesa*; **de** *la policía*; **en** *el sótano*; **entre** *la multitud*.
Escribir
a *mano*; **de/sobre** *cine*; **desde** *Alicante*; **en** *papel de avión*; **para** *una revista*; **por** *encargo*.
Escuchar
con *atención*; **en** *silencio*.
Escudarse **en** *los padres*.
Escudriñar
entre *los papeles*; **en** *busca de algo*.

p

Conjugar es fácil

Esculpir
a *cincel*; en *la piedra*.

Escupir
a *la cara*; en *la calle*.

Escurrirse
al *suelo*; de/de entre/entre *las manos*;
en *el hielo*.

Esforzarse
a/en *estudiar*; para *no suspender*; por
aprobar.

Esfumarse
ante *sus ojos*; de *la vista*; en *la distancia*;
por *el aire*.

Esmaltar
al *fuego*; con/de *color*.

Esmerarse
en *el trabajo*; por *ser simpático*.

Espantarse
al *saber la verdad*; ante *lo ocurrido*;
con/de/por *el ruido*.

Esparcir por *toda la casa*.

Especializarse en *Literatura*.

Especular
con *lo ajeno*; en *filosofía*; sobre *un suceso*.

Esperar
a *tener más suerte*; de *los amigos*; en
casa; para *salir*.

Espolvorear con *canela*.

Establecerse
de *farmacéutico*; en *Barcelona*.

Estafar
con *billetes falsos*; en *un negocio*.

Estampar
a *mano*; con *un sello*; contra *la pared*;
en *madera*; sobre *la tela*.

Estancarse en *la profesión*.

Estar
a *la disposición de alguien*; bajo *las órdenes de un superior*; con *fiebre*; contra *el
régimen*; de *vuelta*; en *el fútbol*; entre
extraños; para *salir*; por *un chico*; sin
sosiego; sobre *un asunto*; tras *una mujer*;
tras de *un empleo*.

Estimar
a *alguien*; en *pesetas*.

Estimular
al *estudio*; con *dinero*.

Estirar de *la cuerda*.

Estragarse

con *la bebida*; de *comer*; por *el exceso de
grasa*.

Estrechar
entre *los brazos*; (una relación) con
alguien.

Estrellarse
con *el coche*; contra *un árbol*; en *la piscina*; sobre *el pavimento*.

Estremecerse de *horror*.

Estrenarse
con *una novela*; en *un negocio*.

Estribar en *algo*.

Estudiar
con *un compañero*; en *casa*; para *inge-
niero*; por *libre*; sin *ayuda*.

Evadirse de *los problemas*.

Evaluar (los gastos) en *un millón de
pesetas*.

Exagerar
con *los regalos*; en *la cantidad*.

Examinar(se)
a *fin de mes*; de *latín*; en *el instituto*;
para *nota*; por *parciales*.

Exceder a *la imaginación*.

Excederse
de *lo previsto*; en *los gastos*.

Exceptuar de *la regla*.

Excitar a *la violencia*.

Excluir de *la fiesta*.

Exculpar de *una falta*.

Excusarse
con *el amigo*; de *ir a la fiesta*; por *el
retraso*.

Exhortar
a *dejar un vicio*; con *argumentos*.

Exhumar del *olvido*.

Eximir del *entrenamiento*.

Exonerar de *impuestos*.

Expansionarse con *la familia*.

Expeler
del *cuerpo*; por *la boca*.

Explayarse
con *las amigas*; en *discursos*.

Exponerse
al *peligro*; ante *el adversario*.

Expresarse
con *gestos*; de *palabra*; en *italiano*; por
escrito.

Expulsar de *la escuela*.

Expurgar de *lo malo*.

Extender **sobre** *la arena.*
Extenderse
a/hacia/hasta *la costa;* **de** *lado* **a** *lado;* **desde** *Cáceres;* **en** *paralelo;* **por** *la frontera.*
Extraer
con *máquinas;* **de** *la mina.*
Extralimitarse **en** *sus derechos.*
Extrañarse **de** *lo sucedido.*
Extraviarse
del *camino;* **en** *sus reflexiones;* **por** *el camino.*
Extremarse **en** *atenciones.*

Fallar
a *favor* **de/contra** */en* **contra** *de/en* favor de* *el acusado;* **por** *su base.*
Fallecer
a *manos* del *asesino;* **de** *muerte natural;* **en** *brazos* de *la esposa;* **en** *un accidente aéreo.*
Faltar
a *la palabra;* **de** *casa;* **en** *algo;* **por** *hacer.*
Familiarizarse **con/en** *el uso del ordenador.*
Fatigarse
de *andar;* **por** *cualquier cosa.*
Favorecer
a *un pariente;* **con** *una beca.*
Favorecerse **de** *la amistad.*
Felicitarse **de** *los logros de los hijos.*
Fiar *(algo)* **a** *un conocido.*
Fiarse **de** *la palabra.*
Fichar **por** *un club.*
Figurar
de *director;* **en** *cartelera.*
Fijar
a/en *la pared;* **con** *chinchetas.*
Fijarse **en** *todo.*
Firmar
con *la inicial;* **de** *propia mano;* **en** *blanco;* **por** *orden.*
Fisgar **en** *los cajones.*
Flamear
al *viento;* **en** *el aire.*
Flanquear **por** *todas partes.*

Flaquear
en *la voluntad;* **por** *la base.*
Flojear
de *las piernas;* **en** *el trabajo.*
Florecer **en** *sabiduría.*
Fluctuar **en/entre** *varios puntos.*
Fluir
de *la fuente;* **por** *el grifo.*
Forjar **con/de/en** *acero.*
Formar
con *buenos principios;* **en** *fila;* **entre** *los soldados;* **por** *departamentos.*
Forrar **con** */de/en* *tela.*
Forrarse **de** *millones.*
Fortificarse
con *barricadas;* **contra** *el adversario;* **en** *el castillo.*
Forzar
a *ir;* **con** *amenazas.*
Fracasar **en** *el examen.*
Franquearse
a *un hermano;* **con** *el compañero.*
Freír
a *fuego lento;* **con/en** *aceite.*
Frisar **en/en torno a** *los treinta.*
Frotar
con *las manos;* **contra** *la pared.*
Fugarse **de** *casa.*
Fumar
con/sin *boquilla;* **en** *pipa.*
Fundarse **en** *argumentos.*
Fundirse
a/con *el sol;* **por** *el cortacircuito.*

Ganar
a *las cartas;* **con** *el cambio;* **en** *el juego;* **para** *vivir;* **por** *la mano.*
Gastar
con *alegría;* **en** *juergas.*
Girar
a/hacia *el extremo;* **a** *cargo de* *un banco;* **alrededor** del *poste;* **en torno** *al mismo punto;* **sobre** *su eje.*
Gloriarse
de *algo;* **en** *el Señor.*

régimen preposicional

Gobernarse **por** *extraños.*
Golpear **con** *un palo.*
Gotear **de** *la cañería.*
Gozar **de** *una buena situación.*
Grabar
al *aguafuerte;* **con** *micrófono;* **en** *cinta;*
sobre *madera.*
Graduarse
de *licenciado;* **en** *físicas.*
Gravar
con *impuestos;* **en** *un 15%.*
Gravitar **sobre** *la tierra.*
Guardar
bajo *llave;* **con** *candado;* **del** *calor;* **en** *la*
memoria; **entre** *la ropa;* **para** *otro*
momento.
Guardarse **de** *las malas compañías.*
Guarecerse
bajo *techo;* **del** *frío;* **en** *un portal.*
Guarnecer
con *ensalada;* **de** *patatas.*
Guasearse **de** *otro.*
Guerrear **con/contra** *los extranjeros.*
Guiar
a/hacia/hasta *la salida;* **a través**
de/por *el campo;* **con** *una linterna;* **en**
la oscuridad.
Guiarse **con/por** *una brújula.*
Gustar **de** *la buena comida.*

Haber
de *venir;* *(dinero)* **en** *el banco;* *(suficien-*
te) **para** *uno;* *(dos)* **por** *persona.*
Habilitar
con *muebles antiguos;* **de** *almacén;* **para**
el cargo.
Habitar **en** *León*
bajo *techo;* **con** *sus hijos;* **entre** *niños.*
Habituarse **a** *las costumbres.*
Hablar
acerca de/de/sobre *el tiempo;* **con** *los*
padres; **en** *nombre* **de** *todos;* **entre** *ellos;*
por *los otros;* **sin** *sentido.*
Hacer
(algo) **con** *mucho esfuerzo;* **de** *padre* y

madre; *(algo)* **en** *poco tiempo;* *(algo)*
para *el compañero;* *(todo)* **por** *los hijos;*
(algo) **sin** *ganas.*
Hacerse
al *trabajo;* **con/de** *los materiales adecua-*
dos; **en** *la forma correcta.*
Hallar
en *el suelo;* **por** *la calle.*
Hallarse
a *un paso de algún sitio;* **de** *paso;* **en** *el cine.*
Hartarse
a *correr;* **con** *pasteles;* **de** *vino.*
Hastiarse
con *los exámenes;* **de** *las fiestas.*
Helarse **de** *frío.*
Henchir
con *lana;* **de** *satisfacción.*
Heredar
a/de *un tío;* **por** *vía materna.*
Herir
de *gravedad;* **en** *el amor propio.*
Hermanar(se)
(unos) **con** *otros;* **entre** *sí.*
Herrar
a *fuego;* **en** *caliente.*
Hervir
a *fuego rápido;* **con** *poca agua;* *(un local)*
de *gente;* **en** *una olla;* **sobre** *el fogón.*
Hilar **con** *lana.*
Hincar **en** *la tierra.*
Hincarse
a *los pies;* **de** *rodillas.*
Hincharse
a *comer;* **con** *la comida;* **de** *bollos.*
Holgarse
con *su trato;* **de** *todo.*
Honrarse
con *la visita;* **en** *tener su amistad.*
Horrorizarse **con/de/por** *lo sucedido.*
Huir
a *otro país;* **ante** *los problemas;* **de** *casa.*
Humedecer
con *la lengua;* **de/en** *agua.*
Humillarse
a/ante *un superior;* **a** *hacer algo;* **con** *los*
inferiores.
Hundirse **en** *la miseria.*
Hurgar **en** *la herida.*
Hurtar
(algo) **al** *vendedor;* **de** *los almacenes.*

Hurtarse
a *la vista;* **de** *la mayoría.*

Identificar **a** *un delincuente.*
Identificar(se) **con** *los profesionales.*
Igualar(se)
a/con *los compañeros;* **en** *conocimientos.*
Imbuir **de** *ideas.*
Imitar
a *un actor;* **con/en** *los gestos.*
Impacientarse
con/por *el retraso;* **de** *esperar;* **por** *llegar.*
Impeler
a *hacer algo.*
Impermeabilizar
con *plástico;* **contra** *el agua.*
Implicar
a *la familia;* **en** *el asunto.*
Implicarse
con *alguien;* **en** *un tema.*
Imponer *(algo)* **a/sobre** *los demás;*
Importar
(algo) **a** *alguien; (algo)* **de/desde** *otro país.*
Importunar **con** *preguntas.*
Imposibilitar **para** *hacer algo.*
Impregnar(se) **con/de/en** *grasa.*
Imprimir
con *la impresora nueva;* **en** *el corazón;* **sobre** *papel satinado.*
Impulsar **a** *hacer cosas nuevas.*
Imputar *(algo)* **al** *rival.*
Incapacitar **para** *el deporte.*
Incautarse **de** *cosas.*
Incidir **en** *el tema.*
Incitar
a *la violencia;* **contra** *el enemigo.*
Inclinar
a *la benevolencia;* **en favor de** *los débiles.*
Inclinarse
a/hacia *un lado;* **ante** *las circunstancias;* **hasta** *el suelo;* **por** *un color;* **sobre** *la mesa.*

Incluir
en *los gastos;* **entre** *los invitados.*
Incorporar **a/en** *un archivo.*
Incorporarse **al** *trabajo.*
Incrementar(se) **en** *miles de pesetas.*
Incrustarse **en** *la piel.*
Inculcar
(una idea) **a** *los hijos;* **en** *la mente.*
Inculpar **de** *una infracción.*
Incumbir **a** *alguien.*
Incurrir **en** *delito.*
Indemnizar
con *dinero;* **del** *accidente;* **por** *el daño.*
Independizarse
de *la familia;* **en** *las cuestiones económicas.*
Indigestarse
con *pescado;* **de** *comer fruta;* **por** *beber leche.*
Indignarse
con *el novio;* **contra** *el vecino;* **de/por** *su conducta.*
Indisponer
con *mentiras;* **contra** *un amigo.*
Inducir **a** *cometer un crimen.*
Indultar
de *la pena;* **por** *buena conducta.*
Inferir
del *suceso;* **por** *lo visto.*
Infestar **con/de** *virus.*
Infiltrarse
en *el ejército enemigo;* **entre** *los otros.*
Inflamar(se) **de/en** *ira.*
Inflar(se) **de** *aire.*
Influir
ante *el jurado;* **con** *el compañero;* **en** *la decisión;* **para** *el perdón;* **sobre** *las conclusiones.*
Informar
del *viaje;* **en** *el congreso;* **sobre** *el tema.*
Infundir *(ánimos)* **a/en** *alguien.*
Ingeniarse
con *cualquier recurso;* **para** *sobrevivir.*
Ingerir
con *una paja;* **de** *un golpe;* **por** *la boca.*
Ingerirse **en** *asuntos ajenos.*
Ingresar **en** *la academia.*
Inhabilitar **para** *la carrera.*
Inhibirse
de *hacer algo;* **en** *el asunto.*

régimen preposicional

Iniciar(se) en *un idioma.*
Injertar en *una maceta.*
Inmiscuirse en *la vida de otro.*
Inmolar
a *los dioses;* en **aras** de *un ideal;* por *la patria.*
Inquietarse **con/de/por** *las notas.*
Inscribir(se) en *el club.*
Insertar en *un archivo.*
Insinuarse
a *alguien;* con *halagos.*
Insistir en *pagar*
Insolentarse **con/contra** *el oficial.*
Inspirar a *alguien.*
Inspirarse de *Cervantes;* en *El Quijote.*
Instalar en *la habitación.*
Instalarse en *otra ciudad.*
Instar
a *hacerlo;* sobre *el asunto.*
Instigar a *hacer una fechoría.*
Instruir
en *las ciencias;* sobre *química.*
Insubordinarse **contra** *el director.*
Insurreccionarse **contra** *el gobierno.*
Integrar(se) en *un equipo.*
Intercalar en *las actividades.*
Interceder
ante *el jefe;* en *favor* de *un compañero;* por *un amigo.*
Interesarse **en/por** *algo.*
Interferir(se) en *un asunto.*
Internar en *un colegio.*
Internarse
en *el bosque;* por *la jungla.*
Interponerse
en *la discusión;* **entre** *los hijos.*
Interpretar
del *alemán* al *español;* en *francés.*
Intervenir
con *el padre;* en *todo;* **para** *el reparto;* por *la acusada.*
Intimar con *María.*
Introducir(se)
en/por *todas partes;* **entre** *la gente.*
Inundar
de *agua;* en *lágrimas.*
Invernar en *el sur.*
Invertir en *un negocio.*
Investir
con *un título;* de *doctor honoris causa.*

Invitar
al *teatro;* con *una carta.*
Involucrar
a *un extraño;* en *el tema.*
Inyectar en *vena.*
Ir
a *comer;* con *la compañía;* **contra** *el equipo;* de *paseo;* de *un sitio* **para** *otro;* **desde** *Gijón;* en *tren;* **entre** *árboles;* **hacia/hasta** *Gerona;* por *el camino más corto;* **tras** *el delincuente.*
Irritarse
con/contra *el árbitro;* por *todo.*
Irrumpir en *la habitación.*

Jactarse de *los propios logros.*
Jaspear de *colores.*
Jubilar(se) **del** *trabajo.*
Jugar
al *tenis;* con *un amigo;* **contra** *una pareja;* por *otro.*
Juntar *(una cosa)* **a/con** *otra.*
Juntarse
con *los amigos;* en *una casa.*
Jurar
en *falso;* por *el honor;* sobre *la Biblia.*
Justificar(se)
ante *los padres;* con *el amigo;* de *lo ocurrido.*
Juzgar
a *un inocente;* de *imprudente;* **entre** *varios;* por *un crimen;* **según** *la costumbre.*

Labrar a *cincel*
Ladear(se) **a/hacia** *un lado.*
Ladrar a *un transeúnte.*
Lamentar(se) **de/por** *la desgracia.*
Languidecer de *tristeza.*
Lanzar

al *tejado*; **con** *un tirachinas*; **contra** *la gente*; **de/desde** *un escondite*.
Lanzarse
al *vacío*; **con** *salvavidas*; **contra** *el oponente*; **en** *paracaídas*; **hacia** *la izquierda*; **sobre** *la red*.
Largarse **de** *la oficina*.
Lastimarse
con *una zarza*; **contra** *el muro*; **en** *un pie*.
Lavar
con *agua*; **en** *la pila*.
Leer
a *Cortázar*; **con** *luz eléctrica*; **de** *corrido*; **en** *la biblioteca*; **entre** *líneas*; **por** *encima*.
Legar **a** *los hijos*.
Levantar
al *bebé*; **de** *la cuna*; **en** *brazos*; **por** *el aire*; **sobre** *los hombros*.
Levantarse
con *dolor de cabeza*; **contra** *la dictadura*; **de** *la cama*; **en** *armas*.
Liar **con** *bellas palabras*.
Liarse
a *golpes*; **con** *alguien*.
Liberar
al *rehén*; **de** *un deber*.
Liberarse **de** *una carga*.
Librar **a cargo de/contra** *una entidad*.
Licenciarse
del *ejército*; **en** *Periodismo*.
Lidiar **con/contra** *la gente*; **por** *algo*.
Ligar
a *Carlos*; **con** *Laura*; **en** *un bar*.
Ligarse **con** *una institución*.
Limitar
con *Galicia*; **por** *el Oeste*.
Limitarse **a** *escuchar*.
Limpiar
con *un trapo*; **de** *barro*; **en** *seco*.
Limpiarse
con *la esponja*; **de** *manchas*; **en** *la toalla*.
Lindar **con** *un prado*.
Lisonjear **con** *palabras amables*.
Litigar
con/contra *un compañero*; **de/por** *una medalla*; **sobre** *un aspecto*.
Llamar
a *la puerta*; **con** *los nudillos*; **de** *tú*; **por** *teléfono*.

Llamarse **a** *error*.
Llegar
al *cine*; **con** *un amigo*; **de/desde** *París*; **en** *tren*; **hasta** *la frontera*; **por** *los pelos*.
Llenar
con *agua*; **de** *leche*; **hasta** *el borde*.
Llevar
al *trabajo*; **con** *calma*; **en** *coche*; **por** *piezas*; **sobre** *los hombros*.
Llevarse
(bien) **con** *todos*; **de** *las pasiones*; *(algo)* **por** *delante*.
Llorar
con/de *emoción*; **por** *pena*.
Llover
a *cántaros*; **sobre** *el asfalto*.
Loar **por** *su paciencia*.
Localizar
a *un amigo*; **en** *la guía*.
Lograr *(algo)* **de** *alguien*.
Lucir
ante *todos*; **bajo** *los focos*; **sobre** *el vestido*; **tras** *las cortinas*.
Lucirse **en** *una representación*.
Lucrarse
a base de *robar*; **con** *los beneficios*.
Luchar
con/contra *el forastero*; **contra** *viento y marea*; **por** *un premio*.

M

Maldecir
al *culpable*; **con** *juramentos*; **de/por** *todo*.
Malearse **con/por** *las compañías*.
Malgastar **en** *caprichos*.
Malmeter **con/contra** *un compañero*.
Maltratar
a *los niños*; **de** *palabra*; **hasta** *hacer daño*; **sin** *piedad*.
Mamar
con *ansia*; **de** *la madre*.
Manar **de** *la fuente*.
Manchar
con *aceite*; **de** *tinta*.
Mandar

a *comprar algo*; de *recadero*; en *la pandilla*; entre *los amigos*; por *agua*.

Manifestarse
a **favor/en contra de** *una idea*; en *política*; por *la calle principal*.

Manipular
a *la gente*; con *cuidado*; en *la máquina*.

Mantener
(relaciones) con *alguien*; en *buen estado*.

Mantenerse
en *forma*; del *aire*; con *buen ánimo*.

Maquinar
con *un compañero*; **contra** *el jefe*.

Maravillarse con/de/por *el espectáculo*.

Marcar
a *mano*; con *rotulador*; por *todas partes*.

Marchar(se)
a *León*; de *Burgos*; **desde** *Salamanca*; **hacia** *Pamplona*; **hasta** *Valladolid*; por *tren*.

Matar
a *golpes*; con *una bala*; de *un disgusto*; en *la silla eléctrica*; por *accidente*.

Matizar con/de *numerosas precisiones*.

Matricularse
de *segundo curso*; en *el bachillerato*; por *libre*.

Mecer
a *la niña*; con *cuidado*; en *una cuna*.

Mediar
con/entre/por *los enfrentados*; en *la discusión*.

Medir
a *mano*; con *un metro*; por *palmos*.

Medirse
con *un metro*; en *la farmacia*.

Meditar en/sobre *los problemas sociales*.

Medrar en *el trabajo*.

Mejorar de/en *el nivel de vida*.

Merecer
con *creces*; **de/para** *su cargo*; por *su esfuerzo*.

Mermar en *volumen*.

Merodear por *la urbanización*.

Mesurarse en *las formas*.

Meter
(a *alguien*) a *trabajar*; de *jardinero*; en/por *vereda*; entre *el equipaje*.

Meterse
con *alguien*; en *un lío*; entre *el gentío*.

Mezclar
(*algo*) **a/con** *algo*; en *una sartén*.

Mezclarse
a/con/entre *los manifestantes*; en *jaleos*.

Militar en *un partido feminista*.

Mirar
a/hacia *el techo*; con *simpatía*; de *través*; por *sus derechos*; **sobre** *la mesa*.

Mirarse a/en *el espejo*.

Moderarse en *las críticas*.

Mofarse de *alguien*.

Mojar(se) con/en *agua fría*.

Moler(se)
a *trabajar*; con *tanto trabajo*.

Molestar con *demasiadas preguntas*.

Molestarse en *responder*.

Mondarse de *la risa*.

Montar
a *horcajadas*; en *barca*; **sobre** *sus espaldas*.

Morar en *una lujosa villa*.

Morir(se)
a **causa de** *una enfermedad*; de *pena*; en *su casa*; entre *sus seres queridos*; **para** *dar la vida a alguien*.

Mortificarse con *sentimientos de culpa*.

Motejar de *entrometido*.

Motivar
con *una recompensa*; en *el trabajo*.

Mover(se)
a *actuar*; con *decisión*; de *aquí para allá*; por *una causa justa*.

Mudar(se)
a *una casa más grande*; de *traje*; en *los propósitos*.

Multiplicar **por** *diez*.

Murmurar de *alguien*.

Nacer
al *mediodía*; con *pocos recursos*; de *padres campesinos*; en *un pueblo*; **para** *un alto destino*.

Nacionalizarse en *otro país.*
Nadar
a *braza;* **contra** *corriente;* **de** *espaldas;* **en**
el río; **hacia** *la orilla.*
Navegar
a/hacia/para *alta mar;* **con/en** *un*
barco pesquero; **contra** *el viento;* **entre** *el*
oleaje.
Necesitar
(alguien) **de** *algo;* **para** *comer.*
Negarse **a** *confesar los hechos.*
Negociar
con *una empresa;* **en** *un traspaso.*
Nivelarse **al/con** *el resto de los traba-*
jadores.
Nombrar **para** *ministro de defensa.*
Notar *(un cambio)* **en** *casa.*
Notificar **de** *un cambio de destino.*
Nutrir(se)
con/de *alimentos naturales;* **en** *abun-*
dancia.

Obcecarse **con/en/por** *una idea fija.*
Obedecer
a *la profesora;* **con** *rapidez;* **sin** *dudarlo.*
Obligar
a *reparar su falta;* **con** *su autoridad;* **por**
la fuerza.
Obrar
a *conciencia;* **con** *responsabilidad;* **en**
provecho propio; **por** *el bien ajeno.*
Obsequiar **con** *dulces.*
Obsesionarse **con/por** *alguien.*
Obstar *(algo)* **a/para** *un fin.*
Obstinarse
(en ir) **contra** *todo;* **en** *llevar la contraria.*
Obtener(se)
(algo) **con** *esfuerzo;* **de** *buenas maneras*
de *alguien.*
Ocultar
a/de *la vista;* **con** *unas cortinas;* **detrás**
de/tras *la puerta;* **entre** *las páginas de*
un libro.
Ocuparse **con/de/en** *el cuidado de sus*
animales.

Ocurrir **con** *celeridad.*
Odiar **a/de** *muerte.*
Ofenderse **con/de/por** *un agravio.*
Oficiar **de** *testigo.*
Ofrecerse
a/para *trabajar;* **de** *camarero;* **en** *cali-*
dad de *ayudante.*
Oír
bajo/en *secreto;* **con** *interés;* **de** *boca de*
alguien; **por** *las paredes.*
Oler **a** *flores.*
Olvidarse **de** *guardar las apariencias.*
Operarse **de** *una rodilla.*
Opinar
acerca de/de/en/sobre *literatura;* **con**
juicio.
Oponer *(algo)* **a/contra** *algo.*
Oponerse
al *sistema judicial;* **con** *firmeza.*
Opositar **a** *notarías.*
Oprimir
a *los ciudadanos;* **con** *violencia.*
Optar
a/por *una carrera;* **entre** *dos posibilidades.*
Orar **en favor de/por** *los muertos.*
Ordenar(se)
de *sacerdote;* **en/por** *colores.*
Organizar *(algo)* **en/por** *partes.*
Orientar(se)
a/hacia *el sur;* **por** *una brújula.*
Oscilar **entre** *dos deseos.*

Pactar
con/entre *los adversarios;* **por** *necesi-*
dad.
Padecer **con/de/por** *unas fiebres.*
Pagar
a *un banco;* **de** *la fianza;* **en/con** *dinero*
en efectivo; **por/para** *el alquiler del*
local.
Paladearse **con** *un postre casero.*
Paliar *(algo)* **con** *algo.*
Palidecer
ante/bajo/con *las adversidades;* **de**
terror.

Palpar
con *cuidado*; (*algo*) entre *algo*; por *encima*.

Parar(se)
a/ante/en *la entrada*; con *un frenazo*; de *golpe*; entre *los coches*.

Parecerse
a *alguien*; de/en *el perfil*.

Participar
de *los beneficios*; en *el sorteo*.

Particularizarse
(*algo*) con *precisión*; (*alguien*) en *el trato con alguien*.

Partir
a/hacia/para *América*; con *tristeza*; de *su tierra*; en *busca de fortuna*; por *necesidad*.

Pasar
al *salón*; ante *la audiencia*; bajo *la puerta*; de *fecha*; en *tropel*; entre *el público*; por/sobre *el puente*.

Pasarse
de *gracioso*; sin *trabajar*.

Pasear
a/con *los niños*; en/por *el campo*; sobre *la hierba*.

Pasearse a *caballo*.

Pasmarse con/de *la noticia*.

Pavonearse con/de *la victoria*.

Pecar
con/en *el pensamiento*; contra *la decencia*; de/por *franqueza*.

Pedir
a *los magistrados*; en *préstamo*; para *el autobús*; por *los necesitados*.

Pegar
(*algo*) a/en *algo*; con *pegamento*; contra *el reverso*.

Pegarse (*alguien*) a/con *alguien*.

Pelear(se)
con/contra *alguien*; en *defensa propia*; por *tonterías*.

Peligrar de *muerte*.

Penar
de *deseo*; en *el exilio*; por *su vida*.

Pender
ante/de/sobre *su cabeza*; en *el vacío*.

Penetrar
en *la casa*; entre/por *la espesura*; hacia/hasta *el interior*.

Pensar
(*algo*) de *alguien*; en/sobre *sus problemas*; entre/para *sí*.

Percatarse de *algo*.

Percibir (*algo*) por *algo*.

Perder a/en *el parchís*.

Perderse
en *la feria*; por *holgazán*.

Perecer
a *las doce de la noche*; de *pulmonía*; en *el hospital*.

Peregrinar a/por *tierras lejanas*.

Perfumar con *agua de rosas*.

Permanecer
con *salud*; en *silencio*; hasta *mañana*; sin *cambios*; tras *su objetivo*.

Permutar con/por *dos días de permiso*.

Perpetuar(se) en *sus obras*.

Perseguir
al *ladrón*; en *coche*; entre *la gente*.

Perseverar en *el empeño*.

Persistir en *la decisión tomada*.

Personarse
ante *la juez*; en *las urnas*.

Persuadir
con *ardor*; de *su valía*.

Pertenecer a *un partido*.

Pertrecharse
con/de *víveres*; para *el asedio*.

Pesar sobre *la conciencia*.

Picar
de *la nevera*; en *todo momento*.

Picarse
con *sus compañeros*; en *la reunión*; por *sus críticas*.

Pinchar(se)
con *una espina*; en *un dedo*.

Pintar
a *la acuarela*; con *pinceles*; de *rojo*; en *la pared*.

Pirrarse por *los dulces*.

Pisar
con *los pies descalzos*; en/por/sobre *las piedras*.

Pitorrearse de *alguien*.

Plagarse de *deudas*.

Planear sobre *las colinas*.

Plantar en *el jardín*.

Plantarse en *medio de una celebración*.

Plañir   de *dolor*.
Plasmar   (*una idea*) en *un dibujo*.
Pleitear
con/contra   *la empresa*; por *conseguir derechos*.
Poblar
con/de   *pinos*; en *profundidad*.
Poblarse   de *edificios*.
Poder   (subir) con *dificultad*.
Ponderar   de *grandioso*.
Poner(se)
a/ante   *la vista*; bajo *resguardo*; como *condición*; contra *alguien*; de *manifiesto*; en *cuestión*; entre *interrogaciones*; sobre *el tablero*.
Porfiar
con/contra   *los adversarios*; en *la lucha*; sobre *algo*.
Portarse   con *dignidad*.
Portear
con/en   *un camión*; por *tierra*.
Posar
ante/para   *el fotógrafo*; en *una foto*; sobre *un caballo*.
Posarse   (*un insecto*) en/sobre *algo*.
Posesionarse   de *una propiedad*.
Posponer   a/hasta   *la primavera*.
Postrarse
en/por   *el suelo*; ante *la concurrencia*; del *susto*.
Practicar   en *un gimnasio*.
Precaverse   contra/de   *el frío*.
Preceder   en *edad*.
Preciarse   de *experto*.
Precipitarse
a *su encuentro*; de/desde   *lo alto*; en *sus brazos*; por *la ladera*.
Predestinar   a/para   *la magia*.
Predisponer   (*a una persona*) a/contra/para   *algo*.
Predominar   (*algo*) en/sobre   *algo*.
Preferir   (*algo*) a/entre   *algo*.
Preguntar
a *los presentes*; con *curiosidad*; por *lo ocurrido*.
Prendarse   de *sus ojos*.
Prender
(*un broche*) a/de/en *un vestido*; con *alfileres*.
Preocuparse   con/de/por   *alguien*.

Prepararse
a *oír de todo*; contra/para   *el frío*.
Prescindir   de *ayuda*.
Presentar   para *concurso*.
Presentarse
al *auditorio*; bajo *candidatura*; con *retraso*; de *improviso*; en *su ciudad*; por *Sevilla*.
Preservar(se)   contra/de   *la gripe*.
Presidir
en *un certamen*; por *la antigüedad*.
Prestar
(*algo*) a *alguien*; (*algo*) para *una temporada*; sobre *garantía*.
Prestarse   a *ayudar*.
Presumir   de *riqueza*.
Presupuestar   en *cinco millones de pesetas*.
Prevalecer   (*algo*) entre/sobre   *algo*.
Prevenir   (a   *alguien*)   contra/de/sobre   *algo*.
Prevenirse
a   *tiempo*;   con   *unos   ahorros*; contra/de/en/para   *la escasez*.
Principiar   (*algo*) con/en/por   *algo*.
Pringarse
con/de   *chocolate*; en *un delito*.
Privar(se)   de *algo*.
Probar
a *hacer un injerto*; de *todo*.
Proceder
a/en   *la investidura*; con/sin   *orden*; contra *los acusados*.
Procesar   (*a alguien*) por *algo*.
Procurar   (*algo*) para/por   *algo*.
Prodigarse   en *palabras*.
Producir(se)
(*algo*) ante *alguien*; en *cadena*.
Progresar   en *matemáticas*.
Prohibir
bajo *cualquier concepto*; de *forma terminante*.
Prolongar(se)   (*la sesión*) en *horas*.
Prometer
(*algo*) a *alguien*; en *privado*; (*algo*) por *algo*.
Promover   (*a alguien*) a/para   *algo*.
Pronunciarse   en favor de/por *alguien*.
Propagar (*un rumor*) en/por   *todo el pueblo*; entre *la gente*.

p

Propagarse *(un fuego)* **al** *piso de arriba;* **por** *todas partes.*

Propasarse
(alguien) **a costa de/con** *alguien;* *(alguien)* **en** *algo.*

Propender *(alguien)* **a** *algo.*

Proponer
(algo) **a** *alguien;* **en** *público;* *(a alguien)* **para/por** *algo.*

Proporcionar
(algo) **a** *alguien;* *(algo)* **para** *algo.*

Prorrogar **por** *un año.*

Prorrumpir **en** *sollozos.*

Proseguir *(alguien)* **con/en** *algo.*

Prosternarse
a/para *rezar;* **ante** *el icono;* **en** *la iglesia.*

Prostituir
a *alguien;* **en** *provecho propio;* **por** *interés.*

Proteger(se)
a *alguien;* **contra/de** *la lluvia.*

Protestar
contra/por *el desempleo;* **de** *forma organizada.*

Proveer
a *los agricultores;* **con/de** *suficiente maquinaria.*

Provenir **de** *un ambiente urbano.*

Provocar
a *alguien;* **con** *una actitud.*

Proyectar *(algo)* **a/en/sobre** *algo.*

Pudrirse **de** *aburrimiento.*

Pugnar
con/contra *la sociedad;* **en** *un debate;* **para/por** *la victoria.*

Pujar
con/contra *el vendedor;* **en/sobre** *un precio;* **por** *una rebaja.*

Purgar(se)
con *una dieta;* *(algo)* **de** *algo.*

Purificarse *(de algo)* **con** *algo.*

Quebrantar *(una norma)* **por** *necesidad.*

Quebrar(se)

con *estrépito;* **en** *cuatro trozos;* **por** *la mitad.*

Quedar(se)
a *comer;* **con** *la mejor parte;* **sin** *fuerzas.*

Quejarse
a/de *sus vecinos;* **por** *todo.*

Quemarse
con *una cerilla;* **de** *deseo;* **por** *su amor.*

Querellarse
ante *el juez;* **contra** *la empresa;* **por** *los impuestos.*

Querer **con** *pasión.*

Quitar(se) **de** *en medio.*

Rabiar
de *indignación;* **por** *el ultraje.*

Radiar **en/por** *onda larga.*

Radicar *(algo)* **en** *algo.*

Raer **con** *el uso.*

Ramificarse **en** *muchas direcciones.*

Ratificarse **en** *la oferta.*

Rayar
con *un lápiz;* **en** *lo imposible.*

Razonar
con *corrección;* **sobre** *filosofía.*

Rebajar
(una salsa) **con** *agua;* **del** *precio de venta.*

Rebajarse
a *reconocer su error;* **ante** *los asistentes;* **de** *su orgullo.*

Rebasar *(los límites)* **de** *algo.*

Rebatir
a *su interlocutor;* **con** *buenos argumentos;* **de** *su postura.*

Rebelarse **contra** *sus padres.*

Rebosar
de *salud;* *(algo)* **en** *algo;* **hasta** *el borde.*

Rebozar **en** *harina y huevo.*

Recabar
con *esfuerzo;* *(algo)* **de** *alguien.*

Recaer *(la responsabilidad)* **en/sobre** *alguien.*

Recapacitar **sobre** *su actitud.*

Recargar *(un vestido)* **con/de** *adornos.*

Recatarse de las miradas.
Recelar(se) de sus compañeros.
Recetar
al paciente; **contra** el dolor.
Recibir
a los invitados; **de** su madre; **en** préstamo; (una carta) **por** avión.
Reclamar
a/ante/de la justicia; **contra/por** un fraude; **en** el juzgado.
Reclinar (la cabeza) **contra** la pared; **en/sobre** sus rodillas.
Reclinarse en; **sobre** el sofá.
Recobrarse de un disgusto.
Recoger
a sus abuelos; **con** el coche; **de/en** la estación.
Recogerse a/en la cama temprano.
Recomendar
a su amiga; **para** el puesto.
Reconcentrarse en sus problemas.
Reconciliar(se) con su familia.
Reconocer
a/ante sus hijos; **en** el acto; **entre** la gente; **por** el rostro.
Reconquistar del olvido.
Reconvenir
con reproches; **por** su mala educación.
Reconvertir en una industria pesquera.
Recorrer de/desde un extremo al otro.
Recostarse en/sobre la cama.
Recrearse con/en la pintura.
Recubrir con una manta.
Recurrir
a la medicina natural; **contra** la sentencia.
Redimir de sus pecados.
Redondear en números exactos.
Reducir
a la mitad; **de** tamaño.
Reducirse
a lo esencial; **en** los gastos.
Redundar en un perjuicio.
Reemplazar
con/por otra empleada; **en** el puesto.
Reencarnarse en otro ser.
Referirse a sus negocios.
Reflejar
en el espejo; **sobre** la superficie.
Reflexionar
en solitario; **sobre** el problema.

Reformarse en el reformatorio.
Refregarse
con una esponja; **contra** la hierba.
Refrescarse
con una ducha; **en** la piscina.
Refugiarse
bajo un techo; **contra** la tormenta; **en** el interior.
Refundir
en bronce; **para** hacer una estatua.
Refutar con conocimiento de causa.
Regalar (algo) a alguien.
Regalarse
con una buena comida; **en** la conversación.
Regar
con poca agua; **por** la noche.
Reglarse a/por las normas.
Regocijarse de/con/por la noticia.
Regodearse con/en el éxito.
Regresar a su ciudad natal; **del** extranjero.
Rehabilitar al empleado; **en** su anterior cargo.
Rehacerse de una separación.
Rehogar
a fuego lento; **con** aceite.
Reinar
en Francia; **sobre** muchos países.
Reincidir en una mala conducta.
Reincorporar al equipo.
Reintegrar(se) a/en su puesto.
Reírse
con/de alguien; **por** todo; **sin** parar.
Relacionarse con/entre los demás estudiantes.
Relajar(se)
con un masaje; **de** sus obligaciones; **en** la playa.
Relamerse de gusto.
Relevar de la dirección.
Rellenar (un bizcocho) **de** crema.
Rematar
al moribundo; **con** crueldad.
Remitirse a los hechos.
Remontarse
a/hasta el pasado; **en** el vuelo; **sobre** las montañas.
Remover con una cuchara.
Renacer a la vida.

Rendirse
a *la evidencia;* con *resignación;* de *cansancio.*

Renegar de *sus orígenes.*

Renunciar
a *un nombramiento;* en favor de *alguien.*

Reñir
a *sus hijos;* por *sus travesuras.*

Reparar
con *trabajo;* en *alguien.*

Repartir
a/entre *las niñas;* en *el recreo.*

Repasar por *las faltas.*

Repercutir en *el ánimo.*

Reponerse de *una discusión.*

Reposar de *la carrera.*

Reprender de *malas maneras.*

Representar
a *su país;* con *dignidad;* en/para *las olimpiadas.*

Reprimirse de *comer en exceso.*

Reputar
de/por *bondadoso;* en *mucho.*

Requerir de *amores.*

Resaltar (un color) de *otro.*

Resarcirse
con *su desprecio;* de *la ofensa.*

Resbalar con/en/sobre *el hielo.*

Resbalarse de/entre *las manos.*

Rescatar
al *prisionero;* de *la cárcel;* por *el mar.*

Resentirse
con/contra *alguien;* de/por *un agravio.*

Reservar (algo) a/para *alguien.*

Reservarse
(alguien) a/para *algo;* en *las confidencias.*

Resguardarse del *frío.*

Residir
en *la capital;* entre *dos ciudades.*

Resignarse a/con/en *su tipo de vida.*

Resistir(se) a *la tentación.*

Resolverse a *actuar.*

Resonar
con *estrépito;* en *todo el edificio.*

Respaldarse
con *una buena abogada;* contra *la pared.*

Resplandecer
a/con/por *la luz;* contra/en *el horizonte;* de *belleza.*

Responder
a *las preguntas;* con *decisión;* de *su hijo.*

Responsabilizarse de *un cargo.*

Restablecerse de *una gripe.*

Restar (algo) a/de *algo.*

Restituir a *su propietaria.*

Restregar (algo) con/contra *algo.*

Restringirse al *presupuesto.*

Resucitar de *la muerte.*

Resumir(se) en *pocas palabras.*

Resurgir de *sus cenizas.*

Retar
a *un desempate;* con *furia.*

Retener en *la memoria.*

Retirarse
a *un convento;* del *mundo.*

Retorcerse de/por *un dolor.*

Retornar
a/de *Italia;* en *un año.*

Retractarse de *lo afirmado.*

Retraerse
a *su dolor;* de *las miradas.*

Retrasar en *el pago.*

Retroceder
a/hacia *el pasado;* en *el tiempo.*

Reunir a *todos los vecinos.*

Reunirse con *todos los vecinos.*

Reventar de/por *tanto comer.*

Revertir
a *largo plazo;* en *dinero.*

Revestir(se) (algo) con/de *algo.*

Revolcarse en/por/sobre *la arena.*

Revolver
con *prisas;* en/entre *los cajones.*

Revolverse contra/sobre *el amo.*

Rezar
a/por *sus muertos;* en *una ermita.*

Rimar con *el verso anterior.*

Rivalizar
con *los oponentes;* en/por *el poder.*

Rodar
al/por *el suelo;* bajo/de *la mesa.*

Rodearse de *buenas compañías.*

Roer con *los dientes.*

Rogar
a *su madre;* por *los ausentes.*

Romper
a *llover;* con *la Iglesia;* en *carcajadas;* por *un extremo.*

Rozar(se)
con/contra *el techo*; en *el trato*.

S

Saber
a *gloria*; de/por *cierto*.
Saborear con *calma*.
Sacar
al *exterior*; de *la casa*; en *volandas*; por
conclusión.
Saciar(se) con/de *fruta*.
Sacrificarse
a *trabajar duro*; por *sus padres*.
Sacudir(se) de *polvo*.
Salir
a *la calle*; con *frecuencia*; en *los periódi-
cos*; para *senadora*.
Salpicar con/de *agua*.
Saltar
al *vacío*; de *rama* en *rama*; en/por *el aire*.
Salvar
a *su hijo*; con/por *sus atenciones*; de
caer enfermo.
Sanar
a *los enfermos*; con/por *remedios tradi-
cionales*.
Satisfacer
a *los trabajadores*; con *buenos sueldos*.
Saturarse de *trabajar*.
Secar(se)
al *aire*; con *el sol*; sobre *la hierba*.
Secundar en *la propuesta*.
Sedimentar en *la exposición al sol*.
Segar
a *mano*; con *tractor*.
Segregar (*algo*) de *algo*.
Seguir con/en *un proyecto*.
Seguirse (*algo*) de *lo hablado*.
Sembrar
con/de *grano*; en *la huerta*; por *mayo*.
Sentarse
a *la sombra*; bajo *un árbol*; entre *las flo-
res*; junto a *la anfitriona*; sobre *un cojín*;
tras *el arbusto*.
Sentenciar
a *la cárcel*; en *juicio público*.

Sentir
con *intensidad*; en *el alma*; (*algo*) por
alguien.
Sentirse
con/sin *fuerzas*; de *buen humor*.
Señalar con *un cartel*.
Señalarse
en *la capacidad política*; por *su honesti-
dad*.
Separar(se) de *su marido*.
Sepultar bajo/en *el olvido*.
Ser
a *gusto de todos*; de *buena calidad*; por *su
bien*.
Servir
a *los ciudadanos*; con *lealtad*; de *ayuda*.
Servirse de *una oportunidad*.
Significar (*algo*) a/para *alguien*.
Significarse por *su rectitud*.
Simpatizar con *sus ideas*.
Simultanear con *otra ocupación*.
Sincerarse
ante/con *los amigos*; de *los hechos*.
Sincronizarse con *el ritmo de la empresa*.
Singularizarse
con/en/por *su trato*; entre *los demás*.
Sisar de/en *unos grandes almacenes*.
Sitiar por *todos los frentes*.
Situar(se) en *primera fila*.
Sobrepasar
a *los demás conductores*; en *inteligencia*.
Sobreponerse *a* *su nerviosismo*.
Sobresalir
en *ciencias*; por *sus aptitudes*.
Sobresaltarse con/por *un ruido*.
Sobrevivir al *accidente*.
Socorrer
con *casa y comida*; de *su grave situación*.
Solazarse
con *un concierto*; en *su casa del campo*.
Solicitar
(*algo*) a/de *alguien*; (*algo*) para *algo*.
Solidarizarse con *los oprimidos*.
Soltar(se)
a *hablar*; de *la cuerda*.
Someterse a/bajo *su custodia*.
Sonar
a *falso*; en *el piso de arriba*.
Sonreír con *tristeza*.
Soñar con *un viaje*; en *voz alta*.

Conjugar es fácil

régimen preposicional

Sorprender a *alguien.*
Sospechar de *sus intenciones.*
Sostener
al *bebé;* en *los brazos.*
Subdividir en *tres partes.*
Subir
al *avión;* en *el ascensor;* por *las escaleras.*
Subordinar (*algo*) a *algo.*
Subrogar (*algo*) con/por *algo.*
Subscribirse a *una revista.*
Subsistir
con *poco;* de *la asistencia social.*
Subvenir a *las necesidades.*
Suceder (*algo*) a *alguien.*
Sucumbir a/ante/bajo *la tentación.*
Sufrir
de *dolor de cabeza;* por *los demás.*
Sujetar(se)
a *la ley;* con *una cuerda;* por *la cintura.*
Sumarse a *las protestas.*
Sumergir(se) bajo/en *el agua.*
Sumirse en *la incertidumbre.*
Supeditar a *una votación.*
Superponer(se) a *la tristeza.*
Suplicar (*algo*) a *alguien.*
Suplir
(*alguien*) a *alguien;* en *un cargo.*
Surgir
en *el cielo;* entre *las nubes.*
Surtir a *alguien;* de *alimento.*
Suspender
en *una asignatura;* por *faltas de ortografía.*
Suspirar de *amor;* por *una casa.*
Sustentarse con/de *poco.*
Sustituir
(*alguien*) a *alguien;* en *la dirección.*
Sustraerse a/de *las miradas ajenas.*

Tachar
(*a alguien*) de *inútil;* por *incapaz.*
Tachonar
con *adornos;* (*el cielo*) de *estrellas.*
Tallar
a *mano;* en *mármol.*

Tañer con *entusiasmo.*
Tapar con *una sábana.*
Tardar en *hacer la comida.*
Tarifar con *su jefe.*
Tejer con *hilo.*
Televisar en *directo.*
Temblar
con *la noticia;* de *miedo;* por *la emoción.*
Temer
a/de *alguien;* por *su vida.*
Tender a *mejorar.*
Tenderse en/por *el suelo.*
Tener
a *mano;* ante *la vista;* de/por *amigo;*
entre *manos;* para *sí;* sobre *el regazo.*
Tenerse
a *lo dispuesto;* de/en *pie;* por *importante.*
Tentar
(*a alguien*) a *hacer algo;* con *una proposición.*
Teñir con/de/en *verde.*
Terciar
con *su rival;* en *la discusión;* entre *los enemigos.*
Terminar
de *hacer su trabajo;* en *punta;* por *convencerse.*
Testimoniar
con *su palabra;* sobre *el asunto.*
Tirar
a *matar;* con *fuerza;* contra *la muralla;*
de *la manta;* sobre *el objetivo.*
Tirarse
al/por *el suelo;* entre *la hierba.*
Tiritar de *frío.*
Titubear ante/en *la decisión.*
Tocar
a *rebato* (*las campanas*); con *la mano;* de
oído; en *la puerta.*
Tomar
a *broma;* bajo *su mando;* con/entre *sus
manos;* de *la estantería;* para *sí;* por
tonto.
Topar con/contra *la pared.*
Torcer a/hacia *un lado.*
Tostarse
al/bajo *el sol;* con *un bronceador.*
Trabajar
a *destajo;* de *profesor;* en *un oficio;* para
vivir; por *hacerse valer.*

Trabar *(algo)* **con** *algo.*
Trabarse
al *hablar;* **con** *las palabras.*
Traducir **al/del/en** *latín.*
Traer
a *casa;* **ante** *sus padres;* **consigo;** **de** *Francia;* **en/entre** *manos.*
Traficar
con *armas;* **en** *drogas.*
Transferir
(algo) **a/en** *alguien;* **de** *un banco a otro.*
Transfigurarse
con/por *la noticia;* **en** *otra persona.*
Transformar(se) *(algo)* **en** *otra cosa.*
Transitar **por** *la carretera.*
Transmutar *(algo)* **en** *algo.*
Transpirar
con *el calor;* **por** *la piel.*
Transportar
a *hombros;* **de** *un lado a otro;* **en** *avión;* **sobre** *una plataforma.*
Trasbordar
a *otro tren;* **de** *un barco a otro.*
Trasegar *(el vino)* **de** *un recipiente a otro.*
Trasladar
a *otro despacho;* **de** *un sitio a otro.*
Traspasar *(algo)* **a** *alguien.*
Trasplantar **de** *un lado a otro.*
Tratar
a *los amigos;* **acerca de/sobre** *un problema;* **con** *los demás.*
Trepar
a *un árbol;* **por** *un cuerda.*
Triunfar
en *el encuentro;* **sobre** *los rivales.*
Trocar *(algo)* **en/por** *algo.*
Tropezar **con/contra/en** *una piedra.*
Turbarse **por** *la emoción.*

Ufanarse **con/de/por** *el triunfo.*
Ultrajar
con *insultos;* **de** *palabra y obra;* **en** *su honor.*

Uncir
al *carro;* *(un animal)* **con** *otro.*
Ungir(se)
con *aceite;* **por** *todo el cuerpo.*
Uniformar
a *todos;* **de** *rojo.*
Unir *(una cosa)* **a/con** *otra.*
Unirse
a/con *los demás;* **en** *la petición;* **entre** *todos.*
Untar
a *alguien;* **con/de** *aceite.*
Usar **de** *malas artes.*
Utilizar
a *una amiga;* **de** *prueba;* **en** *los viajes.*

Vaciar
de *contenido;* **en** *un molde.*
Vaciarse
de *líquido;* **por** *un agujero.*
Vacilar
en *la decisión;* **entre** *una cosa y otra.*
Vagabundear **de** *un lado* **a/para** *otro.*
Vagar **por** *el campo.*
Valer
para *médico;* **por** *dos.*
Valerse
de *alguien o de algo.*
Vanagloriarse **de/por** *sus hechos.*
Varar **en** *la arena.*
Variar **de** *opinión.*
Velar
a *un enfermo;* **en** *defensa de sus intereses;* **por** *su vida.*
Vencer
a *los enemigos;* **a/con/por** *traición;* **en** *el combate;* **por** *puntos.*
Vender
a/en/por *un precio muy alto;* **al/por** *mayor;* **con** *pérdidas;* **de** *contrabando.*
Venderse
a *alguien;* **por** *dinero.*
Vengarse
con *crueldad;* **de/por** *un crimen.*

p

Conjugar es fácil

Venir(se)
a *casa*; **con/en** *coche*; **de/desde** *allí*; **hacia/hasta** *aquí*; **para** *el verano*; **por** *buen camino.*

Ver
con *sus propios ojos*; **por** *la ventana.*

Veranear **en** *la montaña.*

Verse
con *los amigos*; **en** *el espejo*; **entre** *los suyos*; **sin** *recursos.*

Verter
al *suelo*; **de** *un tonel*; **hacia** *el mar.*

Vestir **a** *la moda.*

Vestirse **de** *gala.*

Viajar
a *pie*; **de** *noche*; **en/por** *avión*; **hacia/hasta** *la frontera.*

Viciarse
con/de/por *el trato de alguien.*

Vigilar
al *niño*; **en defensa de/por** *el bien común.*

Violentarse **al/en** *responder.*

Virar
a/hacia *mar adentro*; **de** *costado*; **en** *redondo*; **sobre** *el ancla.*

Vivir
a *gusto*; **con** *nada*; **de** *las rentas*; **en** *paz*; **hasta** *los cien años*; **para** *ver*; **sin** *pena ni gloria.*

Volar
a/por *el cielo*; **con** *sus propias alas*; **de** *rama* **en** *rama*; **en** *avión*; **sobre** *el mar.*

Volver
a/hacia/para *casa*; **de** *noche*; **en/sobre** *sí*; **por** *el mismo lugar.*

Votar
a *los candidatos*; **con** *la mayoría*; **en** *las elecciones*; **por** *su partido.*

Yacer
con *su amante*; **en** *un sepulcro*; **sin** *vida*; **sobre** *la cama.*

Zafarse **de** *la realidad.*
Zaherir **con** *insultos.*
Zambullir(se) **bajo/en** *el agua.*
Zarpar **del** *puerto.*
Zozobrar **con/en/por** *la tormenta.*
Zurcir **con** *hilo.*

frases hechas y expresiones figuradas

frases hechas y expresiones figuradas

Andando por la calle...

1. ACORDARSE
1. **Acordarse de la familia de alguien.**
Expresión irónica de insulto a los parientes.
2. **"¡Te vas a acordar de mí!"**
= **"¡Ése se va a acordar de mí!"**
Expresión de amenaza.

2. ACOSTARSE
Acostarse con las gallinas.
F. Irse a acostar muy temprano.

3. AGARRARSE
Agarrarse a un clavo ardiendo.
Aprovechar cualquier oportunidad para salir de un apuro.

4. AGUANTAR
Aguantar carros y carretas.
= **Tragar/pasar carros y carretas.**
Soportar demasiado algo o a alguien.

5. AGUAR
Aguar la fiesta.
Estropear un momento de diversión.

6. AJUSTAR
Ajustarle las cuentas (a alguien).
A. Vengarse de alguien.
B. Reprochar a alguien su conducta.

7. ANDAR
1. **Andar de boca en boca.**
Estar en las conversaciones de todo el mundo.
2. **Andar de cabeza.**
Estar demasiado ocupado por un exceso de actividad.

⚠ F = expresión muy familiar.

8. ANUNCIAR
Anunciar a bombo y platillo.
Anunciar algo con insistencia
y por todas partes.

9. APAGAR
"Entonces, apaga y vámonos".
F. Frase para poner fin a una discusión o
situación por considerarla sin solución.

10. APEARSE
1. Apearse del burro.
= Bajarse del burro.
= Caer(se) del burro.
F. Reconocer un error o rectificar
una conducta equivocada.
2. Apearse del carro.
= Bajarse del carro.
F. Desistir, abandonar
una idea.

11. APRETAR
**1. Apretar las clavijas
(a alguien).**
Ser muy severo
con alguien.
APRETARSE
**2. Apretarse el
cinturón.**
Reducir los gastos.

12. ARMAR(SE)
1. Armar(se) un cristo.
**= Armar(se) la de Dios
es Cristo.**
F. Organizar u organizarse
un gran alboroto.
ARMARSE
2. Armarse la gorda.
F. Organizarse un escándalo
o alboroto.

13. ARRIMAR
1. Arrimar (alguien) el ascua a su sardina.
F. Actuar pensando en el beneficio propio.
2. Arrimar el hombro.
F. Trabajar, colaborar.

14. ATAR
1. Atar cabos.
Relacionar diferentes elementos para llegar a una
conclusión lógica.
2. Atar corto a alguien.
Ser severo o/y limitar la libertad de acción de alguien.

 F = expresión muy familiar.

15. BAILAR
1. Bailarle el agua a alguien.
= Hacerle la rosca/
la pelota a alguien.
Adular o dar la razón a alguien para agradarle y obtener de él un beneficio.
2. "Otro/a que tal baila".
F. Se dice de la persona cuyos vicios o defectos son comparables a los de otra.
3. "Que me quiten lo baila(d)o".
Disfrutar de algo sin pensar en las consecuencias.

16. BAJAR
1. Bajarle los humos a alguien.
Abatir su orgullo o su autosuficiencia.
BAJAR(SE)
2. Bajarse del burro.
(*Véase Apearse,* 10, 1.)
3. Bajarse del carro.
(*Véase Apearse,* 10, 2.)

17. BARRER
Barrer para/
hacia dentro.
Querer sacar provecho propio.

18. BRILLAR
Brillar por su ausencia. (P.ej.: la simpatía.)
Expresión para insistir en que algo o alguien ha faltado en una situación.

19. BUSCAR
1. Buscarle (a alguien) las cosquillas.
= Buscarle a alguien las pulgas.
F. Tratar de hacer enfadar a alguien.
BUSCARSE
2. Buscarse la vida.
Ingeniárselas por sí mismo para hallar medios de subsistencia.

20. (NO) CABER
1. No caber(le) en la cabeza (a alguien).
= No entrarle algo en la cabeza a alguien.
No poder comprender una cosa.
2. No caber un alfiler. —
Estar un sitio muy lleno de gente o de cosas.

⚠ *F =* expresión muy familiar.

frases hechas y expresiones figuradas ...

21. CAER
1. Caer como una bomba.
Sorprender algo con exceso, sentar mal algo.
2. Caer(se) del burro. (Véase Apearse, 10, 1.)
3. Caer en gracia.
Agradar, resultar simpático sin habérselo propuesto.
4. Caer en la cuenta.
Comprender, darse cuenta de algo.
5. Caer gordo.
F. No resultar simpático alguien.
CAERSE
6. Caerse de espaldas. ⟶
Quedarse muy asombrado por algo.
7. Caérsele (a alguien) la baba (con/por alguien).
F. Estar muy orgulloso de alguien, generalmente
querido y cercano.
8. Caérsele (a alguien) la cara de vergüenza.
Sentirse avergonzado por algo que se ha hecho o dicho.
9. Caérsele (a alguien) la casa encima.
No soportar estar en la propia casa.
10. Caérsele (a alguien) los anillos.
No querer efectuar un trabajo por considerarlo humillante.
11. Caerse redondo.
Caerse al suelo perdiendo el conocimiento.

22. CALENTARSE
Calentarse la cabeza.
F. Reflexionar mucho sobre algo.

23. CANTAR
Cantar las cuarenta.
F. Decir claramente a alguien lo
que se piensa de él.

24. CEPILLARSE
Cepillarse a alguien.
F. A. En general: eliminar. Metafóricamente: a alguien
que obstaculiza. (P. ej.: en el trabajo.)
F. B. Si lo hace un profesor: suspender a un alumno.
F. C. Sentido sexual, tener relaciones sexuales con alguien.

 F = expresión muy familiar.

Conjugar es fácil

frases hechas y expresiones figuradas ...

25. CERRAR
1. Cerrar con broche de oro.
Dar un buen final a algo.
CERRARSE
2. Cerrarse en banda.
Ser testarudo, negarse
ante un razonamiento.

26. CLAVAR
1. Clavar (a alguien).
F. Estafarle, cobrarle en exceso.
CLAVARSE
2. Clavarse/tener clavada una cosa en el alma.
Causar algo una gran pena o dolor.

27. COGER
1. Coger a alguien por banda.
Solicitar la atención de una persona, demasiado rato y, en cierto modo, forzadamente.
2. "Dios nos coja confesados".
Expresión de miedo por algo que se ha hecho o que se va a ocurrir.

28. COMER
1. Comer a dos carrillos.
= Ponerse morado.
F. Comer mucho y rápidamente.
2. Comerle el coco (a alguien).
F. Convencer a alguien de algo
presionándole mucho.
COMERSE
F. **3. Comerse el coco/el tarro.**
Preocuparse mucho por algo,
pensar mucho en algo.

29. CORTAR
1. Cortar el bacalao.
= Partir el bacalao.
F. Se dice de quien decide o manda en algún asunto.
2. Cortarle las alas (a alguien).
Impedir realizar un proyecto o reprimir la libertad de alguien.
3. Cortar por lo sano.
Poner fin tajantemente a una situación desagradable.
CORTARSE
4. Cortarse la coleta.
Dejar de hacer algo, abandonar una profesión.
Expresión tomada del mundo taurino.

⚠ F = expresión muy familiar.

───── **210** ─────
Conjugar es fácil

30. CRUZAR

1. Cruzar el charco.

= Pasar el charco.

Irse a América,
atravesar el Atlántico.

2. Cruzarle la cara (a alguien).

= Romperle la cara (a alguien).

= Partirle la boca/la cara (a alguien).

F. Pegarle a alguien en la cara,
generalmente de
modo brutal.

31. CUBRIR

1. Cubrir el expediente.

Cumplir aparentemente o lo mínimo.

2. Cubrir las apariencias.

= Guardar las apariencias.

Disimular socialmente.

32. CHUPAR

1. Chupar del bote.

F. Aprovecharse de algo o de alguien.

CHUPARSE

2. (No) chuparse el dedo.

= (No) meterse el dedo en la boca.

F. No ser ingenuo.

3. Estar (algo) (como) para chuparse los dedos.

F. Estar algo muy sabroso.

33. DAR

1. Dar caña.

= Meter caña.

F. Obligar a que algo se haga muy deprisa. (P. ej.: conducir.)

2. Dar el golpe.

A. Causar asombro por la forma de ir vestido o por lo que se hace.

B. Cometer un atraco (dar el/un golpe).

3. Dar en el blanco.

= Dar en el clavo.

Acertar con el objetivo deseado.

4. Dar la cara.

= Plantarle cara a algo.

Afrontar una situación peligrosa o arriesgada.

5. Dar la lata.

= Dar la tabarra.

= Dar guerra.

F. Molestar. Se aplica sobre todo a los niños.

6. Dar largas.

Poner excusas para retrasar o dejar de hacer algo.

7. Dar leña.

F. Pegar a alguien.

⚠ *F = expresión muy familiar.*

frases hechas y expresiones figuradas ...

8. "Dale que dale".
="Dale que te pego".
Expresiones que indican pesadez,
repetición, insistencia.

9. "Para dar y tomar".
Expresión que se dice de algo de lo que hay en abundancia.

NO DAR

10. No dar abasto.
Estar desbordado por un exceso de trabajo y no poder hacerlo todo.

11. No dar (ni) golpe.
Ser un holgazán, no querer hacer nada.

(NO) DAR

12. (No) darle (a alguien) la (real) gana.
= (No) salirle (a alguien) de las narices.
F. (No) querer hacer algo.
Generalmente se usa más en forma negativa.

13. No dar pie con bola.
No hacer nada con acierto.

DARSE

14. Darse aires de algo (generalmente de grandeza).
Presumir de algo.

15. Darse bombo.
Presumir, darse importancia.

16. Darse con un canto en los dientes.
Darse por satisfecho con algo difícil de conseguir.

17. Darse una leche.
F. Darse un golpe, tener un accidente.

34. DECIR
(No/sin) decir "esta boca es mía".
= No decir ni mu.
F. No decir nada, ni una palabra.

35. DEFENDER
**Defender (algo o a alguien)
a capa y espada.**
Defender algo o a alguien con
mucho interés y esfuerzo.

 F = expresión muy familiar.

frases hechas y expresiones figuradas ...

36. DEJAR

1. Dejar bien sentado.
Aclarar algo de manera precisa.
2. Dejar caer.
Decir algo indirectamente.
NO DEJAR
3. No dejar títere con cabeza.
Hacer una crítica destructiva de todas las cosas o
personas de las que se habla.
DEJARSE
4. Dejarse caer.
F. Presentarse en un sitio.

37. DIRIGIR

Dirigir el cotarro.
F. Mandar en un asunto.

38. DIVERTIRSE

Divertirse como un enano.
= Gozar como un enano.
F. Divertirse mucho.

39. ECHAR

1. Echar en cara.
Reprocharle algo a alguien.
2. Echar en falta.
= Echar de menos.
Acordarse de alguien lamentando su ausencia.
3. Echar en saco roto.
No tomar en cuenta consejos o advertencias.
4. Echar humo. ——————————→
Estar furioso.
5. Echar la casa por la ventana.
= Tirar la casa por la ventana.
Gastar demasiado dinero,
generalmente para celebrar algo.
ECHARSE
6. Echarse un farol.
= Tirarse un farol.
F. Presumir mintiendo.

40. EMPINAR

Empinar el codo.
F. Beber demasiado.

41. ENCOGERSE

1. Encogerse de hombros.
Mostrar indecisión e indiferencia.
2. Encogérsele (a alguien) el corazón.
= Helársele (a alguien) la sangre en el pecho/corazón.
Causarle algo tristeza o miedo (a alguien).

⚠ F = expresión muy familiar.

Conjugar es fácil

42. ENCONTRAR
1. Encontrar (alguien) la horma de su zapato.
Encontrar uno lo que le conviene o le hace falta; generalmente otra persona afín.
2. Encontrar (alguien) su media naranja.
Encontrar (alguien) su pareja.

43. ENGAÑAR
Engañar como a un chino.
F. Engañar por completo y con facilidad a una persona. Expresión anticuada y algo racista.

45. ENTREGARSE
Entregarse en cuerpo y alma.
Dedicarse por completo a una cosa o persona.

44. ENSEÑAR
Enseñar los colmillos.
Actuar o expresarse de un modo amenazador.

47. ESPERAR
Esperar a que caiga la breva.
F. No hacer ningún esfuerzo para conseguir algo.

46. ESCURRIR
Escurrir el bulto.
F. Evadirse de una situación para evitarse un problema.

48. ESTAR
1. Estar a las duras y a las maduras.
Aceptar lo bueno y lo malo de las situaciones.
2. Estar a sus anchas.
Sentirse cómodo.
3. Estar al loro.
F. Estar muy atento, pendiente de algo. Expresión actual.
4. Estar cerrado a cal y canto.
Estar algo totalmente cerrado.
5. Estar como Pedro por su casa.
F. Comportarse en un sitio como en su propia casa.
6. Estar (alguien) como un tren.
F. Ser muy atractiva físicamente una persona.
7. Estar cortado.
No actuar con naturalidad.

⚠ F = expresión muy familiar.

8. Estar de capa caída.

= Ir de capa caída.

Decaer una cosa o una persona.

9. Estar de mala leche.

F. Estar de mal humor, enfadado.

10. Estar en Babia.

= Estar en Belén (con los pastores).

= Estar en la inopia.

Estar distraído y no enterarse de algo.

11. Estar en el ajo.

F. Estar enterado o participar de una situación.

12. Estar en la cresta de la ola. ——

Estar en pleno triunfo.

13. Estar en un callejón sin salida.

Encontrarse ante un problema o situación imposible de resolver.

14. Estar forrado.

F. Tener mucho dinero.

15. Estar hasta la coronilla.

= Estar hasta las narices.

F. Estar harto.

16. Estar hecho un bestia.

F. Estar fuerte y robusto (un varón).

17. Estar hecho una fiera/bestia.

= Ponerse hecho una fiera.

F. Enfadarse mucho, enfurecerse.

18. Estar la cosa que arde.

Estar una situación en un momento conflictivo.

19. Estar sin blanca.

= No tener blanca.

= No tener ni (una) gorda.

F. No tener nada de dinero.

NO ESTAR

20. No estar el horno para bollos.

F. No ser el momento favorable para algo.

21. No estar en sus cabales.

Tener las facultades mentales perturbadas.

 F = expresión muy familiar.

frases hechas y expresiones figuradas ...

49. GOZAR
Gozar como un enano.
(Véase *Divertirse*, 38).

50. HABER
1. "No hay/había un alma".
Frase para expresar que no hay
o no había nadie en algún lugar.
NO HABER
2. "No hay/había por donde coger (algo o a alguien)".
Expresión referida a algo de difícil solución
o en situación comprometida.

51. HABLAR
1. Hablar en cristiano.
F. Hablar de forma comprensible.
2. Hablar por los codos.
F. Hablar demasiado.

52. HACER
1. Hacer (algo) a trancas y barrancas.
Hacer algo con dificultad.
2. Hacer boca.
Tomar algo antes de comer,
como aperitivo.
3. Hacer bulto.
Formar parte de un número grande de algo,
pero sin aportar calidad o importancia.
4. Hacer de su capa un sayo.
Actuar uno como quiere, sin tener en
cuenta la opinión de los demás.
5. Hacer el indio.
F. Hacer el ridículo o el tonto
(expresión ligeramente racista).
6. Hacer (alguien) su agosto.
F. Beneficiarse, sacar provecho;
generalmente se refiere
a cosas materiales.

53. IMPORTAR
Importarle a alguien un bledo/un comino/un cuerno.
F. Serle a alguien indiferente algo.

⚠️ *F* = expresión muy familiar.

Conjugar es fácil

54. IR

1. Ir a por todas.
Ser muy ambicioso.

2. Ir al grano.
F. Tratar directamente lo esencial de un tema.

3. Ir con el cuento a alguien.
Comunicarle a otro con mala intención lo que se sabe.

4. Ir de cráneo.
F. Llevar muy mal algún asunto.

5. Ir de punta en blanco.
No faltarle un detalle a alguien en el arreglo personal.

6. Ir hecho un adán.
F. Ir vestido descuidadamente.

7. Ir tirando.
F. Ir salvando dificultades para vivir.
Muy usual como respuesta a "¿Qué tal?"

8. "¡Vamos, anda!"
F. Expresión de rechazo.

IRSE

9. Irse al garete (algo).
F. Estropearse, venirse abajo un proyecto.

10. Irse al otro barrio.
F. Morirse.

11. Irse de la lengua.
F. Hablar de algo más de lo debido.

12. Irse por los cerros de Úbeda.
F. Disparatar, salirse del tema.

55. JODER
"¡No jodas!"
="¡No jorobes!"
F. Expresiones de sorpresa
o incredulidad
(muy masculinas y vulgares,
especialmente
la primera).

56. JUGAR
1. Jugar con dos barajas.
Comportarse interesadamente
y con engaño de dos modos distintos.

2. Jugar con fuego.
Actuar peligrosamente.
JUGARSE

3. Jugárselo todo a una carta.
= Jugarse el todo por el todo.
Arriesgarlo todo
para conseguir algo.

⚠ F = expresión muy familiar.

Conjugar es fácil

frases hechas y expresiones figuradas ...

57. JUNTARSE
Juntarse el hambre con las ganas de comer.
F. Juntarse dos personas o dos circunstancias
con necesidades o defectos iguales.

58. LEER
Leerle (a alguien) la cartilla.
Echarle una bronca, reprenderle.

59. (NO) LEVANTAR
No levantar cabeza.
No poder salir de una
mala situación.

60. LLAMAR
"Llámalo hache".
F. Expresión para indicar que un nombre
o un detalle no tiene importancia
en un asunto.

61. LLEVAR
1. Llevar (a alguien) al huerto.
F. Convencerle con engaños.
2. Llevar de cabeza (algo a alguien).
= Traer de cabeza (algo a alguien).
Causar algo problemas a alguien.
3. Llevar de cabeza (alguien a alguien).
= Traer de cabeza (alguien a alguien).
Gustar mucho una persona a otra
y tenerla fuera de sí.
4. Llevar la batuta/la voz cantante.
F. Mandar, dirigir.
5. Llevar la contraria (a alguien).
Oponerse a alguien.
6. Llevar (a alguien) por la calle de la amargura.
F. Hacer sufrir a alguien.

63. METER
1. Meter baza.
F. Intervenir en una conversación.
2. Meter (a alguien) en cintura.
Hacerle entrar en razón, obligarle a
comportarse bien.
3. Meter la pata.
F. Equivocarse.
4. Meter una bola/bolas.
F. Decir mentiras.

62. LUCHAR
Luchar a brazo partido.
Esforzarse mucho por
conseguir algo.

⚠ F = expresión muy familiar.

Conjugar es fácil

METERSE
5. Meterse en camisa de once varas.
F. Ocuparse alguien de asuntos que no le corresponden.
6. Meterse (a alguien) en el bolsillo.
Ganarse la confianza de alguien.
7. Meterse en la boca del lobo.
Meterse en una situación peligrosa.
8. Meterse en un berenjenal.
Meterse en un lío.

64. MORDER
Morder el anzuelo.
= Picar el anzuelo.
Dejarse engañar.

65. PARAR
"¡Para el carro!"
F. Expresión para impedir que se siga diciendo algo que no se quiere oír.

66. PARIR
"¡Éramos pocos y parió la abuela!"
F. Se refiere a la inoportunidad de la acumulación de hechos o de personas.

67. PARTIR
Partir la boca/la cara.
(Véase Cruzar, 30, 2.)

68. PASAR
1. Pasar carros y carretas.
(Véase Aguantar, 4.)
2. Pasar el charco. (Véase Cruzar, 30, 1.)
3. Pasar las de Caín.
F. Sufrir, ser víctima de los errores.
4. Pasar por alto.
Omitir, no dar importancia.
PASARSE
5. Pasárselo bomba/pipa.
F. Expresión juvenil. Divertirse mucho.
NO PASAR
6. No pasar los años para/por alguien.
No envejecer.

⚠ F = expresión muy familiar.

Conjugar es fácil

frases hechas y expresiones figuradas ...

69. PEDIR
1. Pedir cuentas (a alguien).
Pedir explicaciones a alguien.
2. "¡Pide por esa boca!"
F. Se dice a las personas a las que se desea
dar todo lo que ellas quieran.

70. PICAR
Picar el anzuelo.
(Véase Morder, 64.)

71. PLANTAR
Plantarle cara a algo.
(Véase Dar, 33, 4.)

72. NO PODER
No poder (alguien) con su alma.
Estar muy cansado.

73. PONER
1. Poner a caldo.
F. Reñir, insultar a alguien.
2. Poner(le) el cascabel al gato.
Hacer algo de gran dificultad.
3. Poner en bandeja.
= Servir en bandeja.
Dar muchas facilidades a alguien para algo.
4. Poner (a alguien) hecho un cristo.
= Poner (a alguien) hecho un cromo.
F. Llenarle de golpes y heridas.
PONERSE
5. Ponerse ciego.
= Ponerse las botas.
= Ponerse morado.
F. Comer exageradamente hasta hartarse.
6. Ponerse hecho un cristo.
F. Ensuciarse, desarreglarse.

74. PROBAR
No probar bocado.
No comer.

F = expresión muy familiar.

Conjugar es fácil

75. QUEDAR

1. Quedar un cabo suelto.
Quedar un detalle sin ultimar.

QUEDARSE

2. No saber a qué carta quedarse.
Estar indeciso, no saber qué elegir o qué hacer.

3. Quedarse bizco/patidifuso/turulato.
= Quedarse con la boca abierta.
F. Asombrarse, quedarse pasmado.

4. Quedarse con la copla.
Quedarse con una idea
y repetirla insistentemente.

5. Quedarse corto.
A. No haber dicho o hecho
todo lo que se debía.
B. No haber previsto cantidad
suficiente de algo.

6. Quedarse de brazos cruzados.
No hacer nada.

7. Quedarse en blanco.
= Írse(le) el santo al cielo (a alguien).
Olvidarse de repente de todo.

8. Quedarse frito.
F. Quedarse dormido profundamente.

9. Quedarse tan ancho.
Tomar una situación con mucha
tranquilidad.

76. RASCARSE
**Rascarse alguien la barriga/
el ombligo.**
F. Holgazanear, no hacer nada.

77. REMOVER
Remover cielo y tierra.
= Remover Roma con Santiago.
Hacer lo imposible para
conseguir algo.

78. ROMPER
1. Romper la cara.
(Véase *Cruzar*, 30, 2.)
ROMPERSE
2. Romperse los cuernos.
F. Esforzarse,
trabajar duramente.

79. SACAR
1. Sacar (a alguien) de sus casillas.
Provocar su enfado.
2. Sacarle (a alguien) los colores.
Poner a alguien en ridículo,
avergonzarle.

⚠ F = expresión muy familiar.

Conjugar es fácil

frases hechas y expresiones figuradas ...

80. SALIR
1. Salir bordado (algo).
Salir bien un asunto.
2. Salir echando leches.
F. Salir a toda velocidad.
NO SALIR
(*Véase No dar, 33, 12.*)

81. SENTAR
Sentar la cabeza.
Volverse más sensato y juicioso.

82. SER
1. Ser ciento y la madre.
F. En plural. Se dice cuando hay
mucha gente en algún sitio.
2. Ser cuatro gatos.
F. En plural. Se dice cuando hay muy poca
gente en algún sitio.
3. Ser de armas tomar (alguien).
Ser alguien con mucho carácter.
4. Ser de cajón (algo).
F. Ser obvio, evidente.
5. Ser de la otra acera.
F. Se dice de alguien homosexual.
6. Ser duro de cascos.
= **Ser duro de mollera.**
Ser poco inteligente.
7. Ser el colmo.
= **Ser la repera.**
F. Ser algo excesivo, fuera de lo normal.
8. Ser (algo) el cuento de nunca acabar.
Ser un asunto interminable.
9. Ser habas contadas.
En plural. Ser cierta y sencilla una cosa.
10. Ser (algo) harina de otro costal.
Ser un asunto diferente.
11. Ser la flor y nata.
Ser lo más selecto.
12. Ser un agarra(d)o.
F. Ser un tacaño.
13. Ser un aguafiestas.
Estropear un buen ambiente.
14. Ser (alguien) un cacho/trozo de pan.
F. Ser muy buena persona.
15. "¡Esto son lentejas!".
F. Se dice para afirmar algo rotundamente.
NO SER
16. "No ser ni chicha ni limoná".
F. Ser algo indefinido, sin carácter.

 F = expresión muy familiar.

Conjugar es fácil

83. SUDAR
Sudar la gota gorda.
A. Tener mucho calor, sudar mucho.
B. En sentido figurado, esforzarse por
conseguir algo y pasarlo mal.

84. TAPAR
Taparle la boca (a alguien).
Impedir que alguien diga algo con
argumentos, soborno, etc.

85. TENER
1. Tener agallas (alguien).
Tener valor.
2. Tener enchufe (alguien).
F. Conseguir algo, sacar provecho gracias
a la ayuda de alguien.
3. Tener (a alguien) entre ceja y ceja.
No poder soportar a alguien.
4. Tener (alguien) las espaldas cubiertas.
Estar protegido por algo o alguien
contra posibles riesgos.
5. Tener mala leche.
F. Se dice de la persona que generalmente
tiene malos modos, mal humor.
6. Tener mucho cuento.
Ser embustero.
NO TENER
7. No tener arte ni parte.
No intervenir para nada en algo.
8. No tener blanca.
= No tener ni (una) gorda.
(Véase Estar, 48, 19.)
9. No tener desperdicio (algo o alguien).
Ser muy bueno, no tener nada malo.

86. TIRAR(SE)
Tirarse un farol.
(Véase Echarse, 39, 6.)

87. TOCAR
1. Tocarle a uno la china.
Llevarse la desgracia, la mala suerte.
TOCARSE
2. Tocarse la barriga.
(Véase Rascarse, 76.)

 F = expresión muy familiar.

Conjugar es fácil

frases hechas y expresiones figuradas ...

88. TOMAR
Tomar cartas en el asunto.
Intervenir en algo tomando su
dirección/el mando.

89. TORCER
Torcer el gesto.
Poner expresión de enfado o,
figuradamente, enfadarse.

90. TRAER
1. Traer cola.
Tener consecuencias una cosa.
2. Traer de cabeza.
(Véase Llevar, 61, 2, 3.)
**3. Traer sin cuidado
(algo a alguien).**
Resultar indiferente.

91. TRABAJAR
Trabajar como un negro.
F. Trabajar muy duramente.
Expresión racista.

92. TRAGAR
1. Tragar bilis.
F. Aguantar la ira.
2. Tragar carros y carretas.
(Véase Aguantar, 4.)
3. Tragar(se) un sapo. ⟶
F. Aguantar una situación o un
hecho que no se desea.
TRAGARSE
4. Tragarse una/la bola.
F. Dejarse engañar,
creerse una mentira.

93. VENIR
**1. Venir como agua de mayo
(alguien o algo).**
Se dice de una persona o cosa bien recibida
porque se espera y se desea mucho.
NO VENIR
2. No venir a cuento (algo).
= No venir al caso.
No tener (algo) relación
con el tema que se trata.

94. VOLVER
Volver la cabeza a alguien.
A. No querer saludar a alguien.
B. En sentido figurado, no ayudar
a una persona que lo necesita.

⚠ F = expresión muy familiar.

Conjugar es fácil

SEGUNDA PARTE

Conjugar
es
fácil

en español
de América

la gramática del verbo en Hispanoamérica: resumen práctico

gramática del verbo hispanoamericano

1 Pérdida de vosotros como 2ª persona del plural

En toda Hispanoamérica se pierde *vosotros* -2ª persona del plural- en la lengua hablada e incluso en la escrita, y se sustituye por **ustedes**.

Ustedes se utiliza como plural de *tú* y de *Vd.*

Y aunque en Hispanoamérica se sigue estudiando que el verbo tiene seis personas, de hecho se han reducido a cinco.

		Español de España 6 personas	**Español de Hispanoamérica** 5 personas
S	1ª	yo	yo
I	2ª	tú	tú / *vos*
N	3ª	él / ella / ud.	él / ella / ud.
G.			
P	1ª	nosotros / -as	nosotros / -as
L	2ª	vosotros / -as	**ustedes**
U	3ª	ellos / ellas / uds.	ellos / ellas / uds.
R			
A			
L			

2 El voseo frente al tuteo

Otro fenómeno propio de grandes zonas de Hispanoamérica es el llamado *voseo*. El *voseo* es el uso de **vos**, en vez de *tú*. *(Véase 5. Breve historia del voseo.)*

De un modo general, y referido sobre todo a la zona de Río de la Plata, es decir, Argentina y Uruguay, que es la de mayor uso del *voseo*, podemos decir que éste es el tipo de *voseo* más extendido:

vos + 2ª pers. del plural modificada,

pero hay otros dos, aunque son menos frecuentes:

- cambio sólo en el pronombre: **vos + 2ª persona del singular:**
  vos cantas, vos tienes, vos vienes

- cambio sólo en el verbo: **tú + 2ª pers. del plural modificada:**
  tú cant-ás, tú ten-és, tú ven-ís

---

gramática del verbo hispanoamericano

A. PRESENTE DE INDICATIVO

	Español de España		Español de Hispanoamérica	
2ª pers. sing.	tú	cant -as	**vos**	**cant -ás**
	tú	tien -es	**vos**	**ten -és**
	tú	vien -es	**vos**	**ven -ís**

B. PRETÉRITO INDEFINIDO

	Español de España		Español de Hispanoamérica	
2ª pers. sing.	tú	cant -aste	**vos**	**cant -aste(s)**
	tú	tuv -iste	**vos**	**tuv -iste(s)**
	tú	vin -iste	**vos**	**vin -iste(s)**

C. IMPERATIVO

	Español de España	Español de Hispanoamérica
2ª pers. sing.	cant -a	**cant -á**
	ten	**ten -é**
	ven	**ven -í**

D. PRESENTE DE SUBJUNTIVO

	Español de España		Español de Hispanoamérica	
2ª pers. sing.	tú	cante -s	**vos**	**cant -és**
	tú	teng -as	**vos**	**teng -ás**
	tú	veng -as	**vos**	**veng -ás**

E. IMPERFECTOS Y FUTUROS

Son los que corresponden a *tú*:

tenías, vinieras, cantarás, etc.

F. VERBO SER

	Español de España	Español de Hispanoamérica
Presente, 2ª pers. sing.	eres	**sos**

Conjugar es fácil

gramática del verbo hispanoamericano

3 Uso de los pronombres con el voseo

El *voseo* utiliza los pronombres complemento del *tuteo*. Usa **te**, pero detrás de preposición usa **vos**, en lugar de *ti*.

Español de España	Español de Hispanoamérica
¿Tú te marchas ya?	*¿Vos te marchás ya?*
Voy contigo.	*Voy con vos.*

4 Otras características de la conjugación hispanoamericana

Se indica a continuación una serie de tendencias frecuentes, pero nunca generalizables a todos los países americanos de habla hispana, que afectan a la elección o al desuso de algunas formas verbales. No se consideran los fenómenos de áreas regionales o locales.

Se indican también algunas diferencias en el orden de la frase respecto al español peninsular, porque tienen relación con el verbo.

● Frecuencia mayor del Pretérito Indefinido (Perfecto Simple) que del Pretérito Perfecto (Perfecto Compuesto).

● Preferencia por la forma en **-ra** del Pretérito Imperfecto de Subjuntivo, y desuso casi total de la forma en *-se*.

● Empleo de las formas en **-ra** del Pretérito Imperfecto de Subjuntivo con valor de Pluscuamperfecto de Indicativo:

> *llegara*   por   *había llegado.*

● Uso frecuente de perífrasis:

> **ir a + Infinitivo** en vez de Futuro,
> **estar + Gerundio** en vez de Presente, etc.

● Abundante uso pronominal de los verbos:

> *enfermarse, tardarse*, etc.

● Pérdida del Futuro de Subjuntivo y del Pretérito Anterior.

● Verbos unipersonales conjugados:

> ***Habían***   *muchos niños.*
> ***Hacen***   *meses que vine.*

Conjugar es fácil

gramática del verbo hispanoamericano

5   Breve historia del voseo

● ***Vos*** fue un antiguo pronombre personal de 2ª persona del singular que se usaba como tratamiento de respeto y cortesía en España en el siglo XVI.

● ***Tú*** era el pronombre personal de 2ª persona del singular que se usaba como tratamiento familiar.

● Al generalizarse *Vuestra Merced* > **Usted** como persona del singular de respeto y cortesía, ocupó el espacio de ***vos***, y éste se desplazó hacia el registro más coloquial que ocupaba *tú*.

● Resumiendo, podemos decir:

• El *tú* se fue imponiendo en España y en las zonas de América con más influencia de la corte española hasta eliminar a *vos,* y esto permanece en México, Antillas, casi todo Perú y Bolivia.

• Sin embargo, *vos* domina en el uso familiar en Argentina, Uruguay, Paraguay, América Central y el estado mexicano de Chiapas.

• Hay alternancia de *tú* y *vos* en Panamá, Colombia, Venezuela, Ecuador, Chile y Sur de Perú y de Bolivia.

● Por lo tanto, en Hispanoamérica, la norma castellana del español peninsular no es la preferida y encontramos zonas de *voseo,* zonas de *tuteo* y zonas con *formas mixtas.*

● La valoración del *voseo* ha sido diferente según épocas, países y clase social, yendo desde su aceptación total como norma hasta su rechazo como algo poco culto que debía ser evitado.

● Pero a lo largo de los últimos años, la enorme difusión cultural del *voseo* en todo el mundo ha hecho que se admita con toda normalidad en sustitución del *tuteo.* A ello han contribuido, tanto su utilización por escritores de reconocimiento universal -el Premio Nobel de 1967 Miguel Ángel Asturias, Jorge Luis Borges, Julio Cortázar, Ernesto Sábato, etc.-, como las historias de *Mafalda,* el popular personaje infantil creado por el dibujante argentino Quino.

Conjugar es fácil

verbos
hispanoamericanos

PAÍSES Y ZONAS
DE AMÉRICA
DONDE SE HABLA ESPAÑOL

ZONAS

México

A. Central

Caribe

A. Sur

ABREVIATURAS UTILIZADAS

A. Central	América Central	**c. prnl.**	como pronominal
A. del Sur	América del Sur	**fam.**	familiar
Amér.	América	**fig.**	figurado o figurada
Ant.	Antillas	**impers.**	verbo impersonal
Argent.	Argentina	**Por ext.**	Por extensión
Bol.	Bolivia	**prnl.**	pronominal
C. Rica	Costa Rica	**Ú. o ú.**	úsase
Col.	Colombia	**Ú. m. c. prnl.**	Úsase más como
Ecuad.	Ecuador		pronominal
El Salv.	El Salvador	**Ú. t. c. prnl.**	Úsase también
Guat.	Guatemala		como pronominal
Hond.	Honduras	**v. o V.**	véase
Méx.	México	**vulg.**	vulgar
Nicar.	Nicaragua		
P. Rico	Puerto Rico		
Pan.	Panamá		
Par.	Paraguay		
R. de la Plata	Río de la Plata		
Rep. Dom.	República Dominicana		
Urug.	Uruguay		
Venez.	Venezuela		

EXPLICACIÓN DE LAS ZONAS

América. Verbos utilizados en casi todos los países o en varias zonas de Hispanoamérica.

América Central. Verbos utilizados en uno o en varios de estos países: *Costa Rica, Guatemala, El Salvador, Honduras, Nicaragua y Panamá*.

América del Sur. Verbos utilizados en uno o en varios de estos países: *Argentina, Bolivia, Chile, Colombia, Ecuador, Paraguay, Perú, Uruguay y Venezuela*.

Caribe. Verbos utilizados en uno o en varios de estos países: *Pequeñas Antillas (Antigua, Dominica, San Vicente, Santa Lucía), Cuba, Puerto Rico y República Dominicana*.

México. Verbos utilizados en México.

Conjugar es fácil

Vh

VERBO	ZONA	EXPLICACIÓN	MODELO	TABLA	NOTA
		A			
Ababillarse	A. del Sur	*Chile.* Enfermar de la babilla un animal. *(Es decir, de la rodilla.)*	*cantar*	5	
Abacorar	América	**1.** *Ant.* y *Venez.* Hostigar, perseguir. **2.** *Amér.* Acaparar. *(Es decir, adquirir muchos productos comerciales a la vez.)*	*cantar*	5	
Abalanzar(se)	A. del Sur	*Argent.* y *Urug.* Encabritarse un caballo.	*cruzar*	8	
Abalear	América	Balear, disparar con bala sobre alguien o algo; herir o matar a balazos.	*cantar*	5	
Abanderar(se)	A. del Sur	*Chile.* Dividir en banderías. *(Es decir, en bandos o grupos.)*	*cantar*	5	
Abarajar	A. del Sur	*Argent.* y *Urug.* Recoger o recibir en el aire una cosa, parar en el aire un golpe.	*cantar*	5	
Abarcar	América y A. del Sur	**1.** *Amér.* Acaparar *(v. abacorar, 2.)* **2.** *Ecuad.* Empollar la gallina sus huevos. *(Es decir, calentarlos para que nazcan las crías.)*	*atacar*	7	
Abarrajarse	A. del Sur	*Chile.* Corromper, envilecer a uno haciéndole adquirir costumbres canallescas. *(Es decir, volver malo a alguien.)*	*cantar*	5	
Abarrotar	América	Saturar de productos el mercado, de manera que se deprecian por su excesiva abundancia.	*cantar*	5	
Abatanarse	A. del Sur y México	*Bol.* y *Méx.* Desgastarse, apelmazarse un tejido por el uso o el lavado.	*cantar*	5	
Abatatar(se)	A. del Sur	*Argent., Par.* y *Urug.* Turbar, apocar, confundir.	*cantar*	5	
Abejonear	Caribe	*Rep. Dom.* Zumbar como el abejón. *(Es decir, como un insecto de gran tamaño.)*	*cantar*	5	
Abicharse	A. del Sur	**1.** *Argent.* y *Urug.* Agusanarse la fruta. *(Es decir, salirle gusanos.)* **2.** *Argent.* y *Urug.* Criar gusanos las heridas de una persona o de un animal.	*cantar*	5	
Abismar	América	Quedarse sorprendido, asombrado, admirado.	*cantar*	5	
Abofarse	Caribe	*Cuba* y *Rep. Dom.* Afofarse, hincharse, abotagarse.	*cantar*	5	

verbos hispanoamericanos

VERBO	ZONA	EXPLICACIÓN	MODELO	TABLA	NOTA
Abombar	A. del Sur	*Argent., Chile* y *Ecuad.* Achisparse, tomarse del vino. *(Es decir, marearse un poco a causa del alcohol.)*	*cantar*	5	
Abonar	A. del Sur	*Bol.* Reconciliarse, reanudar amistades o tratos quebrantados, sin formalidad judicial.	*cantar*	5	
Abotonar	A. Central	*Nicar.* fig. Adular. *(Es decir, agradar a alguien para conseguir algún fin.)*	*cantar*	5	
Abracar(se)	América	1. Abarcar, ceñir con los brazos. 2. Abarcar, ceñir, rodear.	*atacar*	7	
Abreviarse	A. Central	*C. Rica* y *Nicar.* Darse prisa.	*cantar*	5	
* Abrir	América y A. del Sur	1. *Amér.* Desviarse el caballo de la línea que seguía en la carrera. 2. *Amér.* Desistir de algo, volverse atrás, separarse de una compañía o negocio. 3. *Argent.* y *Venez.* Apartarse, desviarse, hacerse a un lado.	*vivir*	51	Nota 2, pág. 169
Abulonar	A. del Sur	*Argent.* Sujetar con bulones. *(Es decir, con tornillos grandes, de cabeza redonda.)*	*cantar*	5	
Abusarse	A. Central	*Guat.* Aguzar, despabilarse, estar muy atento.	*cantar*	5	
Acalambrarse	América	Contraerse los músculos a causa del calambre.	*cantar*	5	
Acaserarse	A. del Sur	*Chile.* Hacerse parroquiano de una tienda. *(Es decir, cliente habitual.)*	*cantar*	5	
Achajuanarse	A. del Sur y México	*Bol., Col.* y *Méx.* Sofocarse las bestias por trabajar mucho cuando hace demasiado calor o están muy gordas. *(Es decir, fatigarse.)*	*cantar*	5	
Achaplinarse	A. del Sur	*Chile.* Tomar una actitud vacilante parecida a la que utilizaba en sus películas el actor cinematográfico Charles Chaplin.	*cantar*	5	
Achiguarse	A. del Sur	1. *Chile.* Combarse una cosa. *(Es decir, torcerse.)* 2. *Chile.* Echar panza una persona. *(Es decir, echar tripa.)*	*averiguar*	11	
Achiquitar(se)	América	*Col., Guat., Méx.* y *Rep. Dom.* Achicar, empequeñecer.	*cantar*	5	

Conjugar es fácil

verbos hispanoamericanos

VERBO	ZONA	EXPLICACIÓN	MODELO	TABLA	NOTA
Acholar	A. del Sur	*Chile* y *Ecuad.* Correr, avergonzar, amilanar. En *Perú* se usa sólo c. prnl.	*cantar*	5	
Achucharrar(se)	América	1. *Col.*, *Chile* y *Hond.* Achuchar, aplastar, estrujar. 2. *Méx.* Arrugar, encoger, amilanar.	*cantar*	5	
Achucharse	A. del Sur	*Argent.* y *Urug.* Tiritar, estremecerse a causa del frío o de la fiebre.	*cantar*	5	
Achucuyar(se)	A. Central	Menos *Nicar.* Amilanar, acobardar, hacer perder el ánimo. En *C. Rica* se usa sólo c. prnl.	*cantar*	5	
Achunchar	A. del Sur	*Bol.* y *Chile.* Avergonzar, turbar. En *Perú* se usa sólo c. prnl.	*cantar*	5	
Achuntar	A. del Sur	*Bol.* y *Chile.* fam. y vulg. Acertar, dar en el blanco.	*cantar*	5	
Achurar	A. del Sur	*Argent.* y *Urug.* fig. y fam. Herir o matar a tajos a una persona o animal. *(Es decir, produciéndole cortes con un arma afilada.)*	*cantar*	5	
Aciguatarse	A. Central	*C. Rica.* fig. y fam. Entristecerse.	*cantar*	5	
Acolchonar	América	Poner algodón, seda cortada, lana, estopa, cerda, u otras materias de este tipo, entre dos telas, y después bastearlas. *(Es decir, coserlas o atarlas.)*	*cantar*	5	
Acolitar	América	Desempeñar las funciones de acólito. *(En el catolicismo, la persona encargada del altar.)*	*cantar*	5	
Acollarar	A. del Sur	1. *Argent.* Unir por el cuello dos bestias. 2. *Argent.* vulg. Amancebarse. *(Es decir, unirse sexualmente dos personas, generalmente comprometidas con unas terceras.)* 3. *Argent.* y *Chile.* fig. Unir dos cosas o personas.	*cantar*	5	
• Acomedirse	América	Prestarse espontánea y graciosamente a hacer un servicio.	*pedir*	60	
Acomodar	A. del Sur	*Argent.* Enchufar, colocar a uno en un cargo o destino por influencia.	*cantar*	5	
Aconcharse	A. del Sur	1. *Chile.* Clarificarse un líquido por sedimento de los posos.	*cantar*	5	

verbos hispanoamericanos

VERBO	ZONA	EXPLICACIÓN	MODELO	TABLA	NOTA
		2. *Chile.* fig. y fam. Hablando de asuntos, situaciones, etc., revueltos o turbios, normalizarse, serenarse.			
Acoplar	A. del Sur	**1.** *Argent., Chile, Par., Perú* y *Urug.* Unir, agregar uno o varios vehículos a otro que los remolca. *(Es decir, a otro que tira de ellos.)* **2.** *Argent., Perú* y *Urug.* Unirse a otra u otras personas para acompañarlas.	*cantar*	5	
* Acordar	A. del Sur	*Argent.* Caer en la cuenta.	*contar*	16	
Acortejarse	Caribe	*P. Rico.* Amancebarse *(v. acollarar, 2).*	*cantar*	5	
Acosijar	México	Agobiar, atosigar.	*cantar*	5	
Acotejar	A. del Sur y Caribe	**1.** *Col., Cuba, Ecuad.* y *Rep. Dom.* Arreglar, colocar objetos ordenadamente, acomodar. **2.** *Col.* Estimular, incitar, favorecer. **3.** *Cuba* y *Ecuad.* prnl. Acomodarse, arreglarse con alguien; ponerse de acuerdo sobre algo. **4.** *Cuba* y *Ecuad.* Convivir maritalmente. *(Es decir, vivir con alguien con quien se tiene una vida sexual.)* **5.** *Cuba* y *Ecuad.* Obtener un empleo. **6.** *Cuba, Ecuad.* y *Rep. Dom.* Acomodarse, ponerse cómodo.	*cantar*	5	
Acriollarse	América	Adoptar un extranjero los usos y costumbres de la gente del país hispanohablante donde vive.	*cantar*	5	
Acullicar	A. del Sur	*Bol.* Extraer, en la boca, el jugo del acullico. *(Es decir, de la pequeña bola hecha de hojas de coca, planta con propiedades excitantes.)*	*atacar*	7	
Acunar	A. Central	*C. Rica.* Meter al niño en la cuna.	*cantar*	5	
Acundangarse	Caribe	*Cuba.* Adquirir la condición de cundango, afeminarse.	*pagar*	6	
Afiebrarse	América	Empezar a tener calentura.	*cantar*	5	
Afilar	A. del Sur	**1.** *Bol.* y *Urug.* Prepararse, disponerse cuidadosamente para cualquier tarea. **2.** *Par.* y *Urug.* Flirtear. *(Es decir, coquetear con alguien por quien se siente una atracción sexual.)* **3.** *Chile.* vulg. Realizar el acto sexual.	*cantar*	5	

Conjugar es fácil

verbos hispanoamericanos

VERBO	ZONA	EXPLICACIÓN	MODELO	TABLA	NOTA
Afilorar(se)	Caribe	*P. Rico.* Ataviar, adornar, componer con esmero.	*cantar*	5	
Afirolar	Caribe	*P. Rico.* Afilorar *(v. afilorar(se)).*	*cantar*	5	
Aflatarse	A. Central	*Hond.* y *Nicar.* Afligirse, apesadumbrarse.	*cantar*	5	
Aflojar	Caribe	**1.** *Rep. Dom.* fig. y fam. Propinar un golpe; lanzar o disparar un proyectil. **2.** *Rep. Dom.* prnl. Acobardarse.	*cantar*	5	
Aforar	A. del Sur	**1.** *Col.* Extender las facturas. **2.** *Col.* Comprender en ellas cada artículo, bulto u objeto. **3.** *Col.* Registrar, entregar en las estaciones de ferrocarril, aeropuertos, etc., equipajes y mercancías para que sean remitidos a su destino.	*cantar*	5	
Afrecharse	A. del Sur	*Chile.* Enfermar un animal por haber comido demasiado afrecho. *(Es decir, demasiada cáscara del cereal.)*	*cantar*	5	
Afrontilar	México	Atar una res vacuna por los cuernos al poste o bramadero, para domarla o matarla.	*cantar*	5	
Agachar	A. del Sur y México	*Argent., Méx.* y *Urug.* Prepararse o disponerse a hacer algo.	*cantar*	5	
Agarrar	América	**1.** fig. Sorprender, coger desprevenida a una persona. **2.** fig. y fam. Obtener, procurarse, apoderarse de algo. **3.** fam. Salir, ponerse en camino, dirigirse.	*cantar*	5	
Agauchar(se)	A. del Sur	*Argent., Chile* y *Urug.* Hacer que una persona tome el aspecto, los modales y las costumbres propias del gaucho. *(Es decir, del campesino hábil, entre otras actividades, en domar animales salvajes.)*	*cantar*	5	
Agringarse	América	Tomar aspecto o costumbres de gringo. *(Es decir, de americano de los EE.UU.)*	*pagar*	6	
Aguachar	A. del Sur	**1.** *Argent.* Echar barriga y carnes un caballo por haber estado pastando ocioso una larga temporada. **2.** *Chile.* Domesticar un animal. **3.** *Chile.* prnl. Amansarse, aquerenciarse.	*cantar*	5	

Conjugar es fácil

VERBO	ZONA	EXPLICACIÓN	MODELO	TABLA	NOTA
Aguadar	A. Central	1. *Guat.* Aguar, mezclar un líquido con agua. 2. *Guat.* Debilitar, hacer flaquear.	*cantar*	5	
Aguaitar	América	Aguardar, esperar.	*cantar*	5	
Aguantar	Caribe	*Rep. Dom.* Sustituir temporalmente a una persona en su trabajo.	*cantar*	5	
Aguaraparse	América	Tomar calidad o sabor de guarapo la caña de azúcar, la fruta o un líquido. *(Es decir, adquirir el aspecto o el sabor del jugo de la caña.)*	*cantar*	5	
Aguasarse	A. del Sur	*Chile.* Tomar los modales y costumbres del guaso. *(Es decir, del campesino de Chile.)*	*cantar*	5	
Ahuesarse	América	1. Quedarse inútil o sin prestigio una persona o cosa. 2. Quedarse una mercancía sin vender.	*cantar*	5	
Ahuevar(se)	A. Central y A. del Sur	1. *C. Rica.* Aburrir, fastidiar. 2. *Col., Nicar.* y *Pan.* Atontar, azorar, acobardar. En *Perú* sólo se usa c. prnl.	*cantar*	5	
Ajear	A. del Sur	*Bol.* Proferir ajos o palabrotas. *(Es decir, palabras groseras con las que se expresa el enfado, la rabia y el malestar en general.)*	*cantar*	5	
Ajorar	Caribe	*P. Rico.* Molestar, atosigar.	*cantar*	5	
Ajotar	A. Central y Caribe	*Amér. Central* y *P. Rico.* Azuzar, incitar.	*cantar*	5	
Ajustar(se)	América	1. *Col., C. Rica, Méx.* y *Nicar.* Cumplir, completar. 2. *Col., C. Rica, Cuba, Nicar.* y *Rep. Dom.* Contratar a destajo.	*cantar*	5	
Alagar(se)	A. del Sur	*Argent.* y *Bol.* Hacer agua una embarcación. *(Es decir, correr el riesgo de hundirse.)*	*pagar*	6	
Alagartarse	México y A. Central	1. *Méx.* Apartar la bestia los cuatro remos, de suerte que disminuya de altura y facilite al jinete montarla. *(Es decir, doblar un poco las cuatro patas.)* 2. *C. Rica, Guat.* y *Nicar.* Hacerse avaro u obrar con avaricia, usurear, tacañear.	*cantar*	5	
Albardear	A. Central	Domar caballos salvajes.	*cantar*	5	

239

verbos hispanoamericanos

VERBO	ZONA	EXPLICACIÓN	MODELO	TABLA	NOTA
Alburear	México	Decir albures. *(Es decir, juegos de palabras de doble sentido.)*	*cantar*	5	
Alebrestarse	América	Alborotarse, agitarse.	*cantar*	5	
Alegar	América	Disputar, altercar.	*pagar*	6	
* Alentarse	América	Mejorar, convalecer o restablecerse de una enfermedad.	*pensar*	13	
Aleonar(se)	A. del Sur	*Chile.* Alborotar.	*cantar*	5	
Alfalfar	A. del Sur	*Chile* y *Perú.* Sembrar de alfalfa un terreno.	*cantar*	5	
Alinderar	América	Señalar o marcar los límites de un terreno.	*cantar*	5	
Aliñar	A. del Sur	*Chile.* Arreglar o concertar los huesos dislocados. *(Es decir, mal colocados.)*	*cantar*	5	
Alipegarse	América	Juntarse una o varias personas de manera inoportuna o sin ser invitadas.	*pagar*	6	
Alistar	A. Central	*C. Rica* y *Nicar.* Preparar y coser las piezas del calzado.	*cantar*	5	
Allanar	América	Registrar un domicilio con mandamiento judicial.	*cantar*	5	
Altear	A. del Sur	1. *Ecuad.* Elevar, dar mayor altura a alguna cosa, como un muro, etc. 2. *Par.* Dar la voz de alto. 3. *Par.* Ordenar a alguien que se detenga en una marcha.	*cantar*	5	
Alumbrar	A. del Sur	*Venez.* fig. y fam. Maltratar a una persona golpeándola.	*cantar*	5	
Alunarse	A. Central y A. del Sur	*Amér. Central* y *Venez.* Enconarse las mataduras. *(Es decir, empeorar las heridas de un animal.)*	*cantar*	5	
Aluzar	América	1. *Méx., P. Rico* y *Rep. Dom.* Alumbrar, llenar de luz y claridad. 2. *P. Rico* y *Rep. Dom.* Examinar al trasluz, especialmente los huevos.	*cruzar*	8	
Alzar	América	Fugarse y hacerse montaraz el animal doméstico.	*cruzar*	8	
Amacharse	América	1. *Cuba, P. Rico* y *Rep. Dom.* Volverse estéril una planta o un animal hembra. 2. *Chile* y *Méx.* Resistirse, obstinarse, negarse a hacer algo.	*cantar*	5	

verbos hispanoamericanos

VERBO	ZONA	EXPLICACIÓN	MODELO	TABLA	NOTA
Amachinarse	América y A. Central	1. *Amér.* Amancebarse *(v. acollarar, 2).* 2. *Pan.* Abatirse, perder energías, acobardarse.	*cantar*	5	
Amachorrarse	México	Hacerse machorra una hembra o una planta. *(Es decir, no fértil.)*	*cantar*	5	
Amadrinar	A. del Sur	Acostumbrar al ganado caballar a que vaya en tropilla detrás de la yegua madrina. *(Es decir, de la yegua guía.)*	*cantar*	5	
Amalayar	A. del Sur y A. Central	1. *Argent.* y *Hond.* Proferir la interjección ¡amalaya! *(Es decir, expresar disgusto, compasión o deseo.)* 2. *Amér. Central* y *Venez.* Desear ardientemente una cosa.	*cantar*	5	
Amallarse	A. del Sur	*Chile.* Alzarse, retirarse del juego el que está ganando.	*cantar*	5	
* Amanecer(se)	A. del Sur y México	*Argent., Bol., Col., Chile, Ecuad., Méx.* y *Perú.* Pasar la noche en vela. *(Es decir, sin dormir.)*	*obedecer*	33	Nota 12, pág. 169
Amangualar(se)	A. del Sur	*Col.* Asalariar, contratar a alguno para un servicio de orden inferior, generalmente doméstico.	*cantar*	5	
Amañar	A. del Sur	*Argent., Bol., Col.* y *Ecuad.* Unirse en concubinato. *(Es decir, sin estar casadas dos personas.)*	*cantar*	5	
Amarcar	A. del Sur	1. *Ecuad.* Tomar en los brazos. 2. *Ecuad.* Apadrinar o sacar de pila a una criatura. *(Es decir, ser su padrino en el bautizo.)*	*atacar*	7	
Amarrar	América	1. *Amér. Central, Col., Chile, Méx.* y *Venez.* Vendar o ceñir. 2. *Chile, Nicar., Perú* y *P. Rico.* Concertar o pactar. 3. *Col., Cuba, El Salv., Guat., Méx., Nicar., Pan.* y *P. Rico.* prnl. Casarse, contraer matrimonio.	*cantar*	5	
Amelcochar(se)	América	1. *Amér.* Dar a un dulce el punto espeso de la melcocha. *(Es decir, de la pasta elaborada con miel amasada en agua fría.)* 2. *Bol., C. Rica, Ecuad., Hond., Méx.* y *Perú.* prnl. fig. Reblandecerse.	*cantar*	5	

Conjugar es fácil

verbos hispanoamericanos

VERBO	ZONA	EXPLICACIÓN	MODELO	TABLA	NOTA
		3. *Cuba, Guat., Méx.* y *Perú.* fig. Acaramelarse, derretirse amorosamente, mostrarse uno extraordinariamente meloso o dulzón.			
Ameritar	América	Merecer.	*cantar*	5	
Amohosarse	América	Enmohecerse. *(Es decir, llenarse de moho, estropearse.)*	*cantar*	5	
Amorocharse	A. del Sur	*Venez.* Unirse o juntarse dos o más personas.	*cantar*	5	
Amorriñar(se)	A. Central	Enfermar un animal de morriña. *(Es decir, del corazón.)*	*cantar*	5	
Amostazarse	América	*Bol., Col., Ecuad., Hond.* y *P. Rico.* Avergonzarse.	*cruzar*	8	
Amotetarse	A. Central	*Nicar.* Agruparse, amontonarse.	*cantar*	5	
Amparar	A. del Sur	*Chile.* Llenar las condiciones con que se adquiere el derecho de sacar o beneficiar una mina.	*cantar*	5	
Amuchar(se)	A. del Sur	*Argent., Bol., Chile* y *R. de la Plata.* Aumentar el número o la cantidad.	*cantar*	5	
Amuñuñar	A. del Sur	*Venez.* Apretujar.	*cantar*	5	
Amurriñarse	A. Central	*Hond.* Contraer un animal la morriña o comalia *(v. amorriñar(se)).*	*cantar*	5	
Anoticiar(se)	A. del Sur	*Argent.* Dar noticia, hacer saber alguna cosa.	*cantar*	5	
Antarquear(se)	A. del Sur	1. *Argent.* Tirar de espaldas. 2. *Argent.* prnl., fig. y fam. Envanecerse. *(Es decir, tener una actitud de superioridad y soberbia.)*	*cantar*	5	
Antelar	A. del Sur	*Chile.* Anticipar.	*cantar*	5	
Antellevar	México	Atropellar.	*cantar*	5	
Antipatizar	América	Sentir antipatía contra algo o alguien.	*cruzar*	8	
Añangotarse	Caribe	*Rep. Dom.* Ñangotarse, ponerse en cuclillas.	*cantar*	5	
Apachar	A. Central	*El Salv.* Aplastar, apachurrar.	*cantar*	5	

verbos hispanoamericanos

VERBO	ZONA	EXPLICACIÓN	MODELO	TABLA	NOTA
Apañar	A. del Sur y A. Central	*Argent., Bol., Nicar., Perú* y *Urug.* Encubrir, ocultar o proteger a alguien.	*cantar*	5	
Apapachar	México	Acariciar, hacer apapachos.	*cantar*	5	
Aparatarse	A. del Sur	Prepararse, disponerse. En *Col.* se usa especialmente hablando del cielo, cuando anuncia inminente lluvia, nieve o granizo.	*cantar*	5	
Aparejarse	América	Aparearse, juntarse machos y hembras.	*cantar*	5	
Aparragarse	A. del Sur y A. Central	*Chile* y *Hond.* Adquirir las personas, animales o plantas una configuración baja y gruesa en su desarrollo.	*pagar*	6	
Apartar	México	**1.** Separar el ganado para clasificarlo. **2.** Extraer el oro contenido en las barras de plata.	*cantar*	5	
Apealar	América	Echar manganas. *(Es decir, lazos a las patas de caballos o toros para apresarlos.)*	*cantar*	5	
Apear	Caribe	*Cuba.* Tomar las viandas con la mano, prescindiendo del cubierto. *(Es decir, comer con las manos.)*	*cantar*	5	
Apegualar	A. del Sur	*Chile.* Hacer uso del pegual. *(Es decir, de un ceñidor que asegura la silla de montar sobre la cabalgadura.)*	*cantar*	5	
Apelmazar	A. Central	*El Salv.* y *Nicar.* Apretar o allanar tierra, grava, etc., por medio de un pisón o una apisonadora.	*cruzar*	8	
Apenarse	América	Sentir vergüenza.	*cantar*	5	
Apendejarse	América	**1.** *Col., Pan.* y *Rep. Dom.* Hacerse bobo, estúpido. **2.** *Cuba, Nicar.* y *Rep. Dom.* Acobardarse.	*cantar*	5	
Apensionar	A. del Sur	*Col.* y *Chile.* Entristecerse, apesadumbrarse.	*cantar*	5	
Aperar	América y A. del Sur	**1.** *Amér.* Proveer, abastecer de instrumentos, herramientas o bastimentos. **2.** *Urug.* Ensillar, colocar el apero.	*cantar*	5	
Apercollar	A. del Sur	*Ecuad.* Exigir insistente y violentamente algo; especialmente de carácter económico.	*cantar*	5	

Conjugar es fácil

verbos hispanoamericanos

VERBO	ZONA	EXPLICACIÓN	MODELO	TABLA	NOTA
Aperrear	A. Central	*Pan.* Maltratar de palabra a una persona, ofendiéndola gravemente.	*cantar*	5	
Apersogar(se)	A. del Sur	1. *Venez.* Por ext., atar cosas juntas. 2. *Venez.* prnl. Unirse en concubinato *(v. amañar).*	*pagar*	6	
Apestillar	A. del Sur	*Chile.* Asir a uno de modo que no pueda escaparse.	*cantar*	5	
Apirgüinarse	A. del Sur	*Chile.* Padecer pirgüín el ganado. *(Es decir, padecer la enfermedad producida por la sanguijuela del mismo nombre.)*	*cantar*	5	
Apirularse	A. del Sur	*Chile.* Acicalarse, endomingarse. *(Es decir, arreglarse, embellecerse.)*	*cantar*	5	
Aplastar(se)	A. del Sur	*Argent.* y *Urug.* Reventar a un caballo. *(Es decir, obligarlo a trabajar o a caminar hasta matarlo.)*	*cantar*	5	
Aplatanar	Caribe	*Ant.* Acriollarse, adoptar un extranjero las costumbres del país.	*cantar*	5	
Aplazar	América y Caribe	1. *Amér.* Suspender a un examinando. 2. *Rep. Dom.* prnl. Amancebarse, vivir en concubinato *(v. acollarar y amañar).*	*cruzar*	8	
Apochongarse	A. del Sur	*Urug.* Asustarse, acobardarse.	*pagar*	6	
Apolismar	América	1. *Cuba, Pan.* y *P. Rico.* Estropear, magullar. 2. *C. Rica.* prnl. Holgazanear. 3. *C. Rica, P. Rico* y *Venez.* Acobardarse, estar atontado. 4. *P. Rico.* Quedarse pequeño, raquítico, no crecer.	*cantar*	5	
Apolvillarse	A. del Sur	*Chile.* Contraer tizón el trigo y otros cereales. *(Es decir, contraer hongos.)*	*cantar*	5	
Apozarse	A. del Sur	*Col.* y *Chile.* Detener y recoger el agua u otro líquido, de suerte que haga balsa.	*cruzar*	8	
Aprensar	A. del Sur	*Chile.* Apretar con fuerza.	*cantar*	5	
Aprestigiar	A. del Sur	*Col.* Dar prestigio, autoridad o importancia.	*cantar*	5	
• Aprevenir	A. del Sur y A. Central	*Col.* y *Guat.* Prevenir.	*venir*	80	

verbos hispanoamericanos

VERBO	ZONA	EXPLICACIÓN	MODELO	TABLA	NOTA
Apunarse	A. del Sur	Padecer puna o soroche. *(Es decir, padecer angustia en lugares elevados.)*	*cantar*	5	
Apuntalar(se)	A. Central	*C. Rica.* Tomar un refrigerio. *(Es decir, comer o beber alguna cosa entre las horas de las comidas.)*	*cantar*	5	
Apuntar	México	Hablando del trigo y otros cereales, nacerse, entallecerse. *(Es decir, salir a la superficie.)*	*cantar*	5	
Apuñar	A. del Sur	Sobar la masa con los puños, especialmente la del pan.	*cantar*	5	
Apurar(se)	América	Apremiar, dar prisa.	*cantar*	5	
Aquintralarse	A. del Sur	**1.** *Chile.* Cubrirse de quintral los árboles y arbustos. **2.** *Chile.* Contraer los melones y otras plantas la enfermedad llamada quintral.	*cantar*	5	
Archivar	México	Encarcelar.	*cantar*	5	
Arcionar	A. del Sur y México	**1.** *Col.* y *Méx.* Sujetar el jinete al arzón o arción de la silla una res vacuna, dando vueltas a la soga con que la ha lazado. **2.** *Méx.* Levantar el jinete la pierna, con arción o arzón y estribo, sobre la cola de un vacuno para sujetar ésta a la silla y derribarlo.	*cantar*	5	
Arisquear	A. del Sur	*Argent.* y *Urug.* Mostrarse indócil, arisco.	*cantar*	5	
Armar	A. Central y México	**1.** *Guat.* y *Méx.* Plantarse un animal. *(Es decir, negarse a caminar.)* **2.** *Méx.* Hacerse de dinero o de bienes inesperada o impensadamente.	*cantar*	5	
Arrabiatar	A. Central	**1.** Rabiatar, atar un animal a la cola de otro. **2.** prnl. Someterse servilmente a la opinión de otro.	*cantar*	5	
Arraigar	América	Notificar judicialmente a la persona que no salga de la población, bajo cierta pena.	*pagar*	6	
Arrancar	Caribe y México	Morirse.	*atacar*	7	
Arranchar	A. del Sur	*Chile, Ecuad.* y *Perú.* Quitar violentamente algo a alguien.	*cantar*	5	

Conjugar es fácil

verbos hispanoamericanos

V
h

VERBO	ZONA	EXPLICACIÓN	MODELO	TABLA	NOTA
Arrancharse	América	1. *Pan.* Domiciliarse en una casa, a título de amigo, pero con disgusto de sus dueños, y sin mostrar disposición a salir de ella. 2. *Col.* y *Chile.* Negarse obstinadamente a hacer algo. 3. *Méx.* y *Venez.* Acomodarse a vivir en algún sitio o alojarse en forma provisional. 4. *Cuba.* Demorarse demasiado en un lugar.	*cantar*	5	
Arrechar	A. Central y México	1. Sobrar animación y brío. 2. Ponerse arrecha una persona. *(Es decir, arrogante o excitada.)*	*cantar*	5	
* Arrendar	Caribe	*Cuba.* Cobijar con tierra el pie de los árboles, y principalmente el tronco de las vides y otras plantas.	*pensar*	13	
Arrequintar	América	Apretar fuertemente con cuerda o vendaje.	*cantar*	5	
Arrodajarse	A. Central	*C. Rica.* Sentarse con las piernas cruzadas, al estilo de los orientales.	*cantar*	5	
Asemillar	A. del Sur	*Chile.* Cerner. Tratándose de la vid, del olivo, del trigo y de otras plantas, caer el polen de la flor.	*cantar*	5	
Aserruchar	A. del Sur y A. Central	*Col.*, *Chile*, *Hond.* y *Perú.* Cortar o dividir con serrucho la madera u otra cosa.	*cantar*	5	
Asistir	A. del Sur	*Col.* Vivir, habitar.	*vivir*	51	
Asorocharse	A. del Sur	1. *Amér. del Sur.* Padecer soroche. *(Es decir, padecer el mal de la montaña.)* 2. *Chile.* Ruborizarse, abochornarse. *(Es decir, sentir vergüenza.)*	*cantar*	5	
Asuntar	Caribe	*Ant.* Poner atención, atender, comprender bien algo.	*cantar*	5	
Atarragar(se)	A. del Sur y México	*Col.*, *Méx.* y *Venez.* Atracar, atiborrar de comida.	*pagar*	6	
Atembar(se)	A. del Sur	*Col.* Atolondrar, aturdir.	*cantar*	5	
Atingir(se)	América	1. Afectar, incumbir, corresponder. 2. Afligir, oprimir, tiranizar.	*dirigir*	52	
Atojar	A. Central y Caribe	*C. Rica*, *Cuba* y *Pan.* Ajotar, azuzar a un perro, incitarlo para que ataque.	*cantar*	5	

Conjugar es fácil

verbos hispanoamericanos

VERBO	ZONA	EXPLICACIÓN	MODELO	TABLA	NOTA
Atracar	A. del Sur	*Chile.* Golpear, zurrar.	*atacar*	7	
Atrincar	América	**1.** *Col., C. Rica, Cuba, Chile, Ecuad., Méx., Nicar., Perú, Rep. Dom.* y *Venez.* Trincar, sujetar, asegurar con cuerdas y lazos. **2.** *Cuba, Méx., Nicar.* y *Perú.* Apretar.	*atacar*	7	
Atrojar	México	Guardar en la troje frutos, y especialmente cereales. *(Es decir, guardar en la alforja.)*	*cantar*	5	
Atufar	A. del Sur	*Bol.* y *Ecuad.* Atolondrarse.	*cantar*	5	
• Aventar	Caribe y A. del Sur	**1.** *Cuba.* En los ingenios, exponer el azúcar al aire y al sol. **2.** *Col.* Arrojarse, lanzarse sobre alguna persona o cosa.	*pensar*	13	
Aviar	América y A. del Sur	**1.** *Amér.* Prestar dinero o efectos a labrador, ganadero o minero. **2.** *Chile.* Costear las labores de una mina para que continúe la explotación de la misma, con el fin de resarcirse de los préstamos hechos a su dueño.	*desviar*	9	
Avispar(se)	A. del Sur	*Chile.* Espantar, infundir miedo.	*cantar*	5	
Azarearse	A. del Sur y A. Central	**1.** *Chile, Guat.* y *Nicar.* Turbarse, avergonzarse. **2.** *Chile.* Irritarse, enfadarse.	*cantar*	5	
Azocar	Caribe	*Cuba.* Apretar demasiado una cosa.	*atacar*	7	
Azucarar	América	Cristalizarse el almíbar de las conservas. *(Es decir, volverse sólido.)*	*cantar*	5	
B					
Bachatear	Caribe	*Cuba* y *P. Rico.* Divertirse, bromear.	*cantar*	5	
Bajear	A. del Sur	*Bol.* Acompañar un canto o melodía con las notas graves.	*cantar*	5	
Balear	América	Tirotear, disparar balas sobre alguien o algo.	*cantar*	5	
Bandear	América	**1.** Atravesar, pasar de parte a parte; taladrar. **2.** Cruzar un río de una banda a otra.	*cantar*	5	
Baquetear	América	fig. y fam. Tratar a la baqueta a alguien. *(Es decir, con desprecio y exceso de severidad.)*	*cantar*	5	

--- 247 ---

Conjugar es fácil

verbos hispanoamericanos

VERBO	ZONA	EXPLICACIÓN	MODELO	TABLA	NOTA
Barajar	A. del Sur	1. *Argent., Par.* y *Urug.* Tomar en el aire un objeto que se arroje. 2. *Argent., Chile* y *Urug.* Parar los golpes del adversario.	*cantar*	5	
Barbear	México y A. Central	1. *Méx.* fig. Hacer la barba, adular, obsequiar interesadamente. 2. *Méx.* fig. Asir una res vacuna, particularmente si es pequeña, por el hocico y el testuz o el cuerno, y haciendo fuerza con las manos en direcciones opuestas, torcer el cuello hasta dar en tierra con el animal. 3. *C. Rica.* fig. Halagar, lisonjear.	*cantar*	5	
Bartulear	A. del Sur	*Chile.* Cavilar, devanarse los sesos. *(Es decir, reflexionar en profundidad.)*	*cantar*	5	
Basurear	A. del Sur	*Argent., Perú* y *Urug.* fam. Tratar mal o despectivamente a una persona.	*cantar*	5	
Batir	A. del Sur	*Argent.* y *Urug.* vulg. Delatar, denunciar.	*vivir*	51	
Bejuquear	América	1. *Ecuad., Guat., Méx., Nicar.* y *P. Rico.* Varear, apalear. *(Es decir, golpear.)* 2. *Méx.* Tejer el bejuco. *(Es decir, tejer con una clase de plantas tropicales flexibles y suaves.)*	*cantar*	5	
Beneficiar	Caribe y A. del Sur	*Cuba, Chile* y *P. Rico.* Referido a una res, descuartizarla y venderla al menudeo. *(Es decir, venderla al por menor.)*	*cantar*	5	
Bilmar	A. del Sur	*Chile.* Poner bizmas. *(Es decir, preparados naturales que alivian el dolor.)*	*cantar*	5	
Bochar	Caribe y A. del Sur	*Rep. Dom., Urug.* y *Venez.* fig. y fam. Dar boche. *(Es decir, rechazar, desairar, reprender.)*	*cantar*	5	
Bogar	A. del Sur	*Chile.* Desnatar, quitar la escoria al metal.	*pagar*	6	
Bolear(se)	A. del Sur y México	1. *Argent.* Confundir, aturullar. 2. *Urug.* fig. Envolver, enredar a uno; hacerle una mala partida. 3. *Argent.* y *Urug.* Echar o arrojar las boleadoras a un animal. *(Es decir, un instrumento formado por bolas de piedra unidas por cuerdas, que se emplea para inmovilizar a los animales.)* 4. *Argent.* Empinarse el potro sobre las patas y caer de lomo.	*cantar*	5	

Conjugar es fácil

verbos hispanoamericanos

VERBO	ZONA	EXPLICACIÓN	MODELO	TABLA	NOTA
		5. *Méx.* Embetunar el calzado, limpiarlo y darle lustre.			
Bolichear	A. del Sur	*Argent.* Frecuentar los bares o boliches.	*cantar*	5	
Bolsear	A. Central y México	*C. Rica, Guat., Hond.* y *Méx.* Quitarle a alguien furtivamente lo que tenga de valor.	*cantar*	5	
Bolsiquear	A. del Sur	Bolsear, quitar a alguien una cosa de los bolsillos.	*cantar*	5	
Bombear	A. del Sur	*Argent.* fig. Perjudicar deliberadamente a alguien.	*cantar*	5	
Bostear	A. del Sur	*Chile* y *Urug.* Excretar el ganado vacuno o el caballar, y por ext., cualquier animal. *(Es decir, hacer de vientre, expulsar lo que se ha comido.)*	*cantar*	5	
Botear	Caribe	*Cuba.* Recoger viajeros en ruta fija y trayectos distintos.	*cantar*	5	
Brocearse	A. del Sur	Esterilizarse una mina.	*cantar*	5	
Bruñir	A. Central	*C. Rica* y *Nicar.* fig. Molestar, fastidiar.		58	
Buitrear	A. del Sur	1. *Chile.* Cazar buitres. 2. *Chile* y *Perú.* Vomitar.	*cantar*	5	
C					
Cabecear	A. del Sur y Caribe	1. *Chile.* Formar las puntas o cabezas de los cigarros. 2. *Cuba.* Unir cierto número de hojas de tabaco, atándolas por los pezones.	*cantar*	5	
Cabrear	A. del Sur	1. *Perú.* Esquivar engañosamente, sobre todo en juegos deportivos o infantiles. 2. *Chile.* Ir saltando y brincando.	*cantar*	5	
Cachar	A. Central y A. del Sur	1. *Amér. Central, Col.* y *Chile.* Cornear, dar cornadas. 2. *Argent., Nicar.* y *Urug.* vulg. Agarrar, asir, coger. 3. *Amér. Central.* Hurtar. 4. *Argent.* y *Chile.* fig. y fam. Sorprender a alguien, descubrirle. 5. *Chile.* Sospechar. 6. *Argent., C. Rica, Ecuad., Par.* y *Urug.* fig. y fam. Burlarse de una persona, hacerla objeto de una broma, tomarle el pelo.	*cantar*	5	

Conjugar es fácil

verbos hispanoamericanos

VERBO	ZONA	EXPLICACIÓN	MODELO	TABLA	NOTA
		7. *Amér. Central, Col.* y *Venez.* En algunos juegos, coger al vuelo una pelota que un jugador lanza a otro. **8.** *Amér. Central, Col.* y *Venez.* Por ext., agarrar cualquier objeto pequeño que una persona arroja por el aire a otra.			
Cachetear	América y A. del Sur	**1.** *Amér.* Golpear a alguien en la cara con la mano abierta. **2.** *Chile.* prnl. fam. Comer en abundancia y a gusto.	*cantar*	5	
Cachiporrearse	A. del Sur	*Chile.* prnl. Jactarse, alabarse de alguna cosa.	*cantar*	5	
Caculear	Caribe	*P. Rico.* fig. Variar con frecuencia de aficiones y caprichos, especialmente un hombre en materia de amores.	*cantar*	5	
Calar	A. del Sur y México	**1.** *Col.* Apabullar, cachifollar. *(Es decir, hacer una exhibición de fuerza o poder ante alguien, con la intención de humillarlo.)* **2.** *Méx.* Sacar con el calador una muestra en un fardo. *(Es decir, sacar una muestra con un instrumento para hacer agujeros.)*	*cantar*	5	
Caletear	A. del Sur	*Chile.* Tocar un barco en todos los puertos de la costa y no sólo en los mayores. Por ext., se aplica también al avión y al ferrocarril.	*cantar*	5	
Calimbar	Caribe	*Cuba.* Herrar, marcar.	*cantar*	5	
Calzar	A. del Sur y A. Central	**1.** *Col.* y *Ecuad.* Empastar un diente o muela. *(Es decir, reparar la parte estropeada del diente o muela.)* **2.** *Guat.* Cubrir con tierra ciertas plantas, como el apio, el cardo, la escarola y otras hortalizas, para que se pongan más tiernas y blancas.	*cruzar*	8	
Camandulear	América	Intrigar, obrar con hipocresía.	*cantar*	5	
Camaronear	A. del Sur y México	**1.** *Perú.* Mudar de opinión o de bando por favor o interés. **2.** *Méx.* Pescar camarones. *(Es decir, crustáceos o animales de agua parecidos a las gambas.)*	*cantar*	5	
Cambar	A. del Sur	*Venez.* Combar, encorvar.	*cantar*	5	

verbos hispanoamericanos

VERBO	ZONA	EXPLICACIÓN	MODELO	TABLA	NOTA
Camochar	A. Central	*Hond.* Desmochar los árboles y otras plantas. *(Es decir, cortarles las ramas superiores con un fin determinado.)*	*cantar*	5	
Camorrear	A. del Sur	*Argent.* y *Urug.* Reñir, armar camorra.	*cantar*	5	
Campear	A. del Sur	*Chile* y *R. de la Plata.* Salir en busca de alguna persona, o animal o cosa.	*cantar*	5	
Cancanear	América	**1.** *Col., C. Rica* y *Nicar.* Tartajear, tartamudear. *(Es decir, hablar con dificultad, separando las palabras en sílabas.)* **2.** *Cuba.* Trepidar con un ruido especial el motor que empieza a fallar.	*cantar*	5	
Canchear	A. del Sur	Buscar entretenimiento por no trabajar seriamente.	*cantar*	5	
Cangallar	A. del Sur	*Bol.* y *Chile.* Robar en las minas metales o piedras metalíferas.	*cantar*	5	
Cantaletear	América y México	**1.** *Amér.* Repetir las cosas hasta causar fastidio. **2.** *Méx.* Dar cantaleta o vaya. *(Es decir, repetirle un estribillo burlesco a alguien, riéndose de él.)*	*cantar*	5	
Cantinflear	México	**1.** Hablar de forma disparatada e incongruente y sin decir nada. *(Es decir, como el actor cómico llamado Cantinflas.)* **2.** Actuar de la misma manera.	*cantar*	5	
Capear	A. Central	*Guat.* Entre escolares y estudiantes, faltar a sus clases sin motivo justificado, a espaldas de sus padres o tutores.	*cantar*	5	
Caramelear	A. del Sur	*Col.* fig. y fam. Dilatar engañosamente la solución de un asunto.	*cantar*	5	
Caratular	A. del Sur	**1.** *Argent.* Poner a un libro la carátula, portada. **2.** *Argent.* Cubrir la cara con carátula, máscara. **3.** *Argent.* Calificar, describir, titular.	*cantar*	5	
Cargosear	A. del Sur	*Argent., Chile, Perú* y *Urug.* Importunar, molestar.	*cantar*	5	
Carnear	América y México	**1.** *Amér.* Matar y descuartizar las reses, para aprovechar su carne. **2.** *Méx.* vulg. Engañar a alguien.	*cantar*	5	

Conjugar es fácil

verbos hispanoamericanos

VERBO	ZONA	EXPLICACIÓN	MODELO	TABLA	NOTA
Carpir	América	Limpiar o escardar la tierra, quitando la hierba inútil o perjudicial.	*vivir*	51	
Carretear	Caribe	*Cuba.* Gritar las cotorras y loros, sobre todo cuando son jóvenes.	*cantar*	5	
Castañear	México	Castañetear, sonarle a uno los dientes.	*cantar*	5	
Catatar	América	Hechizar, fascinar.	*cantar*	5	
Catear	América y A. del Sur	**1.** *Amér.* Allanar la casa de alguno. *(Es decir, registrar la casa con una orden judicial.)* **2.** *Col., Chile, Ecuad.* y *Perú.* Explorar terrenos en busca de alguna veta minera.	*cantar*	5	
Causear	A. del Sur	**1.** *Chile.* Tomar el causeo; merendar. **2.** *Chile.* Comer a deshora fiambres. **3.** *Chile.* Comer, en general. **4.** *Chile.* fig. Vencer con facilidad a una persona.	*cantar*	5	
Cayapear	A. del Sur	*Venez.* Reunirse muchos para atacar a uno sobre seguro.	*cantar*	5	
Cebar	A. del Sur	*R. de la Plata.* Cebar mate. *(Es decir, preparar una infusión obtenida de hierbas medicinales.)*	*cantar*	5	
Cecinar	A. del Sur	*Ecuad.* Cortar la carne en forma de cecina. *(Es decir, en tiras delgadas, secas y sin sal.)*	*cantar*	5	
Cedular	A. del Sur y A. Central	*Col., Ecuad.* y *Nicar.* Expedir una cédula de identidad, de ciudadanía, etc.	*cantar*	5	
Cepillar	América	Adular *(v. abotonar).*	*cantar*	5	
Cerotear	A. del Sur	*Chile.* Gotear la cera de las velas encendidas.	*cantar*	5	
Chacanear	A. del Sur	*Chile.* Espolear con fuerza a la cabalgadura. *(Es decir, obligarla a correr más deprisa.)*	*cantar*	5	
Chacharear	México	Negociar con cosas de poco valor.	*cantar*	5	
Chacualear	México	Chapotear, chapalear en el agua. *(Es decir, dar golpes con las manos en el agua, jugar en ella.)*	*cantar*	5	
Chalanear	América	Adiestrar caballos.	*cantar*	5	

Conjugar es fácil

verbos hispanoamericanos

VERBO	ZONA	EXPLICACIÓN	MODELO	TABLA	NOTA
Challar	A. del Sur	**1**. *Bol.* Rociar el suelo con licor en homenaje a la madre tierra o Pachamama. **2**. *Bol.* Festejar con comidas y bebidas la adquisición de un bien.	*cantar*	5	
Chambonear	América	Hacer chambonadas. *(Es decir, comportarse con torpeza, como un chambón.)*	*cantar*	5	
Champear	A. del Sur	*Chile, Ecuad.* y *Perú.* Tapar o cerrar con césped o tepes una presa o un portillo.	*cantar*	5	
Chancar	A. Central y A. del Sur	**1**. *Amér. Central, Argent., Chile* y *Perú.* Triturar, machacar, moler, especialmente minerales. **2**. *Chile* y *Perú.* Apalear, golpear, maltratar. **3**. *Chile* y *Perú.* fig. Apabullar, vencer, sobrepujar. **4**. *Chile* y *Ecuad.* fig. Ejecutar mal o a medias una cosa. **5**. *Perú.* fig. Estudiar con ahínco, empollar.	*atacar*	7	
Chanflear	A. del Sur	*Argent.* Dar a una esquina forma de chaflán. *(Es decir, forma redondeada.)*	*cantar*	5	
Chantar	América y A. del Sur	**1**. *Amér.* Vestir o poner. **2**. *Argent., Ecuad.* y *Perú.* Plantar, decir a uno claridades. *(Es decir, expresarle sin rodeos lo que se piensa de él.)* **3**. *Chile.* Plantar, dar golpes. **4**. *Chile.* Plantar, poner a alguien en un sitio contra su voluntad.	*cantar*	5	
Chapear	América	*C. Rica, Cuba* y *Rep. Dom.* Limpiar la tierra de malezas y hierbas con el machete.	*cantar*	5	
Chapecar	A. del Sur	*Chile.* Trenzar.	*atacar*	7	
Chapinizarse	A. Central	Adquirir las costumbres y los modales de los chapines o guatemaltecos.	*cruzar*	8	
Charquear	América	Hacer charqui. *(Es decir, carne salada.)*	*cantar*	5	
Chasconear	A. del Sur	**1**. *Chile.* Enredar, enmarañar. **2**. *Chile.* Tirar del pelo o arrancarlo. Hacer dar al caballo una carrera corta. Cortar las puntas a la hierba.	*cantar*	5	
Chequear	A. Central y América	**1**. *Amér. Central.* Rellenar un cheque. **2**. *Amér.* Examinar, verificar, controlar.	*cantar*	5	

Conjugar es fácil

verbos hispanoamericanos

VERBO	ZONA	EXPLICACIÓN	MODELO	TABLA	NOTA
Chiclear	México	Hacer la explotación del chicle. *(Es decir, de una golosina que sólo se mastica y que se extrae de los árboles.)*	*cantar*	5	
Chicotear	América	Dar chicotazos. *(Es decir, dar golpes con el látigo.)*	*cantar*	5	
Chinear	A. Central	**1.** *Amér. Central.* Llevar en brazos o a cuestas. **2.** *C. Rica.* Mimar, cuidar con cariño y esmero. **3.** *C. Rica* y *Guat.* Cuidar niños como china o niñera. **4.** *Guat.* fig. Preocuparse mucho por una persona, asunto o cosa.	*cantar*	5	
Chingar	A. Central y A. del Sur	**1.** *Amér. Central.* Cortar el rabo a un animal. **2.** *Argent.* y *Urug.* Colgar un vestido más de un lado que de otro. **3.** *Argent., Chile* y *Perú.* No acertar, fracasar, frustrarse, fallar.	*pagar*	6	
Chinguear	A. Central	**1.** *Hond.* Bromear. **2.** *C. Rica.* Cobrar el barato. *(Es decir, imponerse una persona sobre otras por el miedo que les produce.)*	*cantar*	5	
Chiquear	Caribe y México	*Cuba* y *Méx.* Mimar, acariciar con exceso, consentir.	*cantar*	5	
Chivar	América	*Argent., Cuba, Guat., Urug.* y *Venez.* Enojarse, irritarse.	*cantar*	5	
Chivatear	A. del Sur y Caribe	**1.** *Col., Cuba* y *P. Rico.* Acusar, delatar, soplonear. **2.** *Argent.* y *Chile.* Gritar imitando la algarabía de los araucanos cuando acometían. *(Es decir, gritar como los indios chilenos cuando guerreaban.)* **3.** *Argent.* Retozar los niños bulliciosamente, con algarabía.	*cantar*	5	
Chopear	A. del Sur	*Chile.* Trabajar con el chope. *(Es decir, con un palo de uso agrario.)*	*cantar*	5	
Churrasquear	A. del Sur	*Argent., Par.* y *Urug.* Hacer y comer churrascos. *(Es decir, carne asada a la plancha o a la parrilla.)*	*cantar*	5	
Chuzar	A. del Sur	*Col.* Punzar, pinchar, herir.	*cruzar*	8	

verbos hispanoamericanos

VERBO	ZONA	EXPLICACIÓN	MODELO	TABLA	NOTA
Cinchacear	A. Central	*Guat.* fam. Dar cinchazos. *(Es decir, golpes con el cinturón.)*	*cantar*	5	
Cinchar	A. del Sur	1. *Argent.* y *Urug.* fig. y fam. Procurar empeñosamente que una cosa se realice. 2. *Argent.* y *Urug.* fig. y fam. Trabajar esforzadamente.	*cantar*	5	
Codear	A. del Sur	Pedir con insistencia; socaliñar.	*cantar*	5	
Coger	América	vulg. Realizar el acto sexual.		25	
Coimear	A. del Sur	*Argent., Chile, Perú* y *Urug.* Recibir o dar coima. *(Es decir, dar o recibir una gratificación o regalo para ser favorecido o favorecer a una persona.)*	*cantar*	5	
Colear	México y A. del Sur	1. *Méx.* Coger el jinete la cola al toro que huye, y, sujetándola bajo la pierna derecha contra la silla, derribarlo por efecto del mayor arranque del caballo. 2. *Méx.* y *Venez.* Tirar, corriendo a pie o a caballo, de la cola de una res para derribarla.	*cantar*	5	
Combalacharse	A. del Sur	*Venez.* Conchabarse, obrar de acuerdo dos o más personas, generalmente con mal propósito.	*cantar*	5	
* Comedir	América	Ofrecerse o disponerse para alguna cosa.	*pedir*	60	
Compadrear	A. del Sur	*Argent., Par.* y *Urug.* Jactarse, envanecerse, provocar. Ú. con valor despectivo.	*cantar*	5	
Complotar(se)	América	Confabularse, tramar una conjura, por lo general con fines políticos.	*cantar*	5	
* Componer	América	*Argent., Chile, Guat., Méx., Perú* y *Urug.* Restituir a su lugar los huesos dislocados.	*poner*	41	
Conchabar(se)	A. del Sur	Asalariar, contratar a alguno para un servicio de orden inferior, generalmente doméstico.	*cantar*	5	
Consubstanciarse	A. del Sur	*Argent.* Identificarse íntimamente un ser con otro o con una particular interpretación de la realidad.	*cantar*	5	
Contlapachear	México	fam. Encubrir a alguien, ser su compinche o su cómplice.	*cantar*	5	

Conjugar es fácil

verbos hispanoamericanos

VERBO	ZONA	EXPLICACIÓN	MODELO	TABLA	NOTA
Contrapuntear(se)	A. del Sur y Caribe	1. *Argent., Bol., Col., Chile* y *Venez.* Cantar versos improvisados dos o más cantantes populares. 2. *Bol., Col., Chile* y *Ecuad.* fig. Estar en contrapunteo o disputa dos o más personas. 3. *Argent., Bol., Perú* y *P. Rico.* fig. Rivalizar.	*cantar*	5	
Coquear	A. del Sur	*Bol.* Extraer, en la boca, el jugo del acullico *(v. acullicar).*	*cantar*	5	
Corar	América	Labrar chacras de indios. *(Es decir, granjas.)*	*cantar*	5	
Corbatear	A. del Sur	*Col.* Sacudir a uno asiéndolo de la corbata.	*cantar*	5	
Cortar	A. del Sur	*Chile.* Tomar una dirección, echarse a andar.	*cantar*	5	
Coscachear	A. del Sur	*Chile.* Dar coscachos, sacudir coscorrones. *(Es decir, golpes no muy fuertes que se dan con el puño cerrado.)*	*cantar*	5	
Costear	A. del Sur	*Argent.* y *Urug.* Trasladarse a un lugar distante o trabajoso de alcanzar.	*cantar*	5	
Cotizar	América	Imponer una cuota. *(Es decir, una cantidad fija de dinero para algún fin.)*	*cruzar*	8	
Coyotear	México	fam. Actuar como coyote, tramitador oficioso.	*cantar*	5	
Coyundear	A. Central	*Nicar.* Pegar o castigar con una coyunda o látigo.	*cantar*	5	
Cuadrar	A. del Sur	*Chile.* Suscribirse con una importante cantidad de dinero, o dar de hecho esa cantidad o valor.	*cantar*	5	
Cuartear	A. del Sur y México	1. *Argent.* Encuartar, enganchar un vehículo en dificultades para ayudar a remolcarlo. 2. *Méx.* Azotar con la cuarta. *(Es decir, con el látigo empleado para las caballerías.)*	*cantar*	5	
Cuerear	A. del Sur y A. Central	1. *Amér. del Sur.* Ocuparse en las faenas de la cuereada. *(Es decir, de la obtención y preparación de las pieles de las reses.)* 2. *Ecuad.* y *Nicar.* Azotar.	*cantar*	5	

verbos hispanoamericanos

VERBO	ZONA	EXPLICACIÓN	MODELO	TABLA	NOTA
Cuerpear	A. del Sur	1. *R. de la Plata.* Hurtar el cuerpo. 2. *Argent.* fig. Evitar una dificultad o compromiso con astucia.	*cantar*	5	
Cuitear(se)	A. Central	Defecar las aves. *(Es decir, hacer de vientre.)*	*cantar*	5	
Cumbearse	A. Central	*Hond.* Dirigirse elogios recíprocamente dos o más personas.	*cantar*	5	
Cuotear	A. del Sur	*Chile.* Prorratear, repartir algo equitativamente entre varios.	*cantar*	5	
Cuquear	Caribe	*Cuba.* Incitar a los perros para que embistan.	*cantar*	5	
Curarse	A. del Sur	*Chile.* fam. Embriagarse, emborracharse.	*cantar*	5	
Curtir	A. del Sur	*Argent.* y *Urug.* fig. Castigar azotando.	*vivir*	51	

D

VERBO	ZONA	EXPLICACIÓN	MODELO	TABLA	NOTA
Debocar	A. del Sur	*Argent.* vulg. Vomitar.	*atacar*	7	
Demeritar	América	Empañar, quitar mérito.	*cantar*	5	
Denguear	América	Hacer al andar movimientos afectados con los hombros y caderas.	*cantar*	5	
* Deponer	A. Central y México	*Hond., Guat., Méx.* y *Nicar.* Vomitar.	*poner*	41	
Derriscar(se)	Caribe	*Cuba* y *P. Rico.* Despeñar.	*atacar*	7	
Desastillar	América	Sacar astillas de la madera.	*cantar*	5	
Desaterrar	América	Escombrar, desembarazar de escombros o tierras un lugar para allanarlo.	*cantar*	5	
Desbabar	América	*Méx., Perú, P. Rico* y *Venez.* Quitar la baba al café y al cacao. *(Es decir, quitarle el jugo que produce el fruto cuando está maduro.)*	*cantar*	5	
Desbalagar	México	Dispersar, esparcir.	*pagar*	6	
Desbotonar	América	Quitar los botones y la guía a las plantas, especialmente a la del tabaco, para impedir su crecimiento y para que ganen en tamaño las hojas.	*cantar*	5	

257

verbos hispanoamericanos

VERBO	ZONA	EXPLICACIÓN	MODELO	TABLA	NOTA
Descabezar	A. del Sur y Caribe	1. *Col.* Defenestrar, destituir. 2. *Bol.* y *P. Rico.* Disminuir la graduación de un licor añadiéndole agua.	*cruzar*	8	
Descachazar	América	Quitar la cachaza al guarapo. *(Es decir, quitarle las impurezas.)*	*cruzar*	8	
Descambiar	América	Convertir billetes o monedas grandes en dinero menudo equivalente o a la inversa.	*cantar*	5	
Descarozar	América	Quitar el hueso o carozo a las frutas.	*cruzar*	8	
Deschapar	A. del Sur	*Argent., Bol., Chile, Ecuad.* y *Perú.* Descerrajar una cerradura.	*cantar*	5	
Descharchar	A. Central	Destituir, despedir de un cargo o puesto de trabajo.	*cantar*	5	
Deschavetarse	A. del Sur	*Col., Perú* y *Urug.* fam. Perder la chaveta. *(Es decir, el juicio.)*	*cantar*	5	
* Descomponer(se)	México	Averiar, estropear, deteriorar.	*poner*	41	
Desconchabar(se)	América	*Amér. Central* y *Méx.* Descomponer, descoyuntar.	*cantar*	5	
Descrestar	A. del Sur	*Col.* Engañar a una persona.	*cantar*	5	
Descuadrilarse	América	Derrengarse la bestia por el madril. *(Es decir, lastimarse un animal la cadera.)*	*cantar*	5	
Descuajeringar	América	1. Desvencijar, desunir, desconcertar alguna cosa. 2. Relajarse las partes del cuerpo por efecto de cansancio.	*pagar*	6	
Descuerar	América	Desollar, despellejar.	*cantar*	5	
Descunchar	A. del Sur	*Col.* fam. Perder en el juego hasta la última moneda.	*cantar*	5	
Desempeñar(se)	América	Actuar, trabajar, dedicarse a una actividad satisfactoriamente.	*cantar*	5	
Desempercudir	Caribe	*Cuba.* Despercudir la ropa, lavarla, limpiarla de la suciedad.	*vivir*	51	
Desengavetar	A. Central	*Guat.* Sacar algo que estaba guardado desde hacía tiempo en una gaveta. *(Es decir, en un cajón o mueble con cajones.)*	*cantar*	5	

verbos hispanoamericanos

VERBO	ZONA	EXPLICACIÓN	MODELO	TABLA	NOTA
Desentechar	A. Central y A. del Sur	*Amér. Central, Col. y Ecuad.* Quitar el techo a un edificio.	*cantar*	5	
Desentejar	A. Central y A. del Sur	**1**. *Amér. Central, Col., Ecuad. y Venez.* Quitar las tejas a los tejados de los edificios o a las bardillas de las tapias. **2**. *Amér. Central, Col., Ecuad. y Venez.* fig. Dejar sin reparo o defensa una cosa.	*cantar*	5	
Desgarrar	América	Arrancar la flema. *(Es decir, la mucosidad que asciende de las vías respiratorias a la boca.)*	*cantar*	5	
Desguañangar	América	Desvencijar, descuajaringar *(v. descuajeringar)*.	*pagar*	6	
Deshijar	América y A. del Sur	**1**. *Amér.* Quitar los chupones a las plantas. *(Es decir, los brotes nuevos, que chupan la savia y empequeñecen el fruto.)* **2**. *Argent.* Desahijar, apartar las crías.	*cantar*	5	
Desmadrar	A. del Sur	*Col.* Sufrir la hembra el descendimiento patológico de la matriz.	*cantar*	5	
Desmalezar	América	Escardar, desbrozar, quitar la maleza.	*cruzar*	8	
Desmanchar	América	**1**. Salirse de la manada un animal. **2**. Descarriarse, desorientarse. **3**. Desbandarse, huir, salir corriendo. **4**. Abandonar el grupo o compañía de que se forma parte, alejarse de amistades.	*cantar*	5	
Desmechar	México	fam. Arrancar los cabellos o barbas con las manos.	*cantar*	5	
Desmonetizar(se)	A. del Sur y Caribe	*Argent., Chile, Par. y P. Rico.* Depreciar, desacreditar.	*cruzar*	8	
Desocupar	A. del Sur y A. Central	*Argent., Hond., Urug. y Venez.* Parir, dar a luz.	*cantar*	5	
Despabilar	América	Escabullirse, marcharse.	*cantar*	5	
Despancar	América	Separar la panca de la mazorca del maíz. *(Es decir, la hoja que cubre la mazorca.)*	*atacar*	7	
Desparpajar(se)	A. Central y Caribe	*Hond. y P. Rico.* Sacudir el sueño, despabilarse.	*cantar*	5	
Desparramar	América	*Argent., Méx., Par. y P. Rico.* Divulgar una noticia.	*cantar*	5	

Conjugar es fácil

verbos hispanoamericanos

VERBO	ZONA	EXPLICACIÓN	MODELO	TABLA	NOTA
Despelucar(se)	América	*Col., Chile, Méx.* y *Pan.* Despeluzar, descomponer.	*atacar*	7	
Despeluzar	Caribe y A. Central	*Cuba* y *Nicar.* Desplumar, pelar a alguien, dejarlo sin dinero.	*cruzar*	8	
Despenar	América	Rematar, ayudar a morir al moribundo.	*cantar*	5	
Despercudir(se)	América	**1.** Limpiar o lavar lo que está percudido. *(Es decir, sucio.)* **2.** fig. Despabilar, despertar a una persona. **3.** prnl. Blanquearse, clarearse la piel.	*vivir*	51	
Despernancarse	América	Esparrancarse, despatarrarse. *(Es decir, abrirse de piernas, separarlas.)*	*atacar*	7	
Despezuñarse	América	**1.** *Col., Chile, Hond.* y *P. Rico.* fig. Caminar muy deprisa. **2.** *Col., Chile, Hond.* y *P. Rico.* fig. Desvivirse, poner mucho empeño en algo.	*cantar*	5	
Despicar(se)	A. del Sur	*Col.* y *Venez.* Hacer perder al gallo de pelea la parte más aguda del pico.	*atacar*	7	
Despichar	A. del Sur	*Col., Chile* y *Venez.* Aplastar, despachurrar.	*cantar*	5	
Despilarar	América	Derribar los pilares de una mina.	*cantar*	5	
Despintar	A. del Sur y Caribe	*Col., Chile* y *P. Rico.* fig. y fam. Apartar la mirada, perder de vista.	*cantar*	5	
Despostar	A. del Sur	*Argent., Bol., Chile, Ecuad.* y *Urug.* Destazar, descuartizar una res o un ave.	*cantar*	5	
Despotizar	A. del Sur	*Chile* y *Ecuad.* Gobernar o tratar despóticamente, tiranizar.	*cruzar*	8	
Desprender(se)	A. del Sur y Caribe	*Argent., Par., P. Rico* y *Urug.* Desabrochar, desabotonar.	*beber*	24	
Despresar	A. del Sur	Descuartizar, hacer presas un animal.	*cantar*	5	
Desrielar(se)	América	Salir fuera del carril. Se usa referido a los trenes, tranvías, etc.	*cantar*	5	
Desriscar(se)	A. del Sur y Caribe	*Chile* y *P. Rico.* Precipitar algo desde un risco o peña.	*atacar*	7	
Destapar	América	Dar a conocer el nombre del tapado. *(Es decir, de la persona que oculta su identidad.)*	*cantar*	5	

verbos hispanoamericanos

VERBO	ZONA	EXPLICACIÓN	MODELO	TABLA	NOTA
Destemplar	América	*Chile, Ecuad., Guat., Méx. y Perú.* Sentir dentera. *(Es decir, sentir molestias en los dientes y encías. Se usa también en sentido figurado.)*	*cantar*	5	
Desternerar	A. del Sur y Caribe	*Chile, P. Rico y Urug.* Destetar los becerros o separarlos de sus madres.	*cantar*	5	
Destupir	Caribe	*Cuba.* Quitar las obstrucciones.	*vivir*	51	
Destusar	A. Central	Despinochar, quitar al maíz la hoja o tusa.	*cantar*	5	
Desubicar(se)	América	Situar a una persona o una cosa fuera de lugar.	*atacar*	7	
* Devolverse	América	Volverse, dar la vuelta.	*mover*	30	Nota 32, pág. 169
Dictar	América	Dicho de clases, conferencias, etc., darlas, pronunciarlas, impartirlas.	*cantar*	5	
Difuntear	América	fam. Matar.	*cantar*	5	
Discar	A. del Sur	*Argent.* Marcar, formar un número en el disco del teléfono.	*atacar*	7	
Dispararse	América	Partir o correr sin dirección y precipitadamente lo que tiene movimiento natural o artificial.	*cantar*	5	
Doblar	México	Balear, disparar con bala sobre alguien o algo; herir o matar a balazos.	*cantar*	5	
Dragonear	América	1. Ejercer un cargo sin tener título para ello. 2. Hacer alarde, presumir de algo.	*cantar*	5	
E					
Echar	A. del Sur y Caribe	*Argent. y P. Rico.* Proponer o presentar una persona o animal como de superiores cualidades, en comparación de otro con quien se supone se echa a pelear.	*cantar*	5	
Emballestarse	México	Contraer el emballestado. *(Es decir, la enfermedad por la cual se encorva un hueso de las manos.)*	*cantar*	5	
Embancarse	México y A. del Sur	1. *Méx.* Pegarse a las paredes del horno de una fundición los materiales escoriados, con pérdida de toda la operación. 2. *Chile y Ecuad.* Cegarse un río, lago, etc., por las tierras de aluvión.	*atacar*	7	

261

Conjugar es fácil

verbos hispanoamericanos

VERBO	ZONA	EXPLICACIÓN	MODELO	TABLA	NOTA
Embanquetar	México	Poner aceras o banquetas en las calles.	*cantar*	5	
Embarrar(se)	América	1. *Amér. Central* y *Méx.* Complicar a uno en un asunto sucio. 2. *Amér.* fig. Calumniar, desacreditar a alguien. 3. *Amér.* Causar daño, fastidiar. 4. *Amér.* Cometer un delito.	*cantar*	5	
Embarrialarse	A. Central y A. del Sur	1. *Amér. Central* y *Venez. V. embarrar(se)*. 2. *Amér. Central*. Atascarse.	*cantar*	5	
Embejucar	Caribe y A. del Sur	1. *Ant., Col., P. Rico* y *Venez.* Cubrir o envolver con bejucos (*v. bejuquear, 2.*). 2. *Col.* Desorientar. 3. *Col.* y *Venez.* prnl. Enredarse. 4. *Col.* Enfadarse, airarse.	*atacar*	7	
Embicar(se)	México	Empinar el codo, beber.	*atacar*	7	
Embicharse	A. del Sur	*Argent.* Llenarse de larvas de moscas las heridas de los animales.	*cantar*	5	
Embijar	México y A. Central	*Méx.* y *Nicar.* Ensuciar, manchar, embarrar.	*cantar*	5	
Embochinchar(se)	América	Promover un bochinche, alborotar.	*cantar*	5	
Embolatar	A. del Sur	1. *Col.* Engañar con mentiras o falsas promesas. 2. *Col.* Dilatar, demorar. 3. *Col.* Enredar, enmarañar, embrollar. 4. *Col.* prnl. Estar absorbido por un asunto, entretenerse, engolfarse en él. 5. *Col.* Perderse, extraviarse. 6. *Col.* Alborotarse.	*cantar*	5	
Embolismar	A. del Sur	*Chile.* Alborotar.	*cantar*	5	
Embonar	América	*Cuba, Ecuad.* y *Méx.* Empalmar, unir una cosa con otra.	*cantar*	5	
Emborrascar	A. Central y México	*Hond.* y *Méx.* Tratándose de minas, empobrecerse o perderse la veta.	*atacar*	7	
Emborucarse	México	Confundirse.	*atacar*	7	
Embostar	A. del Sur	1. *Venez.* Revocar las paredes con una mezcla de estiércol de caballo y tierra. 2. *Venez.* Dejar la ropa enjabonada algún tiempo.	*cantar*	5	

Conjugar es fácil

verbos hispanoamericanos

VERBO	ZONA	EXPLICACIÓN	MODELO	TABLA	NOTA
Embrocar	A. Central y México	*Hond.* y *Méx.* Poner boca abajo una vasija o un plato, y por extensión, cualquier otra cosa. Ú. t. c. prnl.	*atacar*	7	
Embrollar	A. del Sur	*Chile* y *Urug.* Apropiarse de algo mediante engaño.	*cantar*	5	
Embromar(se)	América	**1.** *Chile, Méx.* y *Perú.* Detener, hacer perder el tiempo. **2.** *Argent., Col., Cuba, Chile, Méx., Perú, P. Rico, Rep. Dom.* y *Urug.* Fastidiar, molestar. **3.** *Argent., Chile, P. Rico, Rep. Dom.* y *Urug.* Perjudicar, ocasionar un daño moral o material.	*cantar*	5	
Embroncarse	A. del Sur	*Argent.* fam. Enojarse, enfadarse, airarse.	*atacar*	7	
Embullar	A. del Sur y A. Central	*Col.* y *C. Rica.* Meter bulla, alborotar.	*cantar*	5	
Emburujarse	América	*Méx., P. Rico* y *Venez.* Arrebujarse, cubrirse bien el cuerpo.	*cantar*	5	
Empacar	América	Hacer el equipaje.	*atacar*	7	
Empacarse	América	Plantarse una bestia *(v. armar, 1.)*.	*atacar*	7	
Empajar	América	**1.** *Col., Chile, Ecuad.* y *Nicar.* Techar de paja. **2.** *Chile.* Mezclar con paja. Se usa generalmente hablando del barro que se prepara para hacer adobes. **3.** *Chile.* prnl. Echar los cereales mucha paja y poco fruto. **4.** *P. Rico.* y *Venez.* Hartarse, llenarse de comida sin sustancia.	*cantar*	5	
Empalarse	A. del Sur	**1.** *Chile.* Obstinarse, encapricharse. **2.** *Chile.* Envararse, arrecirse. *(Es decir, quedarse el cuerpo rígido a consecuencia del frío.)*	*cantar*	5	
Empamparse	A. del Sur	Extraviarse en la pampa.	*cantar*	5	
Empañetar	América	**1.** *Amér. Central, Ecuad.* y *P. Rico.* Embarrar, cubrir una pared con una mezcla de barro, paja y boñiga. **2.** *Col.* y *P. Rico.* Poner una capa de yeso o mezcla a las paredes, techos o fachadas de los edificios. Limpiar, poner tersas y brillantes la plata, las armas, etc.	*cantar*	5	

Conjugar es fácil

verbos hispanoamericanos

VERBO	ZONA	EXPLICACIÓN	MODELO	TABLA	NOTA
Emparamar(se)	A. del Sur	1. *Col.* y *Venez.* Aterir, helar. 2. *Col.* y *Venez.* Mojar la lluvia, la humedad o el relente.	*cantar*	5	
Empardar	A. del Sur	*Argent.* Empatar, igualar, particularmente en el juego de cartas.	*cantar*	5	
Empastar(se)	América	1. *Chile, Méx.* y *Nicar.* Empradizar un terreno. *(Es decir, convertirlo en prado.)* 2. *Argent.* y *Chile.* Padecer meteorismo el animal por haber comido el pasto en malas condiciones. *(Es decir, padecer abultamiento del vientre por gases.)* Ú. m. c. prnl. 3. *Chile.* prnl. Llenarse de maleza un sembrado.	*cantar*	5	
Empatar	América	1. *Col., C. Rica, Méx., P. Rico* y *Venez.* Empalmar, juntar una cosa a otra. 2. *Col.* Gastar el tiempo en cosas molestas.	*cantar*	5	
Empavonar	A. del Sur y Caribe	*Col.* y *P. Rico.* Untar, pringar.	*cantar*	5	
Empelotarse	América	*Col., Cuba, Chile* y *Méx.* Desnudarse, quedarse en pelota.	*cantar*	5	
Empertigar	A. del Sur	*Chile.* Atar al yugo el pértigo de un carro.	*pagar*	6	
Empetatar	México	Esterar, cubrir un piso con petate o envolver con él un bulto. *(Es decir, emplear para estos fines una estera de palma.)*	*cantar*	5	
Empilchar(se)	A. del Sur	*Argent.* y *Urug.* fam. Vestir, particularmente si es con esmero.	*cantar*	5	
Empilonar	Caribe	*Cuba.* Hacer montones de tabaco seco poniendo las hojas extendidas unas sobre otras.	*cantar*	5	
Empiparse	A. del Sur y Caribe	*Chile, Ecuad., Perú* y *P. Rico.* Apiparse, ahitarse. *(Es decir, atracarse de comida o bebida.)*	*cantar*	5	
Emplantillar	A. del Sur	*Chile.* Macizar, rellenar con cascotes las zanjas de cimentación.	*cantar*	5	
Emplomar	A. del Sur	*Argent.* Empastar un diente o una muela *(v. calzar, 1.).*	*cantar*	5	

Conjugar es fácil

verbos hispanoamericanos

VERBO	ZONA	EXPLICACIÓN	MODELO	TABLA	NOTA
Emplumar	A. del Sur y Caribe	**1.** *Ecuad.* y *Venez.* Enviar a uno a algún sitio de castigo. **2.** *Col., Ecuad.* y *P. Rico.* Fugarse, huir, alzar el vuelo.	*cantar*	5	
Emponcharse	A. del Sur	*Argent., Ecuad., Perú* y *Urug.* Ponerse el poncho. *(Es decir, una vestimenta de tejido natural que se mete por la cabeza y que no tiene mangas.)*	*cantar*	5	
Empotrerar	América	Herbajar, meter el ganado en el potrero para que paste.	*cantar*	5	
Empozar	América	Quedar el agua detenida en el terreno formando pozas o charcos.	*cruzar*	8	
Empuntar	A. del Sur	**1.** *Col.* y *Ecuad.* Encarrilar, encaminar, dirigir. **2.** *Col.* y *Ecuad.* Irse, marcharse. **3.** *Venez.* prnl. Obstinarse uno en su tema.	*cantar*	5	
Empuñar	A. del Sur	*Chile.* Cerrar la mano para formar o presentar el puño.	*cantar*	5	
Empurrarse	A. Central	*C. Rica, Guat., Hond.* y *Nicar.* Enfurruñarse o emberrenchinarse.	*cantar*	5	
Enancarse	América	**1.** Montar a las ancas. *(Es decir, sobre la parte posterior del animal.)* **2.** fig. Meterse uno donde no lo llaman.	*atacar*	7	
Enarcar	México	Encabritarse el caballo.	*atacar*	7	
Encabuyar	Caribe y A. del Sur	*Cuba, P. Rico* y *Venez.* Liar, forrar una cosa con cabuya. *(Es decir, con cuerda, especialmente de pita.)*	*cantar*	5	
Encachar(se)	A. del Sur	**1.** *Chile.* Agachar la cabeza el animal vacuno para embestir. **2.** *Chile* y *Venez.* prnl. Obstinarse, emperrarse. **3.** *Chile.* prnl. Agachar la cabeza.	*cantar*	5	
Encalambrarse	A. del Sur y Caribe	*Col., Chile* y *P. Rico.* Entumirse, aterirse.	*cantar*	5	
Encalamocar(se)	A. del Sur	*Venez.* Alelar, poner a uno calamocano o chocho. *(Es decir, tener a alguien rendido de amor.)*	*atacar*	7	

Conjugar es fácil

verbos hispanoamericanos

VERBO	ZONA	EXPLICACIÓN	MODELO	TABLA	NOTA
Encalillarse	A. del Sur	*Chile.* Endeudarse.	*cantar*	5	
Encamotarse	A. del Sur y A. Central	*Argent., C. Rica, Chile, Ecuad.* y *Perú.* fam. Enamorarse, amartelarse.	*cantar*	5	
Encampanar(se)	América	**1.** *Col., P. Rico, Rep. Dom.* y *Venez.* Elevar, encumbrar. **2.** *Méx.* Dejar a alguien en la estacada. **3.** *Col.* prnl. Enamorarse. **4.** *Venez.* Internarse, avanzar hacia dentro.	*cantar*	5	
Encanarse	A. del Sur	*Col.* En el lenguaje del hampa, ingresar en la cárcel.	*cantar*	5	
Encandelillar	A. del Sur y A. Central	**1.** *Argent., Col., Chile, Ecuad.* y *Perú.* Sobrehilar una tela. *(Es decir, coser su extremo inferior.)* **2.** *Col., Chile, Ecuad., Hond., Perú* y *Venez.* Encandilar, deslumbrar.	*cantar*	5	
Encandilarse	Caribe	*P. Rico.* Enfadarse.	*cantar*	5	
Encapotar	Caribe	*Cuba* y *P. Rico.* Enmantarse el ave. *(Es decir, estar triste, alicaída.)*	*cantar*	5	
Encarpetar	A. del Sur y A. Central	*Argent., Chile, Ecuad., Nicar.* y *Perú.* Dar carpetazo, dejar detenido un expediente.	*cantar*	5	
Encartuchar(se)	A. del Sur y Caribe	*Col., Chile, Ecuad.* y *P. Rico.* Enrollar en forma de cartucho.	*cantar*	5	
Encasquillar	América y Caribe	**1.** *Amér.* Herrar caballerías o bueyes. *(Es decir, proteger sus patas con herradura, o ponerles una señal de propiedad.)* **2.** *Cuba.* fig. y fam. Acobardarse, acoquinarse.	*cantar*	5	
Enchamicar	A. del Sur	*Ecuad.* Dar chamico a alguien como bebedizo. *(Es decir, darle de un arbusto silvestre narcótico y venenoso, también empleado como medicina.)*	*atacar*	7	
Enchicharse	A. del Sur	*Col.* Emborracharse.	*cantar*	5	
Enchilar(se)	A. Central y México	**1.** *C. Rica, Hond., Méx.* y *Nicar.* Untar, aderezar con chile. *(Es decir, con una salsa picante que se emplea en las comidas.)* **2.** *Méx.* y *Nicar.* fig. Picar, molestar, irritar.	*cantar*	5	

Conjugar es fácil

verbos hispanoamericanos

VERBO	ZONA	EXPLICACIÓN	MODELO	TABLA	NOTA
Enchinar	México	Formar rizos con el cabello.	*cantar*	5	
Enchinchar	A. Central y México	1. *Guat.* Chinchar, fastidiar. 2. *Méx.* Hacer perder el tiempo.	*cantar*	5	
Enchipar	A. del Sur	*Col.* Arrollar, enrollar.	*cantar*	5	
Enchivarse	A. del Sur y Caribe	*Col., Ecuad.* y *P. Rico.* Emberrincharse, encolerizarse.	*cantar*	5	
Enchuecar(se)	A. del Sur y México	*Chile* y *Méx.* fam. Torcer, encorvar.	*atacar*	7	
Enchumbar	América	Ensopar, empapar de agua.	*cantar*	5	
Encielar	A. del Sur	*Chile.* Poner a una cosa cielo, techo o cubierta.	*cantar*	5	
Encimar	A. del Sur	1. *Col.* Dar encima de lo estipulado, añadir. 2. *Chile.* Alcanzar la cima de un monte o cerro.	*cantar*	5	
Encobrar	A. del Sur	*Chile.* Sujetar un extremo del lazo en un tronco, piedra, etc., para afianzar mejor al animal enlazado con el otro extremo.	*cantar*	5	
Encohetarse	A. Central	*C. Rica.* Enfurecerse, encolerizarse.	*cantar*	5	
Encorselar(se)	América	Poner corsé.	*cantar*	5	
Encuartar .	México	1. Encabestrarse una bestia. *(Es decir, engancharse una mano en la cadena que la ata y no poder sacarla.)* 2. prnl. fig. Enredarse en un negocio; no saber encontrar salida.	*cantar*	5	
Encuerar(se)	América	*Col., Cuba, Méx., Perú* y *Rep. Dom.* Desnudar, dejar en cueros a una persona.	*cantar*	5	
Enditarse	A. del Sur	*Chile.* Entramparse, endeudarse.	*cantar*	5	
Endrogarse	Caribe	*P. Rico* y *Rep. Dom.* Drogarse, usar estupefacientes.	*pagar*	6	
Energizar(se)	A. del Sur	1. *Col.* Obrar con energía, actuar con vigor o vehemencia. 2. *Col.* Estimular, dar energía.	*cruzar*	8	
Enfiestarse	América	*Col., Chile, Hond., Méx., Nicar.* y *Venez.* Estar de fiesta, divertirse.	*cantar*	5	

—— 267 ——

Conjugar es fácil

verbos hispanoamericanos

VERBO	ZONA	EXPLICACIÓN	MODELO	TABLA	NOTA
Enflautar	A. del Sur	*Col.* fam. Encajar, decir a uno algo inoportuno o molesto.	*cantar*	5	
Enfunchar(se)	Caribe	*P. Rico.* Enojar, enfadar.	*cantar*	5	
Enfurruscarse	A. del Sur	*Chile.* fam. Enfadarse.	*atacar*	7	
Engaratusar	A. Central y México	*Guat., Hond., Méx.* y *Nicar.* Hacer a uno garatusas, engatusar.	*cantar*	5	
Engarzarse	América	Enzarzarse, enredarse unos con otros.	*cruzar*	8	
Engavetar	A. Central	*Guat.* Guardar algo en una gaveta por tiempo indefinido *(v. desengavetar).*	*cantar*	5	
Engorrar	A. del Sur	*Venez.* Fastidiar, molestar.	*cantar*	5	
Engrillarse	Caribe y A. del Sur	*P. Rico* y *Venez.* Encapotarse el caballo. *(Es decir, bajar mucho la cabeza.)*	*cantar*	5	
Engringarse	América	Seguir uno las costumbres o manera de ser de los gringos o extranjeros.	*pagar*	6	
Engualichar	A. del Sur	*Argent.* Hechizar, embrujar.	*cantar*	5	
Enguaraparse	América	*V. aguaraparse.*	*cantar*	5	
Enguitarrarse	A. del Sur	*Venez.* Vestirse de levita u otro traje de ceremonia.	*cantar*	5	
Enhorquetar(se)	A. del Sur y Caribe	*Argent., Cuba, P. Rico* y *Urug.* Poner a horcajadas. *(Es decir, montarse sobre algo o alguien con una pierna para cada lado.)*	*cantar*	5	
Enlajar	A. del Sur	*Venez.* Cubrir el suelo con lajas. *(Es decir, con piedras planas, lisas y de poco grosor.)*	*cantar*	5	
Enlatar	A. Central	*Hond.* Cubrir un techo o formar una cerca con latas de madera.	*cantar*	5	
Enlozar	América	Cubrir con un baño de loza o de esmalte vítreo.	*cruzar*	8	
Enmaniguarse	Caribe	**1.** *Cuba* y *P. Rico.* Convertirse un terreno en manigua. *(Es decir, en un bosque tropical pantanoso e impenetrable.)* **2.** *Cuba* y *P. Rico.* fig. Acostumbrarse a la vida del campo.	*averiguar*	11	
Enmonarse	A. del Sur	*Perú.* Pillar una mona, emborracharse.	*cantar*	5	

Conjugar es fácil

verbos hispanoamericanos

VERBO	ZONA	EXPLICACIÓN	MODELO	TABLA	NOTA
Enmontarse	América	Cubrirse un campo de maleza.	*cantar*	5	
Enmontunarse	A. del Sur	*Venez.* Volverse montuno. *(Es decir, volverse rudo, rústico.)*	*cantar*	5	
Enmugrar	A. del Sur y México	*Col., Chile* y *Méx.* Cubrir de mugre. *(Es decir, de porquería.)*	*cantar*	5	
Enrejar	América	**1.** *Col., Cuba, Guat., Hond.* y *Venez.* Poner el rejo o soga a un animal, manearlo. **2.** *Col., Cuba* y *Hond.* Atar el ternero a una de las patas de la vaca para ordeñarla.	*cantar*	5	
Enrielar(se)	A. del Sur y México	**1.** *Chile* y *Méx.* Meter en el riel, encarrilar. **2.** *Chile.* fig. Encarrilar, encauzar.	*cantar*	5	
Enrostrar	América	Dar en rostro, echar en cara, reprochar.	*cantar*	5	
Ensabanarse	A. del Sur	*Venez.* Alzarse, sublevarse.	*cantar*	5	
Ensartar(se)	América	*Chile, Méx., Nicar., Perú* y *Urug.* fig. Hacer caer en un engaño o trampa.	*cantar*	5	
Enserenar	A. del Sur	**1.** *Ecuad.* Dejar alimentos al aire fresco de la noche, con el objeto de conservarlos fríos, o ropas para orearlas. **2.** *Ecuad.* prnl. Quedarse al sereno una persona. *(Es decir, quedarse al fresco de la noche.)*	*cantar*	5	
Enseriarse	Caribe y A. del Sur	*Cuba, Perú, P. Rico* y *Venez.* Ponerse serio mostrando algún disgusto o desagrado.	*cantar*	5	
Ensimismarse	A. del Sur	*Col.* y *Chile.* Gozarse en sí mismo, envanecerse, engreírse.	*cantar*	5	
Ensopar(se)	A. del Sur	Empapar, poner hecho una sopa.	*cantar*	5	
Entablar(se)	A. del Sur y América	**1.** *Argent.* Acostumbrar al ganado mayor a que ande en manada o tropilla. **2.** *Amér.* Igualar, empatar.	*cantar*	5	
Enterar	América	*Col., C. Rica, Hond.* y *Méx.* Pagar, entregar dinero.	*cantar*	5	
Enterciar	México	Empacar, formar tercios con una mercancía.	*cantar*	5	
* **Enterrar**	América	Clavar, meter un instrumento punzante.	*pensar*	13	

Conjugar es fácil

verbos hispanoamericanos

VERBO	ZONA	EXPLICACIÓN	MODELO	TABLA	NOTA
Entilar	A. Central	**1.** *Hond.* Manchar con tizne, hollín u otra materia semejante. Ú. t. c. prnl. **2.** *Hond.* Por ext., manchar a manera de tizne con substancia de cualquier otro color. Se usa t. c. prnl. **3.** *Hond.* fig. Deslustrar, oscurecer o manchar la fama u opinión.	*cantar*	5	
Entisar	Caribe	*Cuba.* Forrar una vasija con una red.	*cantar*	5	
Entrabar	A. del Sur	*Col.* y *Perú.* Trabar, estorbar.	*cantar*	5	
Entreverarse	A. del Sur	**1.** *Argent.* y *Perú.* Mezclarse desordenadamente personas, animales o cosas. **2.** *Argent.* Chocar dos masas de caballería y luchar cuerpo a cuerpo los jinetes.	*cantar*	5	
Entroncar(se)	América	**1.** *Méx.* Emparejar dos caballos o yeguas del mismo pelo. **2.** *Cuba, Méx., Perú* y *P. Rico.* Empalmar dos líneas de transporte.	*atacar*	7	
Entropillar	A. del Sur	*Argent.* y *Urug.* Acostumbrar a los caballos a vivir en tropilla.	*cantar*	5	
Envegarse	A. del Sur	*Chile.* Empantanarse, tener exceso de humedad un terreno.	*pagar*	6	
Envelar	A. del Sur	*Chile.* Huir.	*cantar*	5	
Enyerbar	México	Dar a alguien un bebedizo venenoso.	*cantar*	5	
Erogar	A. del Sur	*Bol.* Gastar el dinero.	*pagar*	6	
Erupcionar	A. del Sur	*Col.* Hacer erupción un volcán.	*cantar*	5	
Escarapelar(se)	A. del Sur y A. Central	**1.** *Col., C. Rica* y *Venez.* Descascarar, desconchar, resquebrajar. **2.** *Col.* Ajar, manosear. **3.** *Perú.* prnl. Ponérsele a uno carne de gallina.	*cantar*	5	
Escarcear	A. del Sur	*Argent., Urug.* y *Venez.* Hacer escarceos el caballo. *(Es decir, moverse y dar vueltas sobre sí.)*	*cantar*	5	
Escobillar	América	En algunos bailes tradicionales, zapatear suavemente como si se estuviese barriendo el suelo.	*cantar*	5	

VERBO	ZONA	EXPLICACIÓN	MODELO	TABLA	NOTA
Escollar	A. del Sur	*Argent.* y *Chile.* fig. Fracasar, malograrse un propósito por haber tropezado con algún inconveniente.	*cantar*	5	
Escorar	Caribe y A. Central	**1.** *Cuba.* Apuntalar *(v. apuntalar(se)).* **2.** *Cuba* y *Hond.* prnl. Arrimarse a un lugar que resguarde bien el cuerpo.	*cantar*	5	
* Esmorecer(se)	América	*C. Rica, Cuba* y *Venez.* Desfallecer, perder el aliento.	*obedecer*	33	
Espaldear	A. del Sur	*Chile.* Hacer espaldas, proteger, defender a una persona.	*cantar*	5	
Espelucar(se)	América	*V. despeluzar.*	*atacar*	7	
Espernancarse	América	Abrirse de piernas.	*atacar*	7	
Estacar	América	**1.** *Amér.* Sujetar, clavar con estacas. Se usa especialmente hablando de los cueros, cuando se extienden en el suelo para que se sequen y se sujetan con estacas para que se mantengan estirados. **2.** *Col.* y *C. Rica.* Punzarse, clavarse una astilla.	*atacar*	7	
Estaquear	A. del Sur	**1.** *Argent.* Estacar, estirar un cuero, fijándolo con estacas. **2.** *Argent.* Por ext., castigo que consistía en estirar a un hombre, amarrado con tientos entre cuatro estacas.	*cantar*	5	
Estribar	A. del Sur	*Argent.* Calzar un jinete el pie en el estribo.	*cantar*	5	
* Expedirse	A. del Sur	*Urug.* Manejarse, desenvolverse en asuntos o actividades.	*pedir*	60	
Expensar	A. del Sur y México	*Chile* y *Méx.* Costear, pagar los gastos de alguna gestión o negocio.	*cantar*	5	
F					
Fajar(se)	América	**1.** *Argent., C. Rica, Cuba, Chile, Perú* y *Urug.* Pegar a uno, golpearlo. **2.** *P. Rico* y *Rep. Dom.* Pedir dinero prestado. **3.** *Cuba.* Hacer la corte a una mujer, enamorarla con propósitos deshonestos. **4.** *C. Rica, P. Rico* y *Rep. Dom.* Trabajar, dedicarse intensamente a un trabajo.	*cantar*	5	

Conjugar es fácil

verbos hispanoamericanos

VERBO	ZONA	EXPLICACIÓN	MODELO	TABLA	NOTA
Farrear	A. del Sur	*Argent., Chile, Perú* y *Urug.* fam. Andar de farra o de parranda. *(Es decir, divertirse.)*	*cantar*	5	
Farsantear	A. del Sur	*Chile.* Hablar u obrar como farsante.	*cantar*	5	
Felpear	A. del Sur	*Argent.* fam. Reprender ásperamente a una persona.	*cantar*	5	
Figurear	Caribe	*Rep. Dom.* Tratar de representar el papel de protagonista o el de una de las personas más importantes. .	*cantar*	5	
Fintear	América	Hacer fintas, amagar. *(Es decir, comportarse con falsedad.)*	*cantar*	5	
Fletar	América	**1.** *Amér.* Alquilar una bestia o un vehículo para transportar personas o cargas. **2.** *Chile* y *Perú.* fig. Soltar, espetar, largar, dicho de acciones o palabras inconvenientes o agresivas. **3.** *Argent., Chile* y *Urug.* Enviar a alguien a alguna parte contra su voluntad. **4.** *Argent., Chile* y *Urug.* Despedir a alguien de un trabajo o empleo. **5.** *Cuba.* prnl. Largarse, marcharse de pronto. **6.** *Argent.* Colarse, introducirse en una reunión sin ser invitado. **7.** *Méx.* Encargarse a disgusto de un trabajo pesado. **8.** *Méx.* Inclinarse.	*cantar*	5	
Fletear	A. Central y Caribe	**1.** *C. Rica* y *Nicar.* Transportar carga de un lugar a otro. **2.** *Cuba* y *C. Rica.* Recorrer una prostituta las calles en busca de clientes.	*cantar*	5	
Florear	A. del Sur y América	**1.** *Chile.* Escoger lo mejor de una cosa. **2.** *Amér.* Florecer.	*cantar*	5	
Fondearse	América	Acumular fondos, enriquecerse.	*cantar*	5	
Fotutear	Caribe	*Cuba.* Tocar el fotuto, en especial de modo insistente y molesto. *(Es decir, tocar la bocina.)*	*cantar*	5	
* Fregar(se)	América	fig. y fam. Fastidiar, molestar, jorobar.	*negar*	14	
Fritar	A. del Sur	*Col.* Freír.	*cantar*	5	

verbos hispanoamericanos

VERBO	ZONA	EXPLICACIÓN	MODELO	TABLA	NOTA
Fundir	América	fig. y fam. Arruinarse, hundirse.	*vivir*	51	
Fungir	Caribe	*Cuba* y *P. Rico.* Dárselas, echárselas de algo.	*dirigir*	52	

<table>
<tr><td colspan="6" align="center">G</td></tr>
</table>

VERBO	ZONA	EXPLICACIÓN	MODELO	TABLA	NOTA
Gafarse	A. del Sur	*Col.* Despearse un animal por haber caminado mucho, especialmente las caballerías desprovistas de herraduras. *(Es decir, maltratarse los pies.)*	*cantar*	5	
Galuchar	A. del Sur y Caribe	*Col., P. Rico* y *Venez.* Galopar.	*cantar*	5	
Gargarear	América	Hacer gárgaras. *(Es decir, mantener un líquido sin tragarlo en la garganta, con la cabeza para atrás.)*	*cantar*	5	
Garuar	América	impers. Lloviznar.	*actuar*	10	
Gauchear	A. del Sur	*Argent.* y *Urug.* Seguir costumbres de gaucho *(v. agauchar(se)).*	*cantar*	5	
Golletear	A. del Sur	*Col.* Asir a uno del gollete. *(Es decir, de la parte superior de la garganta.)*	*cantar*	5	
Gorgorear	A. del Sur	*Chile.* Hacer quiebros con la voz en la garganta, sobre todo al cantar.	*cantar*	5	
Guachapear	A. del Sur	*Chile.* Hurtar, robar, arrebatar.	*cantar*	5	
Guachinear	Caribe	*Cuba.* fig. Estar entre dos aguas. *(Es decir, no saber qué escoger entre dos cosas.)*	*cantar*	5	
Guantear	América	Dar guantadas, abofetear.	*cantar*	5	
Guapear	A. del Sur	*Urug.* Fanfarronear, echar bravatas.	*cantar*	5	
Guataquear	Caribe	**1**. *Cuba.* Limpiar o desbrozar el terreno con la guataca. *(Es decir, con una azada.)* **2**. *Cuba.* fig. Adular sistemática e interesadamente.	*cantar*	5	
Guayar	Caribe	**1**. *Rep. Dom.* Rallar, desmenuzar una cosa con el rallador. **2**. *P. Rico.* prnl. Embriagarse, emborracharse.	*cantar*	5	

Conjugar es fácil

verbos hispanoamericanos

VERBO	ZONA	EXPLICACIÓN	MODELO	TABLA	NOTA
		H			
Halar	Caribe y A. Central	*Cuba* y *Nicar.* Tirar hacia sí de una cosa.	*cantar*	5	
Hamacar(se)	A. del Sur y A. Central	**1**. *Argent., Guat., Par.* y *Urug.* Hamaquear, mecer. **2**. *Argent.* Por ext., dar al cuerpo un movimiento de vaivén. **3**. *Argent.* fig. y fam. Afrontar con esfuerzo una situación difícil.	*atacar*	7	
Hamaquear(se)	América y Caribe	**1**. *Amér.* Mecer, columpiar, especialmente en hamaca. **2**. *Cuba.* fig. Marear a uno, traerle como un zarandillo. *(Es decir, como un muchacho travieso.)*	*cantar*	5	
Harinear	A. del Sur	*Venez.* impers. Llover con gotas muy menudas.	*cantar*	5	
Harnear	A. del Sur	*Chile.* Cribar, pasar por el harnero. *(Es decir, limpiar el trigo con la ayuda de un instrumento especial.)*	*cantar*	5	
Hijuelar	A. del Sur	*Chile.* Dividir un fundo en hijuelas. *(Es decir, dividir una finca rústica en fincas más pequeñas.)*	*cantar*	5	
Historiar	América	fam. Complicar, confundir, enmarañar.	*cantar*	5	Nota 50, pág. 170
Hormiguillar	América	Revolver el mineral argentífero hecho harina con magistral y sal común para preparar el beneficio.	*cantar*	5	
Hornaguearse	A. del Sur	*Chile.* Moverse un cuerpo a un lado y otro.	*cantar*	5	
Horrarse	América	*Col.* y *C. Rica.* Hablando de yeguas, vacas, etc., malograrseles las crías.	*cantar*	5	
Hostigar	América	**1**. *Col., Chile, Ecuad., Méx., Nicar., Perú* y *Venez.* Ser empalagoso un alimento o bebida. **2**. *Col.* y *Perú.* fam. Molestar, empalagar un individuo.	*pagar*	6	
Huachar	A. del Sur	*Ecuad.* Arar, hacer surcos.	*cantar*	5	
Huaquear	A. del Sur	*Perú.* Excavar en los cementerios prehispánicos para extraer el contenido de las tumbas o huacas.	*cantar*	5	

verbos hispanoamericanos

VERBO	ZONA	EXPLICACIÓN	MODELO	TABLA	NOTA
Humear	América	Fumigar. *(Es decir, desinfectar por medio de gases.)*	cantar	5	
Hurguetear	América	Hurgar, escudriñar, huronear.	cantar	5	

I

Imprimar	A. del Sur	*Col.* Cubrir la superficie no pavimentada de una carretera con un material asfáltico, con el fin de evitar el polvo y la erosión.	cantar	5	
Improbar	América	Desaprobar, reprobar una cosa.	contar	16	
Incursionar	América	fig. Hablando de un escritor o de un artista plástico, hacer una obra de género distinto del que cultiva habitualmente.	cantar	5	
Invernar	A. del Sur	*Argent., Bol., Chile, Par., Perú y Urug.* Pastar el ganado en los invernaderos.	cantar	5	

J

Jalar	América y A. Central	**1.** *Amér.* fig. Correr o andar muy de prisa. **2.** *Amér. Central.* Mantener relaciones amorosas.	cantar	5	
Jeremiquear	América	Lloriquear, gimotear.	cantar	5	
Jinetear	América	**1.** *Amér.* Domar caballos cerriles. *(Es decir, salvajes.)* **2.** *Argent.* Montar potros luciendo el jinete su habilidad y destreza. **3.** *Méx.* fig. Tardar en pagar un dinero con el fin de sacar ganancias. **4.** *Col.* y *Méx.* prnl. Montarse y asegurarse en la silla.	cantar	5	
Jocotear	A. Central	**1.** *C. Rica* y *Guat.* Salir al campo a cortar o a comer jocotes. *(Es decir, una fruta parecida a la ciruela.)* **2.** *C. Rica* y *Guat.* fig. Molestar mucho, hacer daño.	cantar	5	
Joropear	A. del Sur	**1.** *Col.* y *Venez.* Bailar el joropo. *(Es decir, una danza popular venezolana de zapateo.)* **2.** *Col.* y *Venez.* Divertirse.	cantar	5	
Julepear	A. del Sur y Caribe	**1.** *Argent.* y *Urug.* Asustar, infundir miedo. **2.** *Col.* Molestar, mortificar algunas cosas. **3.** *Col.* Insistir, urgir. **4.** *P. Rico.* Fastidiar, molestar.	cantar	5	

Conjugar es fácil

verbos hispanoamericanos

VERBO	ZONA	EXPLICACIÓN	MODELO	TABLA	NOTA
Jumarse	América	vulg. Embriagarse, emborracharse.	*cantar*	5	
L					
Lacear	A. del Sur	*Chile* y *Perú*. Sujetar un animal con lazo, lazar.	*cantar*	5	
Ladear	A. del Sur	*Chile*. fig. y fam. Prendarse de una mujer, enamorarse.	*cantar*	5	
Lagartear	A. del Sur	*Chile*. Coger de los lagartos de los brazos a uno, con instrumento adecuado o con ambas manos, y apretárselos para impedirle el uso de los brazos, con el fin de atormentarlo o vencerlo en la lucha. *(Es decir, coger de los músculos grandes de los brazos.)*	*cantar*	5	
Lampear	A. del Sur	*Chile* y *Perú*. Remover la tierra con la lampa. *(Es decir, con la azada.)*	*cantar*	5	
Laquear	A. del Sur	*Chile*. Coger o derribar un animal valiéndose del laque. *(Es decir, de un instrumento compuesto de piedras y cuerdas.)*	*cantar*	5	
Leñatear	A. del Sur	*Col*. Recoger leña en el campo.	*cantar*	5	
Lerdear	A. Central y A. del Sur	**1**. *Amér. Central* y *Argent*. Tardar, hacer algo con lentitud. **2**. *Amér. Central* y *Argent*. Moverse con pesadez o torpeza. **3**. *Amér. Central* y *Argent*. Retardarse, llegar tarde.	*cantar*	5	
Llapar	A. del Sur	Añadir, yapar.	*cantar*	5	
Llavear	A. del Sur	*Par*. Cerrar con llave.	*cantar*	5	
M					
Macanear	América	**1**. *P. Rico* y *Rep. Dom*. Golpear con la macana. *(Es decir, con un arma parecida a un machete o porra, que usaban los indios americanos.)* **2**. *Nicar*. y *Venez*. Desbrozar *(v. desmalezar)*. **3**. *Hond*. Trabajar fuertemente y con asiduidad. En *Nicar*. se usa c. prnl. **4**. *Argent., Bol., Chile, Par*. y *Urug*. Decir desatinos o embustes. *(Es decir, tonterías o mentiras.)*	*cantar*	5	

verbos hispanoamericanos

VERBO	ZONA	EXPLICACIÓN	MODELO	TABLA	NOTA
Machetear(se)	A. del Sur	**1.** *Argent.* fig. y fam. Reducir el texto de un examen a machete. *(Es decir, a «chuleta», papel con las respuestas de un examen que se utiliza a escondidas.)* **2.** *Argent.* fam. Valerse el estudiante de machete durante un examen.	*cantar*	5	
Magancear	A. del Sur	*Chile.* Haraganear, remolonear. *(Es decir, evitar trabajar, hacer el vago.)*	*cantar*	5	
Majaderear	América	**1.** Molestar, incomodar uno a otra persona. **2.** Insistir con terquedad importuna en una pretensión o negativa.	*cantar*	5	
* Maltraer	A. del Sur	*Argent.* Injuriar, reprender con severidad.	*traer*	47	
Manejar	América	Conducir, guiar un automóvil.	*cantar*	5	
Manguear	A. del Sur	**1.** *Argent.* y *Chile.* Acosar al ganado mayor o menor para que entre en la manga, espacio comprendido entre dos palanqueras o estacadas. **2.** *Argent.* Tirar la manga.	*cantar*	5	
Manojear	Caribe	*Cuba.* Poner en manojos las hojas del tabaco.	*cantar*	5	
Mantearse	A. del Sur	*Chile.* Convertirse en manto una veta de metal. *(Es decir, en la capa que se forma entre la corteza y el núcleo de la tierra.)*	*cantar*	5	
Mañerear	A. del Sur	**1.** *Argent.* y *Urug.* Obrar, proceder con malas mañas. **2.** *Chile.* Usar un animal malas mañas.	*cantar*	5	
Mañosear	A. del Sur	*Chile* y *Perú.* Actuar, proceder con maña.	*cantar*	5	
Marranear	A. del Sur	*Col.* Engañar.	*cantar*	5	
Matear	A. del Sur	*R. de la Plata.* Tomar mate reiteradas veces.	*cantar*	5	
Matrimoniar	A. del Sur	Unirse en matrimonio, casarse.	*cantar*	5	
Mezquinar	A. del Sur	**1.** *Argent.* Esquivar, apartar, hacer a un lado. **2.** *Col.* Librar a alguien de un castigo.	*cantar*	5	
Mordacear	A. del Sur	*Argent.* Ablandar, sobar el cuero con mordaza. *(Es decir, con el instrumento cilíndrico empleado para tal fin.)*	*cantar*	5	

Conjugar es fácil

verbos hispanoamericanos

VERBO	ZONA	EXPLICACIÓN	MODELO	TABLA	NOTA
Mulatear	A. del Sur	*Chile.* Empezar a negrear o a ponerse morena la fruta que, cuando madura, es negra.	*cantar*	5	
Muñequear	A. del Sur	**1.** *Chile.* Empezar a echar la muñequilla el maíz y plantas semejantes. *(Es decir, empezar a echar la mazorca.)* **2.** *Argent., Bol.* y *Par.* fig. Mover influencia para obtener algo.	*cantar*	5	
N					
Nalguear	A. Central y México	*C. Rica* y *Méx.* Dar nalgadas, golpear a alguien en las nalgas.	*cantar*	5	
Nancear	A. Central	**1.** *Amér. Central.* Cosechar nances. *(Es decir, frutos del arbusto del mismo nombre, pequeños y aromáticos.)* **2.** *Hond.* Alcanzar.	*cantar*	5	
Neblinear	A. del Sur	*Chile.* impers. Lloviznar.	*cantar*	5	Nota 12, pág. 169
Negrear	A. del Sur	*Perú.* Insultar a una persona tratándola de negro. *(Expresión muy racista.)*	*cantar*	5	
Ñ					
Ñangotarse	Caribe	**1.** *P. Rico* y *Rep. Dom.* Ponerse en cuclillas. **2.** *P. Rico.* Humillarse, someterse. **3.** *P. Rico.* Perder el ánimo.	*cantar*	5	
O					
Ofertar	América	**1.** Ofrecer, prometer algo. **2.** Ofrecer, dar voluntariamente una cosa. **3.** Ofrecer, dedicar o consagrar algo a Dios o a los santos.	*cantar*	5	
Opacar(se)	América	Oscurecer, nublar.	*atacar*	7	
Orejear	A. del Sur	*Argent.* fig. Brujulear, descubrir poco a poco las cartas.	*cantar*	5	
P					
Pajarear	América	**1.** *Amér.* Espantarse la caballería. **2.** *Amér.* Oxear, espantar a las aves. **3.** *Méx.* Intentar oír o enterarse de algo con disimulo.	*cantar*	5	
Palanganear	A. del Sur	*Argent., Chile* y *Perú.* Fanfarronear.	*cantar*	5	

Conjugar es fácil

VERBO	ZONA	EXPLICACIÓN	MODELO	TABLA	NOTA
Palanquear	A. del Sur	*Argent.* y *Urug.* fig. Emplear alguien su influencia para que una persona consiga un fin determinado.	*cantar*	5	
Palenquear	A. del Sur	*Urug.* Sujetar animales al palenque. *(Es decir, a una estaca clavada en la tierra.)*	*cantar*	5	
Pallaquear	A. del Sur	*Perú. V. pallar.*	*cantar*	5	
Pallar	A. del Sur	Improvisar coplas, en controversia con otro cantor.	*cantar*	5	
Paluchear	Caribe	*Cuba.* fam. Parlotear.	*cantar*	5	
Pampear	A. del Sur	Recorrer la pampa.	*cantar*	5	
Pantallear	A. del Sur	*Argent., Par.* y *Urug.* Hacer aire con una pantalla, paipay o soplillo.	*cantar*	5	
Pañetar	A. del Sur	*Col.* Enlucir, cubrir con pañete las paredes, techos, etc., de los edificios. *(Es decir, cubrir con una capa de yeso.)*	*cantar*	5	
Papachar	México	*V. apapachar.*	*cantar*	5	
Paporretear	A. del Sur	*Perú.* Repetir algo sin entenderlo.	*cantar*	5	
Paquetear	A. del Sur	*Argent.* Presumir, mostrarse ante los demás bien vestido.	*cantar*	5	
Parar(se)	América	Estar o poner de pie.	*cantar*	5	
Parquear	América	Aparcar.	*cantar*	5	
Pasmar	A. del Sur	*Perú.* Desmedrarse, encanijarse. *(Es decir, desmejorarse físicamente.)*	*cantar*	5	
Patriar	A. del Sur	*Argent.* Reyunar, cortar a un caballo la mitad de su oreja derecha para señalarlo como propiedad del Estado.	*cantar*	5	
Payar	A. del Sur	*Argent., Chile* y *Urug.* Cantar payadas. *(Es decir, cantar contrapunteado por dos o más personas.)*	*cantar*	5	
Pechar	América	Sablear, estafar.	*cantar*	5	
Pelar	México	Irse, escapar, huir precipitadamente.	*cantar*	5	
Pelotear	A. del Sur	**1.** *Bol.* Pasar un río en la batea llamada pelota.	*cantar*	5	

Conjugar es fácil

verbos hispanoamericanos

VERBO	ZONA	EXPLICACIÓN	MODELO	TABLA	NOTA
		2. *Argent.* Traer a alguien a mal traer, tratarlo sin consideración.			
Peluquear(se)	A. del Sur y A. Central	*Col., C. Rica, Par., Urug.* y *Venez.* Cortar el pelo a una persona.	*cantar*	5	
Pendejear	A. del Sur	*Col.* fam. Hacer o decir necedades o tonterías.	*cantar*	5	
Pepenar	A. Central y México	Recoger del suelo, rebuscar.	*cantar*	5	
Perimir	A. del Sur	*Argent.* Caducar el procedimiento por haber transcurrido el término fijado por la ley sin que lo hayan impulsado las partes.	*vivir*	51	
Peticionar	América	Presentar una petición o súplica, especialmente a las autoridades.	*cantar*	5	
Pialar	América	Echar un lazo a un animal para derribarlo, apealar.	*cantar*	5	
Picanear	A. del Sur	Aguijar a los bueyes. *(Es decir, forzarlos a caminar más deprisa.)*	*cantar*	5	
Pichulear	A. del Sur	**1.** *Chile.* Engañar. **2.** *Argent.* y *Urug.* Buscar afanosamente ventajas o ganancias pequeñas en compras o negocios.	*cantar*	5	
Pifiar	A. del Sur	**1.** *Argent., Chile* y *Perú.* Burlar, escarnecer, hacer bromas pesadas. **2.** *Chile* y *Ecuad.* Silbar con insistencia. Burlarse con extremo; mofarse de uno, o ridiculizarlo.	*cantar*	5	
Pircar	A. del Sur	Cerrar un lugar con muro de piedra en seco.	*atacar*	7	
Pirquinear	A. del Sur	*Chile.* Trabajar al pirquén. *(Es decir, sin condiciones para la persona trabajadora, quedando a expensas del empresario.)*	*cantar*	5	
Pispar o pispiar	A. del Sur	*Argent.* Indagar, oír, u observar curioseando.	*cantar*	5	
Pitar	A. del Sur	**1.** *Amér. del Sur.* Fumar cigarrillos. **2.** *Chile.* Engañar a uno, chasquearlo, burlarse de él.	*cantar*	5	

Conjugar es fácil

VERBO	ZONA	EXPLICACIÓN	MODELO	TABLA	NOTA
Plagiar	América	Apoderarse de una persona para obtener rescate por su libertad.	*cantar*	5	
Politiquear	América	Hacer política de intrigas y bajezas.	*cantar*	5	
Pololear	América y A. del Sur	1. *Amér.* Molestar, importunar. 2. *Chile.* Galantear, requebrar. *(Es decir, adular a alguien para conseguirlo sexualmente.)*	*cantar*	5	
Premunir(se)	América	Proveer de alguna cosa como prevención o cautela para algún fin.	*vivir*	51	
Prosear	A. del Sur	*Urug.* Conversar.	*cantar*	5	
Provocar	A. del Sur	*Col.* y *Venez.* fam. Incitar el apetito, apetecer, gustar.	*atacar*	7	
Puntear	A. del Sur	1. *Argent., Chile* y *Urug.* Remover la capa superior de la tierra con la punta de la pala. 2. *Argent., Col., Perú* y *Urug.* Marchar a la cabeza de un grupo de personas o animales.	*cantar*	5	
Putear	América	Injuriar, dirigir palabras soeces a alguien.	*cantar*	5	
Puyar	América	1. *Col., C. Rica, Guat., Hond., Nicar., Méx.* y *Pan.* Herir con la puya. *(Es decir, con una punta insertada en una vara, empleada por picadores y vaqueros.)* 2. *Col., Chile* y *Pan.* Incitar con ahínco.	*cantar*	5	
Q					
Quedar	A. del Sur	*Argent.* y *Urug.* Morirse.	*cantar*	5	
Quinchar	A. del Sur	Cubrir o cercar con quinchas. *(Es decir, con tramas de juncos.)*	*cantar*	5	
Quiñar	A. del Sur y A. Central	1. *Chile, Ecuad., Pan.* y *Perú.* Dar golpes con la púa del trompo. *(Es decir, del instrumento cónico, de madera o metal, empleado para ensanchar cañerías.)* 2. *Perú.* Desportillar, descantillar, astillar.	*cantar*	5	
R					
Rajar	América	Hablar mal de uno, desacreditarlo.	*cantar*	5	
Rasmillar	A. del Sur	*Chile.* Arañar ligeramente.	*cantar*	5	

Conjugar es fácil

verbos hispanoamericanos

VERBO	ZONA	EXPLICACIÓN	MODELO	TABLA	NOTA
Rasquetear	A. del Sur	Limpiar el pelo de las caballerías con rasqueta. *(Es decir, con una pieza de chapa con dientes.)*	*cantar*	5	
Rastrillar	A. del Sur	*Argent.* En operaciones militares o policiales, batir áreas urbanas o despobladas para reconocerlas o registrarlas.	*cantar*	5	
Recargarse	México	Apoyarse.	*pagar*	6	
Recesar	América	**1**. *Bol., Cuba, Méx., Nicar.* y *Perú.* Cesar temporalmente en sus actividades una corporación. **2**. *Perú.* Clausurar una cámara legislativa.	*cantar*	5	
Reciprocar	América	Responder a una acción con otra semejante.	*atacar*	7	
* Recordar(se)	A. del Sur y México	*Argent.* y *Méx.* Despertar el que está dormido.	*contar*	16	
Reencauchar	A. del Sur	*Col.* y *Perú.* Recauchar, recauchutar. *(Es decir, volver a cubrir de caucho una cubierta gastada.)*	*cantar*	5	
Refaccionar	América	Restaurar o reparar.	*cantar*	5	
Refundir	A. Central y México	Perder, extraviar.	*vivir*	51	
Regresar	América	Devolver o restituir algo a su poseedor.	*cantar*	5	
Relievar	A. del Sur	**1**. *Col.* y *Perú.* Relevar, hacer de relieve algo. **2**. *Col.* y *Perú.* fig. Relevar, exaltar, engrandecer.	*cantar*	5	
Rematar	A. del Sur	*Argent., Bol., Chile* y *Urug.* Comprar o vender en subasta pública. En *Argent.* sólo significa vender.	*cantar*	5	
* Remoler	A. Central y A. del Sur	**1**. *Guat.* y *Perú.* Molestar. **2**. *Chile.* fig. Parrandear, jaranear, divertirse.	*mover*	30	
Repelar	México	Rezongar, refunfuñar.	*cantar*	5	
Reportear	América	**1**. Entrevistar un periodista a una persona importante para hacer un reportaje. **2**. Tomar fotografías para realizar un reportaje gráfico.	*cantar*	5	

verbos hispanoamericanos

VERBO	ZONA	EXPLICACIÓN	MODELO	TABLA	NOTA
Repuntar	América y A. del Sur	**1.** *Amér.* Volver a subir las aguas de un río. **2.** *Amér.* Empezar a manifestarse alguna cosa, como enfermedad, cambio del tiempo, etc. **3.** *Amér. del Sur.* Aparecer alguien de improviso. **4.** *Argent.* Reunir los animales que están dispersos en un campo. **5.** *Argent.* Recuperar algo o alguien una posición favorable.	*cantar*	5	
Requintar	América	**1.** *Argent.* Doblar o levantar el ala del sombrero hacia arriba. **2.** *Col.* Cargar una caballería. **3.** *Amér. Central, Col., Méx. y R. de la Plata.* Poner tirante una cuerda.	*cantar*	5	
Restear(se)	A. del Sur	*Venez.* Poner el jugador en la apuesta todo el dinero que le queda sobre la mesa.	*cantar*	5	
Retacear	A. del Sur	*Argent., Par., Perú y Urug.* fig. Escatimar lo que se da a otro, material o moralmente.	*cantar*	5	
Retobar	A. del Sur y México	**1.** *Argent. y Urug.* Forrar o cubrir con cuero ciertos objetos, como las boleadoras, el cabo del rebenque, etc. **2.** *Chile.* Envolver o forrar los fardos con cuero o con arpillera, encerado, etc. **3.** *Méx.* Rezongar, responder. **4.** *Argent. y Urug.* prnl. Ponerse displicente y en actitud de reserva excesiva. **5.** *Argent.* Rebelarse, enojarse.	*cantar*	5	
* **Retribuir**	América	Corresponder al favor o al obsequio que uno recibe.	*concluir*	59	
Retrucar	A. del Sur	*Argent., Perú y Urug.* Replicar con acierto y energía.	*atacar*	7	
Revirar	A. del Sur y México	*Col. y Méx.* En ciertos juegos, doblar la apuesta del contrario.	*cantar*	5	
Revolear	A. del Sur	*Argent. y Urug.* Hacer girar a rodeabrazo una correa, lazo, etc., o ejecutar molinetes con cualquier objeto.	*cantar*	5	
Reyar	Caribe	*P. Rico.* Salir en grupos a solicitar aguinaldo. *(Es decir, pequeña cantidad de*	*cantar*	5	

Conjugar es fácil

VERBO	ZONA	EXPLICACIÓN	MODELO	TABLA	NOTA
		dinero que se da a quien lo solicite en Navidad.)			
Rochar	A. del Sur	*Chile.* Sorprender a alguien en algo ilícito.	*cantar*	5	
Rodajear	A. Central	*El Salv., Guat.* y *Nicar.* Partir o cortar algo en rodajas.	*cantar*	5	
Rodear	América	*Argent., Col., Cuba, Chile, Nicar.* y *Perú.* Reunir el ganado mayor en un sitio determinado, arreándolo desde los distintos lugares en donde pace.	*cantar*	5	
Rosquear	A. del Sur	*Chile.* Armar roscas, pendencias, etc.	*cantar*	5	
Rumbar	A. del Sur	*Chile.* Tomar el rumbo, rumbear.	*cantar*	5	
Rumbear	América	**1.** *Amér.* Orientarse, tomar el rumbo; encaminarse, dirigirse hacia un lugar. **2.** *Nicar.* Hacer rumbos o remiendos. **3.** *Cuba.* Andar de rumba o parranda.	*cantar*	5	
Rumorar	América	Correr un rumor entre las gentes.	*cantar*	5	
Rustir	A. del Sur	*Venez.* Aguantar, soportar con paciencia trabajos y penas.	*vivir*	51	
		S			
Sabanear	América	Recorrer la sabana donde se ha establecido un hato, para buscar y reunir el ganado, o para vigilarlo.	*cantar*	5	
Salar(se)	América	**1.** *Cuba, Hond.* y *Perú.* Manchar, deshonrar. **2.** *C. Rica, Guat., Nicar., Perú* y *P. Rico.* Desgraciar, echar a perder. **3.** *C. Rica.* Dar o causar mala suerte.	*cantar*	5	
* **Salir**	A. del Sur	**1.** *Col.* Armonizar una cosa con otra. **2.** *Col.* Ajustarse algo a un modelo establecido.		79	
Semblantear	América	*Argent., Chile, El Salv., Guat., Méx., Nicar.* y *Urug.* Mirar a uno cara a cara para penetrar sus sentimientos o intenciones.	*cantar*	5	
* **Sentar**	A. del Sur	*Argent., Chile, Ecuad.* y *Perú.* Sofrenar bruscamente al caballo, haciendo que levante las manos y se apoye sobre los cuartos traseros.	*pensar*	13	

VERBO	ZONA	EXPLICACIÓN	MODELO	TABLA	NOTA
Serenar	A. del Sur	**1.** *Col.* Lloviznar. **2.** *Col.* y *Venez.* prnl. Exponerse al sereno *(v. enserenar).*	*cantar*	5	
Sobar	A. del Sur	**1.** *Argent.* Dar masaje, friccionar. **2.** *Argent.* Fatigar al caballo, exigirle un gran esfuerzo.	*cantar*	5	
Socapar	A. del Sur y México	*Bol., Ecuad.* y *Méx.* Encubrir faltas ajenas.	*cantar*	5	
Solapear	A. del Sur	*Col.* Sacudir a uno asiéndolo de la solapa.	*cantar*	5	
* **Sonar**	A. del Sur	**1.** *Argent.* y *Urug.* vulg. Morir o padecer una enfermedad mortal. **2.** *Argent., Chile* y *Par.* fam. Fracasar, perder, tener mal fin algo o alguien. **3.** *Chile.* Sufrir las consecuencias de algún hecho o cambio.	*contar*	16	
Sufragar	América	Votar a un candidato o una propuesta, dictamen, etc.	*pagar*	6	
T					
Taimarse	A. del Sur	**1.** *Chile.* Hacerse taimado. *(Es decir, obstinado.)* **2.** *Chile.* Amorrarse, obstinarse.	*cantar*	5	
Tallar	A. del Sur	*Chile.* Hablar de amores un hombre y una mujer.	*cantar*	5	
Talonear	México y A. del Sur	**1.** *Méx.* vulg. Practicar la prostitución callejera; por ext., trabajar. **2.** *Argent., Chile* y *Méx.* Incitar el jinete a la caballería, picándola con los talones.	*cantar*	5	
Tapiscar	A. Central	*C. Rica, Hond.* y *Nicar.* Cosechar el maíz, desgranando la mazorca.	*atacar*	7	
Tascar	A. del Sur	*Ecuad.* Quebrantar con los dientes algún alimento duro, como una galleta.	*atacar*	7	
Taucar	A. del Sur	*Bol.* Colocar unas cosas sobre otras, apilar.	*atacar*	7	
Tejer	A. del Sur	*Chile.* fig. Intrigar, enredar.	*beber*	24	
Temperar	América	*Col., C. Rica, Nicar., Pan., P. Rico* y *Venez.* Mudar temporalmente de clima una persona por razones de placer o de salud.	*cantar*	5	
Templar	A. del Sur	Enamorarse.	*cantar*	5	

Conjugar es fácil

verbos hispanoamericanos

VERBO	ZONA	EXPLICACIÓN	MODELO	TABLA	NOTA
Tempranear	América	Madrugar.	cantar	5	
Terciar	América	1. *Argent., Col., Méx.* y *Venez.* Cargar a la espalda una cosa. 2. *Col., Cuba, Chile, Ecuad., Guat.* y *Méx.* Mezclar líquidos, especialmente con el vino y la leche, para adulterarlos.	cantar	5	
Tertuliar	América	Estar de tertulia, conversar.	cantar	5	
Tijeretear	América	fig. Murmurar, criticar.	cantar	5	
Tincar	A. del Sur	1. *Argent.* Golpear o golpearse con la uña del dedo medio, haciéndolo resbalar con violencia sobre la yema del pulgar. 2. *Argent.* En el juego de las canicas, impulsarlas con la uña del dedo pulgar. 3. *Argent.* Golpear una bola con otra.	atacar	7	
Tinquear	A. del Sur	*Argent. V. tincar.*	cantar	5	
Tirar	A. del Sur y Caribe	*Col., Cuba y Chile.* Conducir, transportar, acarrear.	cantar	5	
Topar	América	Echar a pelear los gallos por vía de ensayo. *(Es decir, como preparación para una pelea.)*	cantar	5	
Torear	A. del Sur	1. *Argent.* Ladrar el perro repetidas veces en señal de alarma y ataque. 2. *Argent.* fig. Provocar, dirigir insistentemente a alguien palabras que pueden molestarle o irritarle. 3. *Chile.* fig. Azuzar, provocar.	cantar	5	
Tornar	A. del Sur	*Col.* Girar el brazo una fracción de círculo para lanzar al aire el ave posada en el puño.	cantar	5	
Tortear	A. Central	*Guat.* Hacer tortillas.	cantar	5	
• **Tostar**	A. del Sur	*Chile.* fig. Zurrar, vapular. *(Es decir, reprender severamente a alguien.)*	contar	16	
Trabar	América	Entorpecérsele a uno la lengua al hablar, tartamudear.	cantar	5	
Transar(se)	América	Transigir, ceder, llegar a una transacción o acuerdo.	cantar	5	
Trapear	América	Fregar el suelo con trapo o estropajo.	cantar	5	

verbos hispanoamericanos

VERBO	ZONA	EXPLICACIÓN	MODELO	TABLA	NOTA
Trasbocar	América	Vomitar, arrojar lo que se tiene en el estómago.	*atacar*	7	
Trepidar	América	Vacilar, dudar.	*cantar*	5	
Trincar	A. Central y México	Apretar, oprimir.	*atacar*	7	
Trompar	América	Jugar al trompo. *(Es decir, a la peonza.)*	*cantar*	5	
Turnar	México	En uso jurídico y administrativo, remitir una comunicación, expediente o actuación a otro departamento, juzgado, sala de tribunales, funcionario, etc.	*cantar*	5	
Tusar	América y A. del Sur	**1.** *Amér.* Trasquilar. *(Es decir, cortar el pelo o la lana a algunos animales.)* **2.** *Argent.* Cortar las crines del caballo según un modelo determinado.	*cantar*	5	

U

Ubicar	América	Situar o instalar en determinado espacio o lugar.	*atacar*	7	
Ultimar	América	Matar.	*cantar*	5	

V

Vaquear	A. del Sur	*Argent.* Practicar la vaquería o caza de ganado salvaje.	*cantar*	5	
Varar	América	Quedarse detenido un vehículo por avería.	*cantar*	5	
Varear	A. del Sur	*Argent.* Ejercitar un caballo de competición para conservar su buen estado físico.	*cantar*	5	
Ventajear	A. del Sur y A. Central	*Argent., Col., Guat.* y *Urug.* Aventajar, obtener ventaja.	*cantar*	5	
Viborear	A. del Sur	*Argent.* y *Urug.* Serpentear, moverse ondulando como las serpientes.	*cantar*	5	
Vichar	A. del Sur	*Argent.* y *Urug.* fam. Espiar, atisbar.	*cantar*	5	
Vistear	A. del Sur	*Argent.* Simular, como muestra de habilidad y destreza, una pelea a cuchillo.	*cantar*	5	
Vivar	América	Vitorear, dar vivas.	*cantar*	5	

Conjugar es fácil

verbos hispanoamericanos

VERBO	ZONA	EXPLICACIÓN	MODELO	TABLA	NOTA
Voltear	A. del Sur y Caribe	1. *Argent.* Derribar. 2. *Col., Chile, Perú* y *P. Rico.* prnl. Cambiar de partido político.	*cantar*	5	
		Y			
Yapar	A. del Sur	1. *Amér. del Sur.* Añadir la yapa. *(Es decir, el azogue que se mezcla con el mineral.)* 2. *Argent.* Agregar a un objeto otro de la misma materia o que sirve para el mismo uso.	*cantar*	5	
Yerbear	A. del Sur	*R. de la Plata.* Matear.	*cantar*	5	
		Z			
Zafar	América	Dislocarse, descoyuntarse un hueso.	*cantar*	5	
Zampar(se)	América	Arrojar, impeler con violencia una cosa.	*cantar*	5	
Zanquear	América	*C. Rica, Méx.* y *Rep. Dom.* Ir buscando algo o a alguien.	*cantar*	5	
Zaragutear	A. del Sur	*Venez.* Vagabundear.	*cantar*	5	
Zarandearse	A. del Sur y Caribe	*Perú, P. Rico* y *Venez.* Contonearse.	*cantar*	5	
Zarpear	A. Central	*C. Rica* y *Hond.* Salpicar de barro, llenar de zarpas o cazcarrias.	*cantar*	5	
Zonificar	A. del Sur	*Col.* Dividir un terreno en zonas.	*atacar*	7	
Zoquetear	América	Actuar o comportarse como un zoquete o mentecato. *(Es decir, como un tonto, como un inconsciente.)*	*cantar*	5	
Zorrear	A. del Sur	*Chile* y *Urug.* Perseguir o cazar zorros con jaurías. *(Es decir, con grupos de perros.)*	*cantar*	5	
Zurdear	América	Hacer con la mano izquierda lo que generalmente se hace con la derecha.	*cantar*	5	

frases hechas y expresiones figuradas de Hispanoamérica

Andando por la calle...

1. AGACHAR
Col. y Méx.
Agacharse con una cosa.
Apropiarse una cosa
indebidamente.

3. APUNTAR
Méx.
Apuntar y no dar.
Ofrecer y no cumplir.

2. AMARRAR
Amér.
Amarrársela.
Embriagarse.

4. ARMAR
Méx.
Armarla.
A. En el juego, hacer trampas, componiendo los naipes para ganar.
B. Promover riña o alboroto.

Conjugar es fácil

frases hechas y expresiones figuradas de Hispanoamérica

5. ARRANCAR
Cuba y Méx.
Arrancársele a alguien.
Acabársele el dinero
a alguien.

6. COLEAR
Méx. y Venez.
Todavía colea.
Expresión con que se indica no
haberse concluido todavía un
negocio, o no ser aún conocidas
todas sus consecuencias.

7. CORTAR
Urug.
Cortarse solo.
Apartarse de un grupo.

8. EMPATAR
Col.
Empatársela a uno.
Igualarlo en una acción
extraordinaria.

9. EMPLUMAR
Col.
Emplumarlas.
= Tomar las de Villadiego.
Desaparecer alguien
inesperadamente, en general para
evitar un compromiso o una
situación molesta.

10. EMPUNTAR
Col.
Empuntarlas.
Afufar, tomar las de Villadiego.

11. ENVELAR
Chile
Envelárselas.
Huir.

12. FAJAR
C. Rica, Cuba y Rep. Dom.
Fajar con uno.
Acometerle con violencia.

13. LADEAR
Chile
Ladearse con uno.
A. Andar o ponerse a su lado.
B. Empezar a enemistarse
con él.

Conjugar es fácil

frases hechas y expresiones figuradas de Hispanoamérica

14. PELAR
Méx.
1. Pelarse uno de fino.
Ser muy astuto.
2. Pelárselas.
A. Apetecer alguien con vehemencia
una cosa.
B. Ejecutar alguna cosa con
vehemencia, actividad
o rapidez.

15. PICAR
Argent. y Perú
Picárselas.
Irse, por lo común
rápidamente.

17. SOBAR
Argent.
Sobar el lomo.
Dar coba, adular, halagar a otro
para obtener de él alguna ventaja.

16. REBUSCAR
Argent., Chile y Par.
Rebuscársela.
Ingeniarse para
enfrentar y sortear
dificultades
cotidianas.

18. SONAR
Chile
Hacer sonar.
A. Castigar fuertemente.
B. Ganar en una pelea, dejando al
adversario fuera de combate.

19. TEJER
Chile
Tejer y destejer.
Mudar de resolución en lo
emprendido, haciendo y
deshaciendo una
misma cosa.

Conjugar es fácil